Claire Wilson Harris

D0549444

Un homme
comme tant d'autres

Du même auteur

Un homme comme tant d'autres, (Charles), Tome 1,
    Libre Expression, 1992.

Littérature jeunesse:

Émilie, la baignoire à pattes, Héritage, 1976.
Le Chat de l'oratoire, Fides, 1979.
La Révolte de la courtepointe, Fides, 1979.
La Maison tête de pioche, Héritage, 1979.
Une boîte magique très embêtante, Leméac, 1981.
La Grande question de Tomatelle, Leméac, 1982.
Comment on fait un livre?, Méridien, 1983.
La dépression de l'ordinateur, Fides, 1984.
Bach et Bottine, Québec-Amérique, 1986.

Bernadette Renaud

Un homme
comme tant d'autres

Tome 2
Monsieur Manseau

Libre Expression

Données de catalogage avant publication (Canada)

Renaud, Bernadette, 1945-

Un homme comme tant d'autres

Sommaire: v. 1. Charles — v. 2 Monsieur Manseau

ISBN 2-89111-546-5 (v. 1) — ISBN 2-89111-585-6

(v. 2)

I. Titre.

PS8585.E63H65 1992   C843'.54   C92-097033-8

PS9585.E63H65 1992

PQ3919.2.R46H65 1992

Maquette de la couverture:
FRANCE LAFOND

Illustration de la couverture:
GILLES ARCHAMBAULT

Composition et mise en pages:
Composition Monika, Québec

Tous droits de traduction et d'adaptation réservés; toute
reproduction d'un extrait quelconque de ce livre par quelque
procédé que ce soit, et notamment par photocopie ou microfilm,
strictement interdite sans l'autorisation écrite de l'éditeur.

© Éditions Libre Expression
2016, rue Saint-Hubert
Montréal, Qc H2L 3Z5

Dépôt légal:
3e trimestre 1993

ISBN 2-89111-585-6

CHAPITRE PREMIER

ACCROUPIE dans l'herbe folle en ce beau midi de fin juin, la petite Marie-Louise arrachait des fleurs sauvages. Sa robe à carreaux rouges et beiges, ornée d'un large col matelot, tranchait sur la mer blanche et or des marguerites. De sa tête penchée n'émergeait que la grande boucle de tissu carreauté ancrée dans ses cheveux bruns, ceux des Manseau.

L'enfant de cinq ans, absorbée par sa cueillette, se racontait tout bas comment, dans quelques instants, elle allait offrir ses fleurs à son père, Charles Manseau, qui venait les voir une fois par semaine, au dîner qui suivait la grand-messe. Cet homme distant, elle avait tellement envie de l'embrasser et de l'enserrer de ses petits bras au moins une fois dans sa vie.

Depuis sa naissance, en février 1900, Marie-Louise vivait, ainsi que ses deux frères, chez ses grands-parents maternels, Éphrem et Amanda Gingras. Il y avait là aussi ses trois oncles, Clophas, Léonard et Alphonse, les seuls à vivre encore à la maison familiale attenante à la forge. Les deux frères aînés de Marie-Louise, Victor et Henri, avaient été plus chanceux qu'elle; ils avaient connu leur mère Mathilde durant quelques années, avant qu'elle ne meure à la naissance de leur petite sœur qu'elle avait tant attendue.

Depuis la fin brutale de sa vie de couple, Charles Manseau vivait seul, dans le même village que ses enfants, à Saint-François-de-Hovey, dans les Cantons-de-l'Est. Il allait les voir tous les dimanches et Marie-Louise se languissait pour ces moments si courts. Et, tous les dimanches, elle se figeait dès que son père abaissait silencieusement son regard vers elle.

L'enfant avait cueilli tant de marguerites que ses petites mains les retenaient difficilement toutes ensemble. Satisfaite, elle jugea que c'était le moment de les offrir et se redressa en souriant à l'avance de la joie qu'elle allait causer à son père. Elle leva les yeux vers celui-ci qui, depuis tout à l'heure, bavardait avec son grand-père dans la cour et elle marcha vers lui. Mais les deux hommes gravissaient déjà les marches du grand escalier extérieur et la porte moustiquaire du salon se referma sur le dos de son père. L'enfant resta confondue, les fleurs à la main. Elle cligna des yeux pour ne pas pleurer et, d'un pas lent, monta sur la galerie à leur suite. Indécise, elle finit par laisser son bouquet sur la marche du haut. Elle lissa sa jupe, étira ses longs bas beiges qui se plissaient aux chevilles, si chauds déjà, même en ce début d'été. Et elle entra à son tour pour le repas dominical.

Mais ce dîner-là ne se déroula pas comme les précédents, ceux des cinq dernières années. Dès que la soupe fut servie, l'aîné des trois enfants de Charles Manseau, Victor, âgé de huit ans et demi, respira profondément pour maîtriser son appréhension et demanda, d'une voix qu'il essayait d'affermir:

— Quand est-ce qu'on va aller vivre avec vous, papa?

Un grand silence se fit autour de la table familiale des Gingras. Victor, intimidé, fut obligé de déposer sa fourchette tellement sa main tremblait. Charles avala une bouchée lentement et répondit, du ton distant qu'il prenait quand il était défié:

— Tu le sais que je peux pas prendre soin de vous autres et aller travailler au moulin en même temps.

L'année précédente, cette réponse avait tranché la question. Mais aujourd'hui, en regardant à côté de lui son cadet Henri, âgé de sept ans, et, en face, sa petite sœur Marie-Louise, assise près de sa grand-mère Amanda, Victor, raffermi par sa responsabilité d'aîné, dépassa la frontière implicite. Il y pensait depuis trop longtemps et il ne pouvait plus différer, quelles qu'en fussent les conséquences. Les yeux baissés pour ne pas perdre son courage, il osa insister, à voix basse:

— Tous les autres enfants de l'école ont une mère, eux autres. Pourquoi vous êtes pas marié, papa?

Le grand-père Éphrem s'éclaircit la gorge et demanda une autre tasse de thé. Sa femme Amanda lui en servit en silence. Les oncles Clophas et Léonard échangèrent un regard stupéfait devant l'audace de leur neveu; le premier essaya de blaguer.

— On va aller se promener dans le village après le dîner. Viens-tu, Alphonse?

Les deux frères de vingt-quatre et vingt et un ans taquinaient leur cadet de dix-sept ans tous les dimanches midi. Celui-ci n'avait aucun désir de flâner dans le village pour courtiser les filles: il attendait que ses deux neveux et sa nièce retournent chez leur père pour entrer chez les frères du Sacré-Cœur. Pour détendre l'atmosphère, Alphonse fit semblant d'accepter.

— Ce serait pas une mauvaise idée. Viens-tu avec nous autres, Victor? lança-t-il à son neveu avec un regard rassurant de connivence.

L'interpellé ne regardait que son assiette, épuisé par son audace de l'instant précédent. Alphonse, assis à côté de lui, lui ébouriffa les cheveux.

— Bien non, grosse tête! Je vais rester ici avec toi puis Henri, comme d'habitude.

La conversation reprit tant bien que mal. Charles jeta un regard à son aîné, qui, l'estomac noué, n'osa plus rien dire du repas, et il réprimanda Henri pour une peccadille. C'était presque un rituel. Chaque semaine, le jeune veuf essayait de démontrer à sa belle-famille qu'il se conduisait en chef de famille et il ne trouvait rien d'autre pour étayer sa paternité que de réprimander l'un ou l'autre de ses enfants. Pourtant, il cherchait à les rejoindre, car ils lui manquaient, la semaine; mais il ne comprenait pas que, pour lui comme pour eux, les quelques heures du dimanche ne pouvaient compenser l'éloignement des six autres jours. La petite Marie-Louise, qui, de sa courte vie, n'avait vu son père que les dimanches et les jours de fête, en était venue à croire qu'un père, c'était quelqu'un qui ne parlait que pour disputer.

Après le repas, Clophas lissa sa moustache, rousse malgré ses cheveux noirs, et se redonna un coup de peigne. Léonard prit le temps de refaire soigneusement la raie de ses cheveux blonds avant de partir avec son frère. Clophas plaisait aux filles avec son style ténébreux: cheveux noirs frisés et yeux tout aussi sombres où rien ne transparaissait; de plus, son métier de forgeron lui conférait une aura de force et de solidité. Léonard était son opposé; plus grand, mince, il était presque aussi blond que son frère Damien, l'aîné des quatre frères Gingras. Il suscitait chez les demoiselles le désir romantique de se promener à son bras et d'être regardées par ces yeux moqueurs. Il travaillait comme engagé dans une ferme, car la forge n'était pas assez rentable pour trois hommes et, de toute façon, il n'avait pas la constitution voulue pour marteler l'enclume à l'année longue. La fille aînée de son employeur le trouvait de son goût, mais ni la ferme ni la fille ne lui empoignaient le cœur et il se contentait de vivre une journée à la fois. Le plus sociable des trois oncles était pourtant le plus jeune, Alphonse, aussi blond que l'avait été sa sœur Mathilde, et trapu et solide comme Clophas. Mais les jeunes filles ne pouvaient que soupirer en vain: sa vocation religieuse était connue de toutes depuis les bancs de l'école. En attendant son entrée au noviciat, il travaillait à mi-temps chez le notaire Lanthier, le fils de celui-ci devant se joindre à l'étude de son père à l'obtention de son diplôme.

Comme tous les dimanches, les aînés s'esquivèrent en riant pour tout l'après-midi. Alphonse alla chercher le grand cerceau de métal qu'Éphrem avait forgé pour ses petits-fils et les trois garçons commencèrent à le faire rouler avec leur bâtonnet, se le passant ou se l'enlevant tour à tour. La grand-mère Amanda desservit et fit la vaisselle, aidée pendant cinq minutes par sa petite-fille, qui se lassa vite et sortit dehors, pressée d'offrir son modeste cadeau à son père, malgré l'incident du dîner.

Elle s'arrêta, dépitée, à la vue du bouquet. Le soleil l'avait tant ramolli qu'il n'était plus présentable. Elle retourna dans le terrain vague à quelques mètres devant la maison et commença, presque fébrile, une seconde cueillette, plus malaisée que la première puisqu'elle avait arraché les plus belles fleurs avant le dîner.

Éphrem et son gendre allèrent s'asseoir dans les berçantes sur la galerie. C'était le seul moment de la semaine où Charles Manseau ne pouvait rien faire

11

d'autre que s'arrêter, et, malgré lui, il s'y était habitué, appréciant ces brèves heures de repos aux côtés de son beau-père, guère plus loquace que lui, ce qui lui laissait le temps de penser à ses affaires.

La chevelure du forgeron était toujours aussi abondante, mais elle était maintenant plus sel que poivre, ce qui adoucissait ses traits. Sa haute stature impressionnait moins, peut-être parce qu'il était un peu courbé depuis qu'il avait atteint le milieu de la cinquantaine. Il alluma lentement sa pipe et Charles recula sa chaise pour éviter la fumée, qu'il trouvait toujours aussi nauséabonde. La galerie courait sur toute la devanture de la maison; celle-ci était plus avancée que la forge et relevée de six marches, ce qui la démarquait clairement de la boutique. Éphrem tira quelques bouffées de sa pipe et regarda le terrain vague devant sa maison, puis, à gauche, la rue de terre perpendiculaire à sa forge et à sa maison, et, à droite, l'arrière de l'église. Et ensuite la rivière qui passait devant l'église et le pont qui s'allongeait devant elle. Celui-ci était maintenant couvert pour en faciliter l'usage à l'année longue, depuis que des dizaines de maisons avaient été construites de l'autre côté du cours d'eau.

Le grand-père regarda machinalement sa petite-fille qui émergeait des herbes déjà hautes et, après un long silence, il continua à dire ce que son petit-fils avait commencé une heure plus tôt.

— La petite a jamais connu ça, avoir une mère.

Son gendre ne trouva rien à répondre à cette évidence. Un malaise silencieux s'installa entre eux, et le jeune veuf eut tout le loisir de réfléchir longuement à la signification de cette courte phrase. Plus tard, Amanda sortit et s'assit dans l'autre berçante, à droite de celle de son mari, pour se placer dans le sens contraire du vent, évitant elle aussi l'odeur de la pipe. À son tour, son regard s'attarda sur l'enfant dont les mouvements animaient l'espace devant eux. Elle ressentit une affection teintée de pitié pour elle. «Au moins, Éphrem a aimé sa fille pour deux quand ma sœur Élodie est morte; mais la petite, des fois j'ai l'impression qu'elle est orpheline des deux bords.»

Charles regardait maintenant sa belle-mère. Ses cheveux bruns étaient toujours ramenés sur sa tête comme autrefois, mais ils n'étaient plus noués en tresses et ils avaient beaucoup pâli. Moins potelée qu'avant, elle semblait surtout plus lasse même si, contrairement à son mari, elle paraissait redresser sa taille avec les années plutôt que la courber. L'éclat rieur de ses yeux s'était atténué lui aussi, subtilement. Charles découvrit avec surprise, sur ce visage qu'il voyait toutes les semaines, des rides qui avaient pourtant l'air de s'y être creusés depuis longtemps. Amanda avait vieilli et son gendre s'en apercevait tout à coup. Il regarda Éphrem à la dérobée et constata que celui-ci ressemblait davantage à un grand-père qu'à un père. «C'est peut-être trop pour eux autres, ces trois petits-là», réalisa-t-il. Et il prit conscience qu'Amanda avait d'abord élevé Mathilde, la fille de sa sœur, puis les quatre fils qu'elle avait eus de son mariage avec Éphrem — Damien, Clophas, Léonard et Alphonse —, et que depuis cinq ans elle élevait Victor, Henri et Marie-Louise, une famille qui n'était pas la sienne, mais celle de son gendre. Il se trémoussa sur sa chaise, mal à l'aise. Ce matin même, au sortir de la grand-messe, il avait entendu chuchoter dans son dos:

— En plus de leur laisser ses enfants, il va se bourrer la face chez les Gingras tous les dimanches.

— Ouais, puis pendant ce temps-là, il empile de l'argent avec son moulin.

Il n'avait pas réagi assez vite; quand il s'était retourné, il n'avait pu repérer les médisants. Mais les phrases malveillantes distillaient encore leur poison.

13

Ces dernières années, il avait été éclaboussé par ce genre d'insinuations à quelques reprises et il contrôlait de plus en plus difficilement une aigreur vis-à-vis des villageois, même si, il le savait, ce n'était pas forcément l'opinion de tout le monde. Comme s'il eût détecté les pensées de son gendre taciturne, le forgeron suivit son regard et riva le clou:

— Ouais, on rajeunit pas, personne.

Charles comprit. «Mes enfants sont une charge pour eux autres.» Son sang ne fit qu'un tour. Il était mortifié de ne pas s'en être aperçu avant.

— Je vais voir à ça, dit-il sobrement.

Il descendit les marches sans plus de façon, monta dans sa voiture et fit partir son cheval presque au galop, sans dire au revoir à personne. Victor crut que le départ précipité de son père était dû à sa demande et il se sentit coupable. Coupable de contrarier son père parce qu'il voulait vivre avec lui. Sa distraction lui fit oublier le cerceau, qui se déséquilibra et buta contre un caillou. Le large cercle de métal, presque aussi haut que lui, tournoya et tomba dans la poussière. Henri lança un regard de double reproche à son frère: pour le départ de leur père et pour la chute du cerceau au moment d'abattre un record de tours avec un seul coup de bâtonnet. Et Marie-Louise demeura immobile, son deuxième bouquet à la main, aussi inutile que le premier. Le forgeron secoua sa pipe contre la rampe de la galerie en se redisant pour la centième fois: «Qu'est-ce qu'il a encore à prendre le mors aux dents? Je me demande ce que ma fille a ben pu lui trouver, dans le temps.»

En ce dimanche de juin 1905, le jeune père rentra chez lui décontenancé. Charles était veuf depuis cinq ans. Le douloureux veuvage du cœur, il lui semblait qu'il le garderait toute sa vie. Le veuvage du corps, il refusait de le considérer. «C'est pas parce que le reste me travaille de temps en temps que je vais chambarder toute ma vie pour ça.» Il avait d'ailleurs tant à faire qu'il n'avait guère le loisir de s'y attarder. Après ses longues heures au chantier et à sa scierie, il lui restait peu de temps et peu d'énergie.

Il y avait bien les dimanches, mais là encore il trouvait moyen de besogner, sans toutefois exécuter de travaux concrets, ce qui aurait été contraire aux préceptes du repos dominical et mal vu des villageois. Le dimanche matin, il se consacrait aux soins hebdomadaires de ses trois chevaux et au nettoyage des deux écuries. Ensuite, il faisait sa toilette à fond, car, la semaine, il négligeait les longues ablutions. Puis il allait à la grand-messe, après quoi il allait dîner chez ses beaux-parents, ce qui lui permettait de voir ses enfants et de verser leur pension. Le dimanche soir, il planifiait ses affaires, prévoyait le travail de ses hommes pour la semaine, effectuait des bilans, griffonnait des chiffres dans un cahier, sans plus. Le reste des transactions et de ses projets s'imprimait dans sa mémoire, laquelle surprenait toujours son vieil associé Anthime Vanasse.

Au début de son veuvage, Charles, par la force des choses, avait laissé ses enfants chez leurs grands-parents Gingras, le temps de construire sa maison. Cela allait de soi. Il avait dû ensuite fabriquer quelques meubles, puisqu'il n'en possédait aucun à son mariage quand il avait été hébergé chez la grand-tante Delphina, une parente de sa jeune épouse Mathilde. Durant tout ce temps, les commandes à la scierie avaient été prioritaires et ses aménagements avaient nécessité presque un an. Après ce délai, les petits étaient habitués à leur nouvelle famille et Charles avait été forcé d'admettre que, indépendamment de leur solidité, des murs et des chambres ne pouvaient à eux seuls prendre soin de trois enfants, surtout d'un bébé. Et, comme les deux garçons étaient trop jeunes pour être placés pensionnaires dans un collège, ils étaient restés tous les trois chez leurs grands-parents maternels. Ceux-ci, occupés par les petites présences grouillantes et leurs trois fils qui devenaient des hommes, avaient refoulé leur chagrin dû au décès de Mathilde et au départ de Damien, survenus presque coup sur coup. Leur fils aîné, parti définitivement de la maison après son mariage en septembre 1899, n'était pas revenu du Manitoba. Sa jeune femme Mélanie, la sœur cadette de Charles, lui avait donné deux enfants, Hermance et Louis, qui ne connaissaient pas leurs cousins Victor et Henri ni leur cousine Marie-Louise.

Charles avait prénommé sa fille Marie-Louise, tel que l'avait souhaité sa mère. Car c'est ainsi qu'il désignait la femme qu'il avait tant aimée: la «mère» de ses enfants. De la sorte, elle ne demeurait «Mathilde» que pour lui. À ne plus penser à elle autrement qu'en rapport avec ses enfants, il en était venu lentement, au fil des mois et des années, à ne la considérer que comme la mère de ces petits orphelins. Et voilà que maintenant son fils revendiquait une mère. «Vouloir remplacer sa mère! Enfant sans cœur!» Il en fulminait encore, refusant d'admettre une mauvaise conscience confuse. Ce que le petit avait exprimé n'était pourtant qu'une réalité évidente: les enfants devaient vivre avec deux parents.

Charles dételu le cheval avec brusquerie, lassé et irrité de cette servitude où le tenait l'animal: atteler, dételer, étriller, curer, nourrir, abreuver, changer les fers aux cinq ou six semaines. Il soupira. «Tout ce trouble juste pour aller à la messe du dimanche!» Il refusa d'ajouter «et aller voir mes enfants»; cela ne faisait pas partie de ses contrariétés, du moins pas avant aujourd'hui.

Perdu dans ses réflexions, il s'arrêta sur le seuil de l'écurie et resta un long moment à contempler ses possessions. En face, à cinquante mètres devant lui,

16

sa scierie s'étendait au soleil. «Mon moulin.» Celui-ci avait été son rêve et son ambition, et il était maintenant devenu sa raison de se lever tous les matins. Un long bâtiment d'une vingtaine de mètres sur sept de largeur, ouvert aux deux extrémités hiver comme été, surmonté d'une longue cheminée deux fois plus haute que le bâtiment pour évacuer la fumée puisqu'il sciait à la vapeur et conséquemment produisait celle-ci avec un feu d'écorce ou de bran de scie qui fumait beaucoup. Dans la cour, des billots de douze, quatorze, seize ou dix-huit pieds, identifiés à la craie par le nom de leur propriétaire, attendaient d'être sciés. Ils étaient entassés à gauche, là où se trouvait la rampe de montée. Une fois dirigés à l'intérieur, ils étaient débités, puis sortis par la rampe de droite qui aboutissait dans la cour à bois, quatre fois plus grande que lors de la construction de la scierie, en 1897. Les madriers et les planches de différentes largeurs étaient empilés, chacun dans un carré bien identifié et distinct des autres, et chaque rangée était espacée par des travers pour faciliter le séchage. Derrière la scierie, une remise abritait les deux traîneaux utilisés pour le travail en forêt et la livraison du bois scié; cette remise était attenante à l'écurie, qui abritait les deux chevaux de trait. Charles respira profondément; il était fier de son œuvre, mais aujourd'hui il tourna son regard vers sa maison avec plus d'attention, comme si elle était tout à coup la plus importante à ses yeux.

Il l'observa longuement. Il l'avait construite presque tout de suite après la mort de Mathilde, pour fuir le logis exigu qui lui rappelait trop sa jeune femme, décédée à vingt-deux ans. Il l'avait aussi bâtie pour créer un foyer pour ses trois petits. Deux étages rectangulaires, dans le sens de la cour, donc perpendiculaires à la scierie, cinquante mètres plus loin; deux étages plus longs que larges, recouverts de déclin de bois. La toiture était presque plate, comme il était maintenant de plus en plus courant d'en construire, car on obtenait ainsi le maximum de hauteur dans les chambres du haut. Charles s'était heurté tellement de fois au toit en pente de leur chambre conjugale, chez la grand-tante Delphina, qu'il s'était juré que sa propre maison aurait un toit plat. Toutefois, ce toit avait comporté un désavantage inattendu. «Ouais, va falloir que je me décide à lui faire une petite pente, à ce toit-là; la neige se ramasse dessus sans bon sens, l'hiver.» Il revint à sa galerie, une grande galerie couverte et surélevée de deux marches, qui passait devant la cuisine, s'étendait en direction de la scierie, tournait à angle droit et rejoignait la porte vitrée d'en avant, jamais utilisée puisqu'il ne recevait personne. À l'autre bout de la maison, attenant à la cuisine, le petit hangar à bois permettait d'approvisionner facilement et généreusement la cuisine tout en la coupant du vent d'hiver.

Là où il se tenait s'érigeaient l'écurie et la remise pour ses voitures de promenade: celle d'été et celle d'hiver. Il les avait construites en équerre avec la maison, mais un peu éloignées, pour éviter les odeurs chevalines et réserver un espace pour un potager, quand il aurait une famille auprès de lui. Il avait construit grand, mais non inutilement; il n'aimait pas recommencer et il avait calculé ses besoins pour vingt ans à l'avance.

Dans le silence de sa maison, cette maison qu'il avait tant de fois promise à Mathilde, Charles se sentit plus seul que jamais. Il s'assit à la grande table familiale, le premier meuble qu'il avait fabriqué. Une longue table et une chaise. Une seule, pour lui. Il avait finalement choisi de s'asseoir à l'un des côtés, dos au poêle à bois et face aux portes vitrées donnant sur le salon vide. Placé ainsi, il trouvait plus supportables l'espace et le silence. S'il s'assoyait à l'un des bouts, la solitude l'étouffait.

Il regarda la grande cuisine déserte. «À quoi elle sert, ma maison, s'il n'y a personne dedans?» Personne. Pas d'enfants. Pas de femme. Cette dernière pensée le dérangea et, pour y couper court, il s'occupa à fricoter un souper hâtif. Il le trouva indigeste. Pire que celui des autres soirs. De toute façon, ce n'était pas de nourriture qu'il avait faim, ce soir, et il le savait. Pourtant, il se refusait de penser aux exigences de son corps d'homme en pleine force, comme si ces plaisirs n'étaient plus pour lui.

C'était plus facile à raisonner qu'à assumer et son trouble persista. Pour s'en défaire, il se servit exceptionnellement un demi-verre de rhum. Il ne buvait pas davantage qu'à l'époque où il travaillait et logeait au magasin général, chez Maurice Boudrias, mais il avait au moins compris qu'il préférait le rhum au whisky. Cette boisson, avec son arrière-goût sucré, lui donnait un peu l'impression de le nourrir. Il but son verre lentement, comme le faisait autrefois le marchand général, qui avait toujours semblé méditer devant sa bouteille de whisky. «Il n'en a plus jamais repris une goutte!» s'étonna-t-il encore une fois. À l'instar de tous les villageois, il avait cru que la promesse d'abstinence de Boudrias, à la naissance de son fils Dieudonné, serait sans lendemain. Mais le Boudrias alcoolique avait bel et bien disparu pour laisser la place à un père émerveillé... et sobre.

Charles avait pris le petit Dieudonné en grippe et lui trouvait tous les défauts. L'enfant était timide, grassouillet, et se cachait à tout propos dans les jupes de sa mère Émérentienne, l'ancienne institutrice. Dans les réunions de famille chez les Gingras, auxquelles se joignait évidemment Émérentienne, la sœur d'Éphrem, Charles était fier de ses deux garçons Victor et Henri, ainsi que de sa petite Marie-

Louise. De deux mois plus jeune que le petit Dieu-donné, elle n'était ni plus bruyante ni plus auda-cieuse, mais elle avait ses petites idées bien arrêtées et la joie ou la contrariété se voyait nettement dans son regard ou sur son front spontanément plissé.

Le père avait souvent cherché dans le visage de sa fille les traits de Mathilde, son sourire, ses yeux pétillants ou même l'arcade de ses sourcils, mais en vain. Marie-Louise, avec ses yeux et ses cheveux bruns et son front carré, était trop une Manseau pour ressembler aux Gingras. Charles n'avait jamais ac-cepté la mort de sa femme, causée par une hémorra-gie après l'accouchement, et il en voulait incons-ciemment à l'enfant innocente qui, il le sentait bien, surmontait difficilement sa timidité envers lui. Il ad-mettait, ce soir encore plus que tant d'autres soirs, que son attitude envers sa fille était injuste. «C'est pas de sa faute. Je devrais être assez grand pour comprendre ça, me semble.» Il refusa de ressasser ces pensées davantage et empila sa vaisselle dans l'évier bas et allongé. Chacun de ses enfants suscitait une morosité proche du ressentiment: Victor parce qu'il le forçait à une décision qu'il ne pouvait plus différer, Henri parce qu'il ressemblait trop à sa mère malgré sa tignasse bouclée et noire de jais semblable à celle du grand-père Gingras, et Marie-Louise parce qu'elle était née une mauvaise nuit, une triste nuit.

Le repas dominical chez les Gingras avait déci-dément remué beaucoup trop de souvenirs et d'émo-tions, d'autant plus que la soirée capiteuse de juin rappelait à Charles qu'il avait à peine trente-deux ans et qu'il était en possession de tous ses moyens. En passant près du poêle à bois, il se regarda machi-nalement dans le petit miroir du réchaud et s'attarda sur sa chevelure fournie et son front carré derrière lequel se tramaient tant de projets, se formaient tant de pensées contradictoires au sujet de ses enfants et de la femme qui l'avait fait sentir vivant du seul fait d'être aimé d'elle et qui l'avait ensuite dépossédé de lui-même en le quittant sans retour. Il avait parfois l'impression d'être un autre homme, comme si ses années avec Mathilde s'étaient passées dans une autre vie. Comme s'il n'avait vraiment été lui-même qu'avec elle. Depuis sa mort, il ne se reconnaissait plus vraiment. «Ouais, mais j'ai encore bien des années devant moi», constata-t-il soudain, comme une évidence longtemps niée.

Comme pour s'en convaincre, il se le prouva dès qu'il s'allongea sur son lit dans l'obscurité de sa chambre. Mais il avait beau s'activer allégrement, la jouissance ne venait pas et sa main impuissante retomba lourdement sur le drap. «Ça vaut pas Germaine», s'avoua-t-il spontanément. Et il cessa sa pauvre activité solitaire. Le reproche de son fils lui collait encore au cœur et il laissa monter en lui, presque malgré lui, un désir de vivre pleinement.

— Ouais... Il est peut-être temps que tout rentre dans l'ordre ici-dedans, soupira-t-il avec un sentiment ambivalent de nostalgie et d'appétit.

La pensée de la femme qu'il avait tant aimée s'entremêla alors à celle de Germaine Vanasse. Charles refusa ce souvenir de chair qui, ce soir, aurait trop d'emprise sur lui. L'esprit ensommeillé par la fatigue, les souvenirs et le rhum inhabituel, le jeune veuf s'endormit pesamment dans le souffle léger de ce début d'été.

CHAPITRE 2

À L'AUBE, en ouvrant les yeux, Charles eut l'impression qu'il n'avait pas dormi de la nuit. La veille au soir, le souvenir de Germaine Vanasse s'était insinué en lui et ravivé dans l'abandon du sommeil.

— Germaine, murmura-t-il.

Dans son demi-réveil, la mémoire du corps s'imposa et ses pensées s'attardèrent sur les événements survenus deux ans auparavant, comme s'ils dataient d'hier.

Lors de son association avec Charles Manseau et de la construction de leur scierie en 1897, Anthime Vanasse avait déménagé à Saint-François-de-Hovey avec sa femme Hémérise. Quand leur fils Armand, qui vivait aux États-Unis, était venu les visiter avec sa femme Germaine et leur fillette Noëlla, Mme Vanasse, heureuse, avait invité l'associé de son mari à souper avec eux pour fêter le bel événement. «J'aurais pu travailler une couple d'heures de plus au moulin», avait grogné Charles intérieurement, mais il avait finalement accepté. «Un souper qui a de l'allure, au milieu de la semaine, c'est bon à prendre.»

Et il avait revu Germaine, la bru. Lors de leur brève rencontre près du cheval, plusieurs années auparavant, dans la cour de l'ancienne scierie de Vanasse quand Charles venait d'y obtenir un emploi, le jeune marié qu'il était alors avait capté avec surprise une lueur de convoitise dans les yeux de la jeune femme. Quelques années plus tard, le veuf qu'il était devenu était entré chez les Vanasse sans se rappeler cet incident. À sa grande surprise, dès le premier regard qu'il avait posé sur elle, il avait perçu instinctivement le corps de la femme dans toute sa chair d'homme, d'homme en manque, fidèle à sa femme et à sa peine, au détriment de son corps. Mais, cette fois, personne ne l'attendait plus dans sa maison et il ne s'était pas soucié du fait que Germaine, par contre, soit mariée. Il avait coulé son regard sur le buste ferme et le corps appétissant. La femme avait baissé les yeux devant l'expression si indécente de ce désir, qui rejoignait le sien. Elle avait essayé de refuser son propre trouble, mais jamais, de toute sa vie, elle n'avait ressenti aussi fortement un homme dans sa chair, surtout pas son mari.

Malgré eux, ils s'étaient dévisagés un bref instant et ils avaient su que le temps n'avait rien changé à leur désir. Leurs corps s'appelaient avec véhémence. Charles était retourné chez lui fébrile. Son désir était si soudain et d'une telle fureur que la seule pensée de se soulager lui-même lui avait fait horreur. Il la voulait, elle, rien de moins. Et toutes les pulsions refoulées durant ces premières années de veuvage avaient balayé sa raison pour s'entortiller dans son corps déjà vaincu.

Dès le lendemain, il avait cherché des prétextes pour revoir la bru de Vanasse, mais tout en s'assurant qu'il ne serait jamais seul avec elle, afin de se protéger de lui-même, le temps de reprendre ses esprits. C'était aussi ce que tentait la femme, désemparée par la force de son désir et subjuguée comme autrefois quand elle avait observé la main virile qui glissait lentement le long de la tête du cheval et que son sexe en avait ressenti une telle chaleur et un tel appétit que, effrayée de ce désir honteux et si inhabituel chez elle, elle avait repris le train pour les États-Unis le lendemain afin d'y échapper. «Pour y retrouver quoi?» s'était-elle demandé une fois de plus en regardant son mari, ou plutôt le fils Vanasse, qui se laissait dodicher par sa mère et prêtait peu d'attention à sa fillette de dix ans et encore moins à son épouse. Elle avait cherché auprès de lui le courage de remettre son cœur et son corps dans le droit chemin, mais il lui fournissait au contraire toutes les raisons de chercher ailleurs l'expression d'un désir qu'elle avait vainement attendu de sa part.

Quand son mari avait annoncé qu'ils iraient tous les trois chez ses parents, Germaine avait essayé de s'en abstenir, prétextant les études de l'enfant.

— Vas-y, toi, lui avait-elle dit.

— C'est ça, tout seul comme un coton! l'avait-il rabrouée. Avec ma jambe dans le plâtre, qu'est-ce que tu veux que je fasse? Ta place, c'est avec moi. Tu viens.

«Ma place, s'était renfrognée Germaine, c'est avec toi, c'est vrai. Mais la tienne, c'est peut-être avec moi, aussi. Comment ça se fait, dans ce cas-là, qu'on compte pas pour toi, notre fille puis moi? Comment ça se fait que c'est juste avec les hommes que t'es fin puis intéressant?» Elle n'avait rien dit et avait fait les bagages, humiliée. La femme encore jeune, vaillante et généreuse ravalait le désir légitime d'être aimée de son mari, le goût, pourtant modeste, de recevoir de l'attention de lui. «J'en demande pas tant que ça, me semble; mais seulement quelques fois par année, je suis pas sûre que c'est normal non plus.» Germaine avait finalement accompagné son mari, fermement décidée à lui rester fidèle malgré tout.

Quelque temps après leur arrivée, son beau-père, qui s'était donné un tour de reins, lui avait demandé, un soir, d'aller porter un document à Charles, encore à la scierie; il avait emporté avec lui, par mégarde, une liste de matériaux de construction à facturer à un client important.

— Il est resté au moulin pour tout compter, il en a besoin à soir.

Germaine en avait ressenti un grand désarroi. Elle s'était raccrochée à sa fille:

— Viens, Noëlla, on va y aller ensemble. Ce sera pas long.

C'était la brunante et la fillette, élevée dans un faubourg populeux, était effrayée par la noirceur du village dont les maisons n'étaient pas aussi rapprochées que chez elle.

— Je veux pas y aller, maman, avait-elle pleurniché. J'ai peur du noir.

— Ben, ta mère aussi, ç'a l'air! s'était esclaffé son mari. Me voilà bien gréé de femmes dans ma maison avec ces deux peureuses-là!

Germaine aurait supporté n'importe quel quolibet pour s'exempter de cette visite à la scierie. Mais les beaux-parents s'irritèrent devant cette bru qui tergiversait au lieu de rendre un petit service.

— Prends le cheval et la voiture, avait proposé Hémérise, contrariée.

Germaine avait tenté une autre voie. Peut-être que l'associé de son beau-père n'avait pas vraiment besoin de ce document ce soir? Ce pauvre prétexte fut vite éludé.

— Voyons donc, t'es déjà allée en voiture toute seule! s'était irrité Anthime.

— *My God!* As-tu peur que le cheval prenne l'épouvante? avait raillé Armand.

Humiliée par son mari, poussée par son beau-père, réprimandée par sa belle-mère, abandonnée par sa fille, Germaine avait été obligée d'accepter de se rendre à la scierie, tout en sachant que Charles Manseau y serait seul. Vanasse avait attelé le cheval, et la femme était partie. Elle avait traversé lentement le pont couvert, tourné à gauche, regardé sans les voir les commerces et les maisons nouvelles qui jalonnaient la route devenue presque une rue. Et la bête s'était arrêtée d'elle-même dans la cour à bois de la scierie. La crainte au cœur, Germaine était descendue lentement, avait enroulé nerveusement la bride autour d'une planche qui dépassait d'une pile. Elle était restée sur le seuil, fermement décidée à repartir au plus vite.

— Mon beau-père a oublié de te laisser ça... Il dit que t'en avais besoin à soir sans faute.

Charles s'était approché et avait vu la femme dans l'embrasure de la porte, presque irréelle dans la brunante complice. Instinctivement, il avait jeté un coup d'œil aux alentours: personne. Il n'avait pas bougé, forçant ainsi Germaine à entrer. Elle s'était silencieusement avancée de quelques pas seulement, s'était arrêtée et lui avait tendu le papier. Ils s'étaient regardés dans les yeux. Ils étaient seuls pour la première fois. Et sans doute la dernière. La main de l'homme avait dépassé le document et saisi le poignet de la femme.

— Ça peut peut-être attendre.

Elle avait compris. Et elle avait eu peur. Peur d'elle-même. Puis elle avait eu peur qu'il ne profite pas de ce premier et probablement dernier instant de leur vie où ils étaient seuls. Peur de devenir vieille sans jamais avoir été aimée passionnément par un homme, ne serait-ce qu'une fois, une pauvre fois dans toute sa vie. Il s'était avancé lentement, avait passé son bras gauche par-dessus l'épaule de Germaine et avait refermé doucement la porte, dont la clenche s'était abaissée avec un bruit sec derrière elle. L'homme était resté là, le bras au-dessus d'elle, la prunelle gourmande, le corps prêt à lui sauter dessus. La femme était restée là, la bouche frémissante, le corps immobile d'attente. Charles avait alors poussé doucement Germaine contre la porte close. Dès qu'une de ses jambes avait effleuré la femme, il l'avait voulue sans détour. Il s'était lentement ajusté de tout son long sur elle, et ses mains s'étaient approprié un corps qui n'avait pas résisté, s'était donné, s'était ouvert. Elle l'avait embrassé frénétiquement, avec autant de désirs refoulés qu'il en avait.

Couchés plus loin dans le bran de scie, la robe à peine retroussée et le pantalon à peine déboutonné, la femme et l'homme avaient joui de tous leurs gestes et de partout tant leur soif était grande. Charles avait pénétré Germaine encore et encore, le souffle rauque, comme s'il découvrait cette jouissance pour la première fois de sa vie, ne pouvant se rassasier de ce sexe qui avait embouché le sien avec volupté et l'avait enveloppé avec passion, dans une étreinte forcenée qui avait balayé toutes ses années de manque.

La jouissance les avait tellement secoués qu'elle les avait laissés tremblants, coupés du reste du monde. Il y avait eu un temps indéfini. Leurs souffles avaient ralenti peu à peu, puis la réalité avait repris lentement son espace, leur raison avait dominé leur corps. Germaine avait pris conscience de son accueil sans retenue et l'avait jugé indécent. Leur étreinte s'était achevée aussi brusquement qu'elle avait commencé. Charles s'était roulé sur le côté, avait reboutonné son pantalon. Germaine, bouleversée, les larmes aux yeux, avait rabaissé le dessus de sa jupe. Charles s'était relevé, avait épousseté le bran de scie qui collait obstinément à ses vêtements, puis il avait vu la femme, encore assise, les joues luisantes de larmes. «Maudit! Je suis devenu fou certain!» avait-il soudain réalisé. Il l'avait aidée à se relever pour qu'elle parte et emporte avec elle le souvenir de son coup de sang et de l'affront qu'il lui avait fait. Mais, une fois debout, Germaine avait pleuré silencieusement, sans bouger. L'homme s'était mépris sur la réaction de la jeune femme.

— Je sais pas ce qui m'a pris, je...

Elle n'avait rien dit; elle avait continué à pleurer, désemparée, la robe encombrée de copeaux et de sciure. Charles avait eu peur. Tout à coup, il avait compris que cela n'aurait pas dû arriver et, frénétiquement, il avait essayé d'enlever les copeaux qui trahissaient leur déchéance. L'homme et la femme s'étaient sentis plus vides et plus seuls qu'avant. Deux étrangers séparés par la honte, la peur soudaine d'être surpris là.

— Ça se reproduira plus, avait promis Charles à voix basse.

Germaine avait alors ressenti un tel désarroi à la pensée de ne plus jamais connaître de jouissance de sa vie qu'elle lui avait sauté au cou, couvrant son visage de baisers passionnés et désespérés. Puis elle était partie en courant dans l'obscurité, avait trébuché sur un billot en poussant un cri de douleur, s'était relevée d'un bond et, en clopinant, s'était enfuie de la scierie, là où la famille de son mari l'avait forcée à se rendre malgré elle. Charles était resté debout dans le noir, stupéfait. Il avait entendu les roues de la voiture crisser et les sabots du cheval marteler la cour de terre. Il avait suivi les sons jusqu'à ce qu'ils s'évanouissent complètement. Il avait fini par reprendre ses esprits, mais il n'avait plus la tête à compter des planches et des madriers. Il s'était vaguement demandé si la femme avait pu rentrer chez ses beaux-parents sans susciter de questions, puis il était rentré chez lui pour s'y endormir profondément.

Ce ne fut que le lendemain matin, à l'arrivée de Vanasse au travail, que le veuf mesura la portée de son geste: c'était avec la bru de son associé qu'il avait fait l'amour, la veille. Germaine était mariée. «Bien mariée? Armand Vanasse m'a pas dit grand-chose sur son fils, mais il fait peut-être un bon mari. Mais s'il est si bon que ça, comment ça se fait que sa femme, hier soir...?» Il avait été mal à l'aise. L'attitude de Germaine avait-elle trahi leurs ébats? Son vieil associé se doutait-il de ce faux pas? «Maudit, j'ai perdu la tête, certain!» s'était-il reproché.

— Tu devrais mieux éclairer ton moulin, avait grogné Vanasse. Ma bru s'est enfargée hier soir puis elle boite à matin. Elle était allée te rendre service, t'aurais pu la traiter mieux que ça. Les as-tu comptées, au moins, tes planches? avait lancé le vieux en démarrant la grande scie.

Les planches... Non seulement il ne les avait pas comptées, mais il ne savait même plus où était le papier.

— Si c'était trop noir pour marcher ici-dedans, c'était trop noir pour compter, vous pensez pas?

Pour clore la discussion, Charles était allé vérifier la pression de la bouilloire qu'il chauffait depuis une heure. Les trois employés étaient arrivés et il leur avait distribué le travail de la journée, s'estimant heureux de s'en tirer à si bon compte. «On me reprendra pas dans une histoire de même!» s'était-il promis de nouveau, sincèrement. Pourtant, la pensée de Germaine ou plutôt du corps de Germaine l'avait obsédé plus que son travail. Tout ce qu'il avait touché lui avait semblé rugueux et rêche comparé aux fesses rondes de la femme, à ses cuisses douces et chaudes. Le premier remords passé, il n'avait plus rêvé que de recommencer, caresser de nouveau, posséder encore cette femme qui s'était donnée à lui avec frénésie. «Elle fait peut-être ça avec bien des hommes», s'était-il dit, bien que ni les pleurs ni son étreinte passionnée n'eussent semblé feints. Sur l'heure du souper, il avait décidé de suivre son désir. Sous le prétexte de s'informer de l'état du pied de Germaine, il était retourné chez les Vanasse. Hémérise l'avait accueilli avec bonne humeur, si heureuse de la présence de son fils Armand auprès d'elle qu'elle avait joyeusement rassuré le visiteur.

— Elle a eu peur que ça enfle, mais elle s'était inquiétée pour rien.

À table, Germaine avait à peine souri pour le remercier de sa visite. Charles s'était attardé, il avait pris des nouvelles d'Armand et avait poussé l'insolence plus loin.

— C'est ben de valeur pour un homme d'avoir une jambe qui peut pas servir comme ce serait supposé. Si t'as besoin d'aide sur ce rapport-là, ça me fera plaisir de rendre de petits services... à ta famille.

Germaine avait failli s'étouffer avec une cuillerée de soupe et, maîtrisant à peine sa honte d'avoir cédé aux avances de Charles, elle avait secoué la tête, refusant toute forme de contact. L'homme n'avait pas lâché prise et il avait répété qu'il ne serait pas regardant sur son aide, quelle qu'elle soit.

— C'est ben fin de ta part, avait répondu Armand en se tournant vers Germaine, feignant de chercher son approbation, comme d'habitude. Si on a besoin de quelque chose, on se gênera pas, hein, ma femme?

— On... on va se débrouiller... Merci quand même. C'est... c'est bien fin de votre part de l'avoir offert.

Elle s'était levée et avait desservi, refusant de croiser son regard. Charles avait insisté et elle n'avait trouvé rien à répondre, si peu habituée à dissimuler. L'offre était si peu déguisée qu'elle en avait voulu à son mari de ne pas la défendre contre le visiteur insolent. Devant le silence prolongé de son épouse, Armand avait ajouté:

— Ma femme est farouche, des fois. Mais crains pas; si on a besoin d'aide, on te le fera savoir.

— Il n'y a pas de gêne, avait insisté Charles.

— Ben, on se gênera pas, avait dit Armand en se servant un deuxième morceau de gâteau pour faire plaisir à sa mère. Quand c'est offert pour vrai, ça se sent.

Germaine s'était sentie livrée par son propre mari et Charles était parti au plus vite pour cacher sa joie arrogante.

Durant le mois suivant, Charles avait revu Germaine à quelques reprises, en cachette, et lui avait fait l'amour comme un déchaîné. Les caresses de la femme lui semblaient si désespérées qu'il en avait été intrigué. «C'est à croire qu'elle fait jamais ça, elle non plus.» Il avait été flatté de tant de passion. Ils avaient pourtant craint que l'affaire ne se sache et s'étaient sentis coupables de leur conduite illicite, mais ils avaient été incapables de s'en priver. Lors de ces étreintes imprudentes et déraisonnables, qui leur étaient apparues essentielles à tous deux, Charles ne disait presque rien. Son regard trahissait son désir, ses gestes fébriles témoignaient de sa hâte, ses caresses étaient fortes, gourmandes, les plaintes qui s'exhalaient de lui exprimaient sa jouissance profonde. Mais, sitôt cette jouissance estompée, il redevenait l'homme distant et bluffeur que Vanasse ne connaissait que trop bien. Germaine, assoiffée de tendresse, avait attendu en vain autre chose que cette copulation qui ne la satisfaisait qu'à demi, lui laissant le cœur aussi esseulé qu'avec son mari. Parfois, Charles avait un sourire tapi au fond des yeux, un geste d'affection, un certain souci d'elle, mais jamais de mots de tendresse et encore moins de mots d'amour. La femme avait refoulé les siens de plus en plus difficilement et avait eu l'impression de faire l'amour le cœur bâillonné, malgré son corps éperdument ouvert.

Le séjour chez les Vanasse achevait. Hantés par la fin imminente de leurs rendez-vous clandestins, les amants s'en étaient voulus du temps perdu, tout en ressentant une dangereuse fierté d'avoir si bien camouflé leurs ébats. Charles était devenu de plus en plus audacieux et imprudent, et Germaine de plus en plus désespérée à la pensée de le quitter bientôt. Un soir, dans le foin propre d'un coin de l'écurie, ils jouissaient tellement et si bruyamment qu'ils n'avaient pas entendu la porte s'ouvrir et la voix de Vanasse les avait figés en pleine action.

— Charles? Es-tu là?

L'homme était déjà dans l'écurie. Charles s'était relevé d'un bond pour l'empêcher de découvrir sa bru, préférant sortir du coin sombre tout débraillé, le pantalon à demi ouvert, nu-pieds. Vanasse était demeuré interdit devant le pénis à moitié dressé, mal camouflé. Charles, nerveux, s'était renculotté maladroitement. «Il a vu Germaine ou pas? Peut-être que je devrais prendre les devants, essayer d'étouffer l'affaire?» Vanasse s'était mis à rire nerveusement, goguenard, et lui avait marmonné en reculant vers la porte:

— Ouais, ça m'a tout l'air que je te dérange. Ben... euh... Je voulais juste t'emprunter ton cheval pour une heure ou deux. Hémérise voudrait aller se promener mais ma jument a perdu un fer tout à l'heure.

Charles avait acquiescé d'un signe de tête et s'était avancé, forçant le vieux, qui s'étirait un peu trop la tête à son goût, à reculer vers la porte. Il avait passé un licou à son cheval sans rien dire et remis le bout de la bride à Vanasse, pressé de s'en débarrasser au plus vite. Le vieux lui avait glissé, tout bas:

— Ça passe vite, la jeunesse. Marie-la donc, ta créature, au lieu de la cacher.

Il avait dit cela en lui désignant gentiment d'un signe de tête le recoin d'où ne parvenait aucun bruit, ni même un craquement de foin, et où il aperçut à peine un bout de tissu rayé vert et gris.

— Je vais y penser, avait marmonné Charles en refermant vivement la porte derrière Vanasse et le cheval, prenant soin, cette fois, de la verrouiller.

Germaine se rhabillait fébrilement, tremblant de la tête aux pieds.

— Attends... avait-il quémandé.

— Faut que je m'en aille, faut...

— Qu'est-ce que t'avais d'affaire à marier son Armand? avait-il maugréé, frustré de sa jouissance interrompue.

— Je pouvais pas savoir d'avance! lui avait-elle crié dans une plainte douloureuse.

— Qu'est-ce que tu veux dire?

Elle s'était mordu les lèvres en secouant la tête, s'en voulant d'avoir échappé une phrase malheureuse. Elle avait nerveusement nettoyé sa robe à larges mains, rajusté sa chevelure; elle était déjà prête à quitter les lieux. Charles aurait préféré reprendre leurs ébats mais il s'était résigné, rendu nerveux lui aussi par cette intrusion. L'aveu échappé l'avait intrigué.

— Ton mari, il est comment avec toi?

Les yeux de la femme avaient cligné pour dissiper des larmes soudaines. Il l'avait attrapée par le bras pour l'empêcher de s'esquiver.

— Il te frappe pas, au moins?

Un rire étouffé s'était échappé de Germaine qui avait déjà les nerfs à fleur de peau.

— Faudrait qu'il me touche, pour ça!

Elle avait réalisé trop tard qu'elle venait de dévoiler le drame qui lui détruisait le cœur depuis dix ans: être pour son mari une façade sociale et non une femme, sa femme, son épouse de cœur et de corps. Et que quelqu'un d'autre le sache dorénavant l'avait humiliée encore davantage, l'avait rendue encore plus misérable, puisqu'elle était privée de l'homme qu'elle avait honnêtement, naïvement aimé et marié, et, ironiquement, était comblée aujourd'hui par un homme qu'elle aimait passionnément et qui ne l'aimerait jamais. Et, surtout, condamnée à vivre avec l'ombre du premier. «Mon homme», avait-elle pensé amèrement. Charles avait regardé avec pitié cette femme généreuse dont le mari ne réclamait pas la tendresse.

— T'as raison d'aller voir ailleurs; il te mérite pas.

Il avait eu ensuite un sursaut de fierté mâle, déplacée dans les circonstances.

— Les autres, c'est mieux qu'avec moi?

Une rougeur indignée était montée aux joues de la femme.

— Les autres? Quels autres?

Il était allé à la petite fenêtre vérifier si la voie était libre et il avait précisé, d'un ton qui se voulait distrait:

— Ben... les autres, aux États.

La bouche de Germaine avait frémi de colère et de chagrin.

— Il y en a jamais eu d'autres, jamais! Jamais! T'as rien compris! Rien!

Elle avait couru vers la porte de côté dont elle avait rejeté la barre horizontale avec fureur, mais Charles l'avait retenue de force, la ramenant contre lui, essayant de la calmer.

— Je te blâme pas, je voulais juste savoir si... Ah! puis c'est pas de mes affaires.

— T'es pas mieux que lui! avait hurlé Germaine en éclatant en sanglots.

Elle l'avait repoussé et était sortie en coup de vent. Se souvenant soudain d'une élémentaire prudence, elle avait ralenti le pas, essayant de se donner une allure désinvolte, presque naturelle, en contournant la maison et la scierie du côté opposé au village et en descendant vers le sentier de promenade des villageois qui longeait la rivière jusqu'au pont. De la porte entrebâillée, Charles l'avait regardée s'éloigner, aussi stupéfait qu'après la première fois, un mois auparavant. «Je sais pas qui elle est, au fond, ni quelle sorte de vie il lui fait, le flanc-mou d'Armand.»

Ce soir-là, en fumant sa dernière pipée de la soirée, Vanasse avait tout à coup remarqué que le bas de la jupe de Germaine avait un frison rayé vert et gris. Son cœur avait ralenti. Son regard était remonté lentement le long du dos de sa bru, jusqu'à sa chevelure, et il y avait aperçu un petit brin de foin; et quand elle avait allumé une lampe à huile pour monter se coucher avec sa petite Noëlla, le halo de lumière avait éclairé crûment les yeux rougis de la jeune femme. Vanasse avait serré les poings si fort sur le bras de la berceuse qu'il s'était cassé un ongle. «L'enfant de chienne!» avait-il rugi en lui-même, revoyant mentalement Charles surgir du coin de l'écurie à moitié habillé. Son regard de père s'était dirigé vers son fils qui fumait sa pipe, indifférent aux souhaits de bonne nuit de sa femme et de sa fillette.

Vanasse avait scruté son fils comme s'il le découvrait et ce qu'il avait vu lui avait déplu. Il avait cherché fébrilement dans sa mémoire de père des souvenirs de tendresse entre Armand et Germaine, des mots doux qu'Armand aurait pu glisser à sa femme, des gestes familiers qui auraient trahi leur intimité devant les autres. Le cerveau du père s'était activé en vain. Malgré tous ses efforts, sa mémoire ne lui avait rappelé que l'indifférence maintenant évidente d'Armand et, pire encore, les gentillesses de Germaine qui ne trouvaient jamais preneur, la timidité de la petite Noëlla qui ne recevait jamais d'encouragement de son père.

Anthime Vanasse s'était levé brusquement, était sorti et avait descendu la galerie d'un pas nerveux. Il avait eu besoin de marcher, de prendre l'air, de calmer son vieux cœur. Une autre déception, cruelle, était remontée à sa conscience: tous les abandons de son fils. L'abandon de la scierie paternelle près de la chute, l'abandon de son pays pour aller travailler dans une manufacture de la Nouvelle-Angleterre, y entraînant ensuite le second fils, Elphège, et tous deux fondant une famille avec des femmes canadiennes-françaises nées là-bas. Malgré toute l'indignation qu'il pouvait ressentir devant l'infidélité de sa bru, Anthime Vanasse n'était pas arrivé à trouver une réelle compassion pour Armand et il en avait voulu doublement à Charles. Sans qu'il ne l'ait prémédité, ses pas l'avaient mené tout droit chez son associé, qui habitait pourtant à plus d'un kilomètre. En frappant violemment à la porte, il s'était rendu compte subitement qu'il faisait la démarche dont tout mari trompé et ayant du cœur au ventre se serait chargé lui-même, mais que son propre fils n'aurait jamais le cran d'assumer. Profondément humilié de tous les côtés, Anthime avait fait demi-tour et il était retourné chez lui. Charles avait ouvert la porte au moment où son associé disparaissait dans le noir. Celui-ci lui avait ramené son cheval depuis une heure. S'il revenait à cette heure-ci, et à pied, c'était qu'il savait.

«Maudit!» avait-il compris d'instinct, conscient pour la première fois depuis un mois qu'il avait joué avec le feu et que, si Germaine partait bientôt, son associé continuerait de travailler avec lui jour après jour et qu'il resterait aussi le beau-père de sa maîtresse. «Puis Armand, lui, il le sait, oui ou non? C'est lui que ça regarde, pas son père! Ah! puis non, ça le regarde même pas. Dans un sens, c'est peut-être même lui qui a provoqué ça, si j'ai bien saisi l'affaire.»

Il avait repensé à Germaine, contrarié qu'elle soit partie en coup de vent, la mort dans l'âme. «Faut que je la voie demain; j'ai pas été correct avec elle. Ouais, demain... Maudit! Vanasse va quand même pas me faire un éclat au moulin! Pas devant le monde!»

Il s'était retourné longtemps dans son lit avant de trouver le sommeil, ressassant ses moments voluptueux avec Germaine. Mais le souvenir de Mathilde l'avait culpabilisé et il s'était arrêté brusquement de se demander ce que Germaine pouvait représenter pour lui.

Le lendemain matin, Vanasse avait surgi à la scierie avec un air sombre et n'avait pas adressé la parole à son associé, l'évitant clairement. Les ouvriers avaient cru que les deux patrons n'étaient pas d'accord sur une commande, ce qui était fréquent, et n'en avaient pas fait de cas. Le soir, une fois les ouvriers partis, Vanasse avait fermé les machines et craché durement à Charles:

— Hémérise avait raison. La première fois qu'elle t'a vu, elle a dit que t'enlèverais à mes fils ce qui leur appartenait.

Charles avait frémi intérieurement mais avait feint d'ignorer l'allusion.

— Vos fils en voulaient pas, du moulin; je leur ai rien enlevé.

— C'est pas de ça que je parle!

Les deux hommes s'étaient toisés. Charles avait planté son regard dans celui du père humilié et avait dit sourdement:

— J'ai jamais rien ôté à personne. Ce que j'ai pris, il a même pas le cœur de s'en servir.

Le vieux avait saisi un bout de planche et avait voulu le frapper, mais Charles l'avait esquivé et neutralisé facilement. Il avait rugi à son tour, avec mépris:

— S'il était un homme, c'est lui qui serait icite: pas son père!

Vanasse avait chancelé. Charles avait changé de ton.

— Mêlez-vous pas de ça, père Vanasse. Ce qui se passe dans la couchette de votre fils, puis surtout ce qui se passe peut-être pas, ça vous plairait peut-être pas de le savoir!

Tout à coup, il avait oublié les états d'âme de Vanasse et de son fils pour se soucier de Germaine.

— C'est pas de sa faute à elle. C'est moi qui ai perdu la tête. Vous me connaissez, père Vanasse: quand je veux quelque chose...

Le vieux avait relevé la tête, prêt à croire n'importe quoi pour apaiser sa souffrance. Charles y avait vu une issue pour tout le monde et s'y était raccroché à son tour.

— Ça se reproduira pas.

Anthime Vanasse était resté là, les bras ballants, démoli intérieurement.

— Marie-toi donc, caoltar! Ça va te calmer les sangs! avait-il craché d'un ton impuissant avant de quitter la scierie, plus courbé que jamais.

Le lendemain, il avait fait dire à Charles qu'il ne viendrait pas travailler pendant quelques jours, à cause de son cœur malade et du départ de son fils pour les États-Unis. Chez lui, le père n'avait pu s'empêcher de décocher des allusions claires à son fils sur ses rapports conjugaux et Armand s'était senti tenu d'honorer sa femme, pour se nier à lui-même sa froideur. Germaine, qui avait tant souhaité recevoir plus d'attentions de son mari, lui en avait voulu d'effacer par une copulation maladroite et distante les caresses fougueuses du premier et dernier amant de sa vie. Charles avait essayé de la revoir, mais elle n'était plus ressortie de la maison de ses beaux-parents. Et il avait dû se contenter de la voir partir de loin, avec fille et mari, reconduite au train par les vieux parents.

Deux ans plus tard, en cette aube de fin juin 1905, Charles réalisait qu'il aurait pu l'aimer, s'il n'avait pas connu Mathilde avant. Quoi qu'il en soit, il se retrouvait aujourd'hui encore plus seul que deux ans auparavant, les désirs de son corps maintenant réveillés et inassouvis, et plus en appétit que jamais.

Il se leva et commença sa journée à la barre du jour, essayant de s'occuper pour se sortir ce manque du corps. Mais les pensées et les émotions de la veille, surtout la demande de son fils Victor qui réclamait une mère pour lui, Henri et Marie-Louise, lui collaient au cœur. Dans l'après-midi, poussé par il ne savait trop quelle impulsion, au lieu de revenir chez lui après une livraison à un client, il se surprit à diriger sa voiture beaucoup plus loin, vers la petite ferme paternelle où il n'était pas retourné depuis sept ans, depuis les fêtes où il était allé présenter ses deux fils à leur grand-père.

«Qu'est-ce que je vais faire là?» se dit-il, essayant de se persuader que c'était pour faire plaisir à ses vieux parents, dont trois des quatre enfants vivaient loin d'eux. En fait, c'étaient peut-être ses sœurs Hélène et Mélanie qui lui manquaient le plus; il ne les avait pas revues depuis si longtemps. Mélanie était installée au Manitoba avec Damien, doublement son beau-frère puisqu'il était le frère de Mathilde, et Hélène travaillait aux États-Unis.

Charles ressentit un réconfort inattendu à retrouver le paysage de son enfance. Des vallons avec de larges portions défrichées séparées par de longues lignes obliques, des lisérés inégaux de feuillus qui avaient poussé à travers les roches empilées aux limites des champs. Du haut des côtes, le paysage lui apparaissait comme une immense courtepointe aux morceaux tondus, aux fines bordures de feuillus, avec, ici et là, de grands pans de forêt sombre, comme pour équilibrer les formes, le relief, les richesses. L'agriculture d'une part, la forêt de l'autre. «Un pays à bâtir», songea-t-il.

La journée était si chaude qu'il regretta rapidement sa décision impulsive; il se félicita du moins de toujours traîner un chapeau dans sa voiture ainsi qu'un seau d'avoine pour son cheval derrière le siège. Assoiffé, écrasé par la chaleur, il accueillit la fraîcheur du soir avec plaisir et s'arrêta pour se restaurer dans une auberge. «Il pourra pas dire que j'arrive comme un quêteux, à l'heure des repas.» L'appréhension du retour chez son père venait de poindre en lui. Il repoussa ce malaise qui l'agaçait et il se concentra sur le décor modeste de cette auberge où il n'était jamais entré. Un repas appétissant lui fut servi par une femme souriante, une bonne mère de famille qui considérait les voyageurs comme sa maisonnée. Une fois repu, Charles oublia ses idées noires, et, la fatigue aidant, il pressa son cheval.

Il arriva chez ses parents à la brunante, ce qui lui dissimula les changements normaux de la végétation. Ce fut sa belle-sœur Louise qui l'accueillit et il ressentit le choc du temps qui passe et qui change la vie des autres aussi. La jeune femme était enceinte pour la deuxième fois, et elle semblait épuisée, déplaçant avec difficulté son corps mince au ventre gonflé. Berthe descendit vivement de sa chambre en entendant la voix de son fils aîné, un châle hâtivement jeté sur sa longue jaquette usée.

— Mon doux! Charles! À cette heure-ci! Il est arrivé un malheur?

Depuis la mort de sa bru Mathilde, Berthe s'était laissée aller à sa vraie nature, qui était de croire que tout devait fatalement mal finir, et elle s'octroyait désormais le droit de l'exprimer à tout propos. L'épouse de son deuxième fils, épuisée, ressentit encore plus péniblement le pessimisme de sa belle-mère et ferma les yeux un instant dans une protestation résignée et habituelle. Le fils rassura la mère.

— Non, non, j'avais affaire dans le bout... Puis, un coup parti...

Il chercha les autres des yeux; son frère Philippe, bien sûr, mais surtout son père. Et il fut rassuré de ne pas trouver ce dernier. Sa mère ajouta vivement:

— Ton père dort déjà. Travailler d'une étoile à l'autre dans les champs, à son âge, c'est ben fatigant.

Les champs! Comme tout cela était bien loin de son univers, maintenant. Mais il ne put s'empêcher de sourire ironiquement. Son père Anselme avait toujours eu le sommeil léger. «Il n'a pas envie de me voir, c'est tout. Moi non plus», pensa-t-il, se leurrant autant que son père.

— Philippe est dans la grange, dit sa belle-sœur. Il fait le train. Veux-tu un thé? As-tu mangé?

La mère se sentit en défaut de ne pas s'en être inquiétée et lui en voulut de sa propre négligence.

— Je vais m'en occuper, dit-elle un peu sèchement. Va donc te reposer, tu le sais que t'as pas de santé, ajouta-t-elle, ayant trouvé le moyen de le lui reprocher une fois de plus, insidieusement et devant le visiteur.

Déjà elle sortait un couvert, remettait le canard sur le poêle à bois, faisait une attisée.

— Non, non, dérangez-vous pas, j'ai soupé, protesta Charles en se redemandant: «Qu'est-ce que je suis venu faire ici?» Je vais rentrer mon cheval dans l'écurie puis donner un coup de main à Philippe; il doit avoir plus faim que moi.

Berthe ne réalisa pas tout de suite ce qu'il avait de changé.

— Laisse donc faire, insista-t-elle. Tu dois être fatigué après tout ce voyage.

— Ben voyons donc! Je suis resté assis tout le temps. Ça va me faire du bien de me dégourdir un peu.

La mère, bien que résignée depuis longtemps à son absence, lui en voulut de créer si tôt une distance entre eux, alors que ses yeux l'avaient à peine entrevu. Charles repassa le seuil et s'entendit pousser un soupir de soulagement, furieux de s'être laissé atteindre par le malaise d'autrefois. Il tapota son cheval en passant et se soucia d'abord d'aller retrouver Philippe.

Il se guida sur la lumière du fanal suspendu au fond de l'allée. Il ne se pressa pas, se laissant le temps de reconnaître les murs de la grange, ces lieux habituels de son enfance. En fait, c'était bien tout ce qui restait de ses souvenirs. Plusieurs générations de chats s'étaient disputé le territoire en quinze ans; les deux chevaux avaient aussi cédé leur place à d'autres. Ses yeux s'habituèrent à la demi-obscurité et il constata que même la grange avait changé, blanchie de fond en comble depuis une année tout au plus. «Ouais, mon petit frère est pas regardant sur la chaux; le père doit bougonner à son aise avec lui.» Il réalisa qu'il lui semblait tout naturel de considérer son cadet comme étant désormais le maître des lieux.

Au fond de l'allée, à droite, le maître en question était assis sur un petit banc pour la traite, immobile, face au mur du fond. «Qu'est-ce qu'il brette là?» s'étonna Charles, intrigué. Il s'approcha lentement, sans bruit parce que l'allée était fraîchement balayée. Dans le halo jaunâtre du fanal, il avança en s'écartant un peu vers la gauche pour que son frère l'aperçoive au lieu de se faire surprendre. Mais ce fut lui qui eut la surprise. Le jeune fermier pleurait en silence, la tête penchée, les deux mains à plat sur ses genoux, le dos courbé sous le poids d'une telle douleur que Charles voulut fuir. Il était trop tard, Philippe avait senti sa présence.

— C'est toi, Charles? dit-il d'une voix étonnée sans se retourner, s'essuyant les yeux du revers de sa manche de chemise.

Ahuri, l'autre bredouilla:

— Ouais... J'ai fait autant de bruit que dans le temps?

— Non, c'est l'odeur... La sciure de bois, ça sent bon aussi.

Sans se lever, Philippe se tourna vers son frère avec un tel regard de détresse que l'aîné comprit pourquoi il était venu. Il renversa une chaudière et s'assit dessus, à côté de son frère, n'osant se placer en face de lui. Dans l'espace restreint, les bras des deux hommes se touchaient, la chemise de l'un se confondant avec celle de l'autre. Ce contact fortuit leur causa un certain malaise et les apaisa tout à la fois, et ils se turent un long moment, fixant le mur devant eux. Assis de la sorte sur des sièges trop bas, embarrassés de leurs jambes trop longues, ils ressemblaient à des enfants ayant trop grandi. Les deux frères ne disaient rien. Philippe ne cachait nullement sa peine, mais ne pleurait plus. Il ne savait par quel bout commencer et l'autre non plus. Une chatte passa devant eux et frôla la jambe de Philippe. Il glissa distraitement sa main sur le corps amaigri de l'animal qui frémit sous la caresse familière et se dirigea vers le bol de lait tiède placé là à son intention.

— Ses petits doivent être aussi beaux qu'elle, dit Charles.

Philippe acquiesça de la tête.

— Oui, ils sont ben beaux. Mais c'est dur pour elle, ben dur... On peut rien faire contre ça.

Les larmes recommencèrent à couler. L'aîné cherchait son cadet rieur que rien n'énervait, qui résistait paisiblement à toutes les adversités et trouvait un bon côté à toutes les situations. Il crut comprendre le sens de ses paroles.

— Elle est pas bien rougeaude, ta Louise, mais ça veut rien dire... T'as pas besoin d'avoir peur pour ça.

Philippe secoua la tête avec désespoir.

— C'est quand on sait pas qu'on a peur. Quand on le sait, on a juste mal.

La tête de Philippe retomba sur sa poitrine et il éclata en sanglots comme un enfant. Charles frissonna. Un nœud lui tordait le ventre tout à coup.

— On... on peut pas savoir ça d'avance, bredouilla-t-il en glissant ses doigts dans sa tignasse et en se levant pour chasser les mauvais souvenirs qu'il ne laissait jamais remonter en lui.

— Je le sais! s'obstina Philippe. Je le sais, là! ajouta-t-il en frappant brusquement sa main droite contre son cœur. Le docteur aussi, même s'il veut pas me le dire. Il y a juste elle qui se fait encore accroire que ça va aller mieux, que c'est juste des faiblesses qui vont passer, mais...

Il s'arrêta, essaya de respirer plus profondément.

— Ce petit-là, il aurait pas fallu qu'il s'en vienne... C'est de ma faute...

Philippe cessa de pleurer, comme si ses confidences l'avaient déchargé d'un poids qu'il ne pensait plus pouvoir diminuer. Il éleva sa main gauche et s'accrocha au pantalon de son frère, comme il le faisait quand il était petit et qu'il voulait que Charles coure moins vite.

— Elle le sait pas, supplia-t-il.

L'aîné serra les lèvres et lui fit un petit signe de tête complice, mais il aurait préféré une autre sorte de connivence. Il se dégagea de l'étreinte douloureuse, fit entrer son cheval dans l'écurie, lui donna à manger et à boire, cura ses sabots et l'étrilla plus longuement que nécessaire, brossant presque trop fort le pelage, comme pour en extirper toute la poussière de la saison à venir et comme pour conjurer le mauvais sort qui s'acharnait sur les frères Manseau.

Ils rentrèrent. Le père ne s'était pas levé, même si la mère s'était hâtée de le prévenir de la présence de leur aîné. Charles, pour la deuxième fois de la soirée, se fit croire qu'il en était soulagé.

Philippe se servit le repas que Louise lui avait gardé au réchaud. Charles veilla un peu avec sa mère qui voulait goûter chaque seconde de sa présence sans pour autant trouver une vraie conversation. Il avait oublié qu'elle avait toujours été silencieuse, presque taciturne; comment s'exprimerait-elle aisément aujourd'hui? Charles avait maintenant la parole plus déliée à cause de ses clients. Il pouvait suppléer à la carence maternelle, mais ses phrases tombaient rapidement dans le vide: sa mère ne connaissait rien aux coupes de bois, aux travaux de son commerce, aux négociations avec les clients pour acheter le bois non débité et pour le revendre une fois préparé. Le fils aurait voulu impressionner sa mère, ou, à tout le moins, la voir fière de lui, pour une fois. Il aurait voulu lui parler longuement de son commerce, lui dire que, depuis quelques années, il avait installé des scies circulaires en plus des scies de long que son associé Vanasse avait apportées de son ancienne scierie près de la chute. Il aurait voulu lui dire que le nombre de ses clients avait doublé et que, certaines semaines, ses ouvriers suffisaient à peine à la tâche, qu'il songeait à en engager deux autres, et surtout qu'il caressait le projet de racheter la part de son associé, qui commençait à se faire vieux, pour que la scierie lui appartienne enfin totalement.

Mais l'expérience de sa mère était trop éloignée de celle de son fils. Volontairement ou non, elle changeait constamment de sujet, comme si ce que vivait son fils n'avait aucune importance comparativement à certains événements survenus dans le village: le mariage d'une lointaine cousine, la naissance d'un cinquième enfant chez les Unetelle, du deuxième rang, la mort du vieux Untel, trouvé sans vie dans sa grange, ou de la petite Unetelle, emportée par le croup.

Après son repas, Philippe s'était tenu un peu à l'écart, pour fumer à son aise sur la petite galerie, et faire le vide afin de rejoindre Louise plus sereinement, au cas où elle ne dormirait pas encore malgré sa lassitude de plus en plus grande. Il suivait la conversation de loin. Quand il en eut assez et qu'il monta se coucher, Charles y vit un signal et l'imita avec soulagement.

Il entra dans la chambre qui avait été autrefois celle de ses sœurs Hélène et Mélanie. Dans le grand lit dormait son neveu de trois ans, qui gigota dans son sommeil, perturbé par cette présence qu'il devinait, même si son oncle s'allongea le plus loin possible, de l'autre côté du lit, pour ne pas le déranger. Dans la nuit, le petit parla en rêvant; Charles se réveilla à demi puis sursauta en sentant un corps d'enfant se blottir innocemment contre lui. Il faisait très chaud et les cheveux follets du petit étaient collés à ses tempes en sueur. L'homme lui effleura la tête du bout des doigts. L'enfant s'agita dans son sommeil et lui tourna le dos. La phrase de Victor résonna dans le cœur de Charles: «Quand est-ce qu'on va aller vivre avec vous, papa?» Il respira difficilement, maintenant complètement réveillé dans la nuit d'été qui n'arrivait plus à être sombre.

Charles regarda longuement le petit, la chambre, encore le petit. Il s'endormit en rêvant que ses trois enfants étaient dans le lit avec lui.

Le lendemain matin, il s'éveilla tôt, comme toujours, mais avec quelque chose de nouveau pour lui, ou du moins qu'il croyait avoir perdu: l'appétit. Un appétit vorace qu'il mit sur le compte du long trajet de la veille, un appétit de vivre pour contrer la menace qui planait autour de Philippe et Louise, peut-être un désir sincère de mettre fin à ses affrontements avec son père, une impatience soudaine de voir ses enfants chez lui, avec lui, comme le petit Eugène qui avait dormi candidement près de lui. Il alla aider Philippe à traire les vaches, curieux de voir s'il savait encore comment s'y prendre. Plus tard, le bambin s'éveilla en criant d'excitation.

— Maman, maman! J'ai rêvé qu'il y avait un géant dans mon lit!

Louise monta lentement à la chambre et commença difficilement à habiller le petit; il était si énervé qu'il grouillait sans arrêt et la mère n'arrivait pas à passer le petit bras dans la manche de la chemisette.

— Un géant? feignit-elle de croire, amusée. Un vrai géant? Tu es sûr?

— Oui, oui, je l'ai vu!

— Il était comment? demanda-t-elle en redescendant avec lui, le tenant par la main.

L'enfant s'arrêta net sur une marche pour réfléchir profondément.

— Des cheveux... noirs! Noirs comme le poêle! Une tête grosse, grosse comme...

Et ses petites mains s'écartèrent, comme si elles tenaient une énorme sphère. La grand-mère leva les yeux vers l'escalier, intriguée.

— Eugène a rêvé qu'il y avait un géant dans son lit, lui expliqua sa bru.

— Un géant aux cheveux tout noirs, grand-maman! insista l'enfant.

Berthe fronça les sourcils.

— Bruns, Eugène, pas noirs. Conte pas de menteries; j'aime pas ça, les menteries. Il a les cheveux bruns, pas noirs.

Le regard du petit s'alluma devant cette complicité inattendue chez sa grand-mère.

— Tu l'as vu, grand-maman?

— Dis-lui donc que c'est Charles, s'irrita Berthe.

Louise installa le petit à la table et lui servit son gruau, ajoutant plus de lait que d'habitude, au goût du bambin.

— C'est juste drôle, madame Manseau. Il est petit, encore. Quand Charles va rentrer...

— On n'est jamais trop petit pour dire la vérité.

Des bruits de pas se firent entendre sur la galerie, puis des rires taquins et un peu nerveux, et les deux frères entrèrent en se bousculant pour savoir lequel se laverait les mains le premier. Eugène poussa un cri d'effroi, échappant sa cuillère dans le gruau, éclaboussant sa chemisette. Les deux hommes se retournèrent vers lui. Charles, vainqueur de la course, s'essuyait déjà les mains à la serviette, fixée au même vieux rouleau; il vint ensuite vers l'enfant.

— Reconnais-tu mon oncle Charles? lui dit-il en riant, jetant furtivement un coup d'œil à la ronde pour voir si son père s'y trouvait.

L'enfant poussa un autre cri et se réfugia dans les bras de sa mère. Charles fronça les sourcils, débiné.

— Ouais... Je fais peur, c'est effrayant...

Philippe prit son fils dans ses bras.

— Aie pas peur, Eugène, c'est ton oncle Charles. Il a dormi avec toi, cette nuit. Tu t'en es même pas aperçu.

L'enfant secoua la tête, niant l'affirmation.

— Non, c'était un géant! Pas lui, pas lui!

Rien ne put le faire changer d'idée. Il y avait eu un géant et ce n'était pas son oncle Charles. La grand-mère s'énerva, le petit rechigna et Charles décida de couper court à cette histoire qui prenait des proportions contrariantes pour sa mère.

— T'as raison, mon petit bonhomme. J'ai pas dormi dans ton lit. T'es un petit malin; tu t'en serais aperçu, c'est certain.

L'enfant sourit enfin et retourna manger. Les adultes se regardèrent, soulagés de la fin de l'incident, et entamèrent le repas avec appétit. De là-haut, des bruits de pas se firent entendre, et Charles sentit son pouls s'accélérer. Anselme descendit d'un pas plus lent qu'autrefois, à ce qu'il sembla à son aîné qui, malgré ses bonnes résolutions, ne put surmonter la crainte instinctive d'un reproche et prit les devants, frondeur, sans l'avoir prémédité:

— J'avais pas eu le temps de traire les vaches, quand je suis parti, dans le temps. Ben là, c'est fait!

Le père et le fils remontèrent quinze ans auparavant, au matin où Charles ne s'était pas levé à l'aube pour aller travailler à l'étable, mais était plutôt descendu déjeuner avec ses vêtements propres et, sans un mot, sans quêter une autorisation, avait quitté la maison paternelle, à dix-sept ans. Le père et le fils se revirent, ce matin-là, près de la clôture, au bout du champ, incapables de se parler.

— T'es pas encore parti? avait jeté Anselme d'un ton acerbe. T'avais l'air plus pressé que ça à matin.

Et le fils rejeté s'était raidi sous l'affront.

— Oui, c'est ça. Je pars, le père, avait-il simplement répondu avant de lui tourner le dos.

Aujourd'hui, quinze ans plus tard, Anselme avait le même ton.

— C'est pas à moi de faire le train, à c't'heure; c'est à Philippe, la terre.

Le fils se sentit rejeté une fois de plus. Cette allusion de son père à sa donation au cadet, devant notaire, déposséda l'aîné même s'il était déjà au courant et qu'elle était la conséquence de son choix d'autrefois. Il sentit le besoin de rejeter son père à son tour.

— Ben, tu me devras un train, Philippe, bluffa-t-il. Mais au moulin à scie, tu vas traire mes billots longtemps! Puis tu vas te retrouver avec une chaudière pleine de gomme de sapin. C'est collant en maudit!

Les deux frères s'esclaffèrent nerveusement et Louise fut reconnaissante à son beau-frère d'avoir fait rire son mari, qu'elle trouvait bien changé depuis quelque temps. Sa grossesse se déroulait pourtant normalement et elle se sentait moins fatiguée, certains jours, mais Philippe s'éloignait d'elle, elle le sentait. Elle l'observa du coin de l'œil; ce matin, il lui semblait détendu et il la regardait presque sereinement. «Si au moins je savais ce que je lui ai fait...», s'interrogea-t-elle, le chagrin au cœur. «Pourtant, je l'aime autant qu'avant, me semble. Bien plus, même!» Elle s'assit à côté de lui et mangea elle aussi avec appétit. Elle ne pouvait toutefois s'empêcher d'examiner les deux frères, si différents l'un de l'autre et qui, ce matin, s'amusaient comme deux petits garçons ravis d'étriver leur père, qui n'était plus de taille à leur en imposer mais dont l'emprise persistait toujours.

Malgré sa bravade, Charles voulut oublier son père, l'écarter de sa vue. Il observa Louise à la dérobée, la blancheur de son teint, ses grands yeux verts, son front lisse et bombé d'où partait sa longue et mince chevelure blonde, si lisse comparée à la chevelure épaisse et bouclée de Mathilde. Pour la première fois depuis cinq ans, le jeune veuf comparait, nommait mentalement, presque avec sérénité, sa jeune épouse disparue. Aujourd'hui, le souvenir ne lui faisait presque plus mal, comme une douleur présente depuis si longtemps qu'elle avait fini par sembler naturelle. Il observa le manège discret, qui devait être routinier, de Berthe auprès de son mari et de son fils pour s'imposer à sa bru Louise. Elle qui n'avait jamais pris sa place chez elle, voilà qu'elle la revendiquait à sa bru et lui faisait sentir qu'elle n'était que la deuxième femme de la maison. Pondérée, la belle-fille se moquait de ce jeu de pouvoir de sa belle-mère, contente de s'éviter maints travaux qui l'épuisaient.

Philippe appréciait cette attitude pacifique, lui qui abhorrait les disputes, et il n'avait jamais cru nécessaire d'appuyer Louise dans ses relations quotidiennes avec sa mère. Après la naissance du petit Eugène, la mère et la grand-mère avaient pourtant eu, par la force des choses, plus d'occasions de s'affronter. Et Louise, par amour pour son petit, avait eu plus souvent le courage de protester. Charles voyait sa mère tourner les galettes de sarrasin, se hâtant de les servir aux hommes d'abord et négligeant presque ouvertement sa bru sous prétexte que le travail de ceux-ci les attendait dehors. Il se demanda si Mathilde aurait toléré ce manège et se rendit compte que, pour la deuxième fois ce matin, il songeait à elle concrètement. Il frissonna quand sa jeune belle-sœur se leva, déjà arrondie par sa grossesse qui semblait lui soutirer le peu de forces qui lui restaient. Soudain, le petit Eugène alla vers lui, en proie à quelque chose qui semblait le tracasser depuis le début du repas.

— Mon oncle monsieur, si t'as pas couché dans mon lit, t'as couché où, d'abord?

Charles, Philippe et Louise éclatèrent de rire et le petit fronça les sourcils, contrarié. «Marie-Louise aussi a cet air-là, des fois...», songea Charles. Il ne sut que répondre à l'enfant et sa belle-sœur vint à son aide.

— Je vais m'arranger avec ça, lui dit-elle en riant. Mais ce sera pas simple, soupira-t-elle; quand il a quelque chose dans la tête...

— Ah ben! c'est un Manseau certain! dit Charles en riant à son tour et en regardant son père malgré lui.

Il se leva brusquement.

— Bon, ben, je vais y aller; mon ouvrage m'attend.

Il hésita, se tourna vers sa mère et vers Louise. Philippe lui lança un regard suppliant, refusant de le voir repartir si vite. L'aîné sortit si précipitamment qu'il ne vit pas le regard de déception du père et celui-ci eut le temps de l'effacer de ses yeux. Charles alla atteler son cheval, qu'il avait nourri et abreuvé en partageant les tâches à l'étable. Philippe l'accompagna mais ne sut retrouver le fil de la confidence de la veille, et, quand l'aîné partit, ils se firent seulement un signe de la main. Dès que Charles fut sorti de la cour de terre et qu'il eut bifurqué à droite vers le village, il fit claquer les rênes sur le dos de son cheval.

— Hue! cria-t-il.

La bête partit au galop, comme les pensées de son maître qui voulait laisser derrière lui l'emprise de son père et le drame à venir de son frère. Charles ressentait une profonde urgence de vivre, pour lui, pour ses enfants, maintenant, pleinement, comme pour forcer la vie à les entraîner tous dans son tourbillon.

CHAPITRE 3

LA VEILLE, les employés de Charles s'étaient étonnés de ne pas le voir revenir et Vanasse avait fermé la scierie lui-même. Le lendemain matin, il avait ouvert tout seul. C'était la première fois que son associé n'était pas là, et, de plus, sans l'avoir prévenu.

— Qu'est-ce qu'il mijote encore, celui-là? grogna-t-il.

En s'interrogeant sur l'absence de Charles, il lui vint à l'esprit qu'il s'agissait peut-être d'une femme. Il avait eu beaucoup de difficulté à oublier l'aventure de son associé avec sa bru, en 1903, d'autant plus que celle-ci avait eu un fils dans l'année qui avait suivi et que le beau-père n'était pas absolument certain que son Armand en fût le géniteur. Comme il n'avait pas réussi à démêler s'il méprisait son fils ou s'il en voulait à Charles, il s'était rabattu sur ce qui lui semblait une certitude dans cette malheureuse histoire: sa bru était une moins que rien. Pourtant, même ce mépris était trouble et il s'était débarrassé de ce poids au cœur en refusant d'y penser. À la place s'était installée une sorte de lourdeur, de fatigue qu'il avait mise sur le compte de son travail à la scierie.

— Je «tofferai» plus ben longtemps icite avec cette maudite poussière, grognait-il de plus en plus souvent en secouant sa chemise et en se grattant le dos, utilisant les mêmes mots que sa femme Hémérise avait si souvent prononcés.

Les pressentiments de Vanasse se confirmèrent dès que Charles réapparut dans l'après-midi avec une lueur dans les yeux et une impatience quasi joyeuse. «Ouais, il doit y avoir une femme en dessous de ça, certain!» se dit-il, rassuré du seul fait que sa bru n'était pas dans les parages, mais curieux de savoir qui avait provoqué ce changement dans le regard de son associé.

Le reste de la journée, Charles s'occupa négligemment de son travail et il ne congédia même pas l'employé qui avait scié une corde de bois en planches deux fois trop petites.

— On finira bien par trouver un client pour ça, dit-il simplement après un moment de réflexion.

Il n'en fallait pas davantage pour convaincre Vanasse que le veuvage de son associé achevait.

Le dimanche suivant, Charles resta plus longtemps chez Éphrem Gingras après le dîner et, de sa berçante sur la grande galerie, il observa attentivement ses fils jouer au cerceau, sa fille câliner le chat. Victor restait sur ses gardes; il évitait son père tout en le zieutant fréquemment, à distance. Quand celui-ci se leva finalement pour partir, il s'adressa à son aîné sans préambule:

— Puisque t'es en vacances d'école, si tu veux, tu peux venir à la maison avec moi aujourd'hui.

L'enfant sentit ses jambes flageoler. En cinq ans, les garçons n'étaient allés que rarement dans la maison neuve de leur père, et Victor avait conçu, à la suite de ces quelques incursions, un désir et une envie démesurés de cette demeure mystérieuse dont il ne connaissait pas encore tous les recoins, les cachettes et les secrets. Il était à peine revenu de sa surprise qu'il entendit son père ajouter, à l'intention d'Amanda:

— Je vais le garder quelques jours.

— Quelques jours? balbutia-t-elle. Mais, mais...

— Mais quoi? s'étonna Charles, ne réalisant pas l'inhabituel de sa conduite.

— Il... il va avoir besoin de linge. Il...

— Va chercher quelques affaires, dit-il au petit.

Victor monta l'escalier en courant, de peur que son père ne change d'idée. Henri s'élança à sa suite, les yeux pleins d'eau.

— Moi aussi, je veux y aller, murmura-t-il à son frère en larmoyant.

Dans la chambre, l'aîné sortit fébrilement du tiroir un pantalon, une chemise, des bas.

— T'es trop petit; c'est moi, le plus vieux, jeta-t-il à son frère.

Henri sortit des vêtements lui aussi.

— C'est mon père à moi aussi. C'est pas juste à toi, tu sauras.

Victor se redressa, nerveux et fier.

— Oui, mais c'est moi qu'il a demandé. T'as juste à rester ici avec Marie-Louise.

Henri saisit les vêtements de son frère et les jeta sur le plancher en criant de colère. Charles entendit les éclats de voix et fronça les sourcils, contrarié. Il rentra dans la cuisine, monta l'escalier qui passait derrière le poêle à bois et, dans la chambre des garçons, découvrit ses deux fils qui se battaient rageusement. Victor était blanc de colère rentrée et Henri pleurait de rage, le visage rougi et douloureux.

— Hé là! cria le père. Qu'est-ce qui se passe ici-dedans?

Sidérés par la voix forte du père, les gamins se relevèrent vivement. Amanda surgit à son tour et se mit en frais de rapailler les vêtements éparpillés, ajoutant ceux qui manquaient au premier tri malhabile de l'enfant, surexcité par la soudaineté et l'importance de la proposition.

— J'ai demandé ce qui se passait ici-dedans. J'attends! insista le père d'une voix plus courroucée.

Victor ne voulait pas dénoncer son frère et Henri n'osait pas crier à l'injustice. Le cadet se remit à pleurer et bafouilla maladroitement:

— Moi aussi, je veux aller avec vous.

Puis il s'enhardit:

— C'est pas juste que ce soit seulement lui!

— C'est pas fin pour votre grand-mère, ça, trancha le père pour masquer la surprise que cette réplique faisait surgir en lui.

Amanda s'immobilisa devant un tiroir entrouvert et dit, le plus simplement qu'elle put, même si le cœur lui débattait:

— C'est normal de vouloir être avec son père.

Charles se passa la main dans les cheveux et ajouta:

— Sortez-en pour deux, madame Gingras.

Le visage de l'enfant se transfigura de joie et, l'espace d'une seconde, il ressembla si brutalement à Mathilde qu'Amanda et Charles le fixèrent intensément. «Mon Dieu! Est-ce que Charles va reprendre ses enfants?» Le cœur de la grand-mère se serra et elle promena un regard furtif sur cette chambre qui avait aussi été celle de ses fils et où Charles avait été soigné quand il avait fait sa pneumonie. Ses yeux usés croisèrent ceux de son gendre, dont la mémoire lui rappelait, à lui aussi, des moments qui leur semblaient appartenir à un siècle révolu. Un peu troublé, il redescendit, suivi de ses deux fils. En entendant leurs pas résonner derrière les siens, l'homme sentit qu'il n'était plus seul. Et il ne vit pas Marie-Louise se cacher le visage dans le grand tablier d'Amanda pour y cacher ses larmes de ne pas être emmenée elle aussi.

Quand ils sautèrent de la voiture chez leur père, les garçons regardèrent avidement les lieux dont ils avaient tant rêvé. Instinctivement, Victor fit quelques pas vers la scierie. Henri aida plutôt son père à dételer le cheval. Victor les suivit ensuite dans la maison; Charles ne pensait pas que des enfants de cet âge auraient pu s'intéresser à son travail et à la scierie et il ne leur offrit pas de la visiter.

— Quelle chambre on prend, papa? demanda poliment Victor dès qu'ils furent entrés dans leur maison.

— Celle que vous voulez, répondit-il, pince-sans-rire.

Les deux garçons continrent avec peine leur fébrilité et montèrent sagement à l'étage pour constater, débinés, qu'à part celle de leur père, à droite, au-dessus du salon, une seule chambre était meublée, la première à gauche, au-dessus de la cuisine, et sommairement en plus. Elle contenait un lit assez grand pour deux enfants, et une commode; il n'y avait aucun pot de chambre.

— As-tu vu des bécosses? souffla Victor.

— En arrière de l'écurie, dit Henri. Je l'ai vue en rentrant le cheval et la voiture avec papa.

Ils déposèrent leurs minces bagages et revinrent à la cuisine; Charles les regarda, moqueur. Victor lui jeta un bref regard, sans humour. Henri pensait déjà à autre chose.

La maison répercuta d'abord les pas timides et feutrés des garçons, leurs mots à voix basse, puis plus assurés, et finalement leurs fous rires nerveux. Henri dénicha aisément des coins secrets sous l'escalier et dans un petit placard qui supportait le tuyau du poêle. Victor, qui pourtant en avait tant rêvé, considéra ces jeux comme des enfantillages pour se démarquer clairement de son cadet et se préoccupa davantage de son père.

Contre son attente, Charles ne se sentait pas à l'aise avec ses garçons. Le quotidien vécu avec eux remontait loin dans le temps et ses souvenirs des bambins d'un an et demi et trois ans s'étaient effilochés depuis longtemps. Ils se mirent à table. Les jours précédents, Charles avait fabriqué un long banc de pin, soigneusement varlopé, qu'il avait placé de l'autre côté de la table. Ses deux fils s'assirent en face de lui, tournant le dos à la porte vitrée du salon vide. Le souper sommaire ne plut pas tellement aux jeunes garçons, qui s'en contentèrent sans oser s'en plaindre. Leur père alla ensuite aligner des chiffres dans son livre de comptes, ce qui les impressionna. Après leur exploration, ils montèrent se coucher, ne sachant que faire de leur liberté dans cette maison inconnue où ils n'avaient rien pour se distraire.

Le lendemain matin, Charles se leva de bonne heure, comme d'habitude, et il laissa dormir les deux enfants. C'est du moins ce qu'il crut, n'entendant aucun bruit venant de leur chambre. Pourtant, Victor était réveillé lui aussi. Il suivait les allées et venues de son père par les bruits qui montaient de la cuisine. Les deux rangs de planches croisées soutenaient solidement l'étage mais ne filtraient guère les sons. L'enfant refaisait connaissance avec son père par le son de l'eau qui coulait du robinet dans la théière qui fut ensuite déposée sur le poêle à bois, par les pièces de vaisselle entrechoquées. Il attendait. Bientôt son père allait monter et leur offrir, d'une voix un peu bourrue peut-être, de l'accompagner à son travail. Il lui tardait d'aider son père, de vivre dans son ombre au lieu de celle de sa grand-mère.

Une porte claqua et des pas résonnèrent sur la galerie. Stupéfait, Victor courut à la fenêtre, mais elle donnait sur l'arrière de la maison et il ne put voir si son père s'en allait déjà à la scierie. Il dut se contenter de découvrir l'univers qui s'offrirait peut-être à lui tous les matins si son père les gardait enfin. La rivière étroite coulait abruptement sur les rochers, éclaboussant la verdure hasardeuse qui s'avançait toujours plus loin vers l'eau. Des gouttes volaient; les rayons du soleil les multipliaient en dizaines de couleurs vite estompées, bues par une autre gerbe d'eau. Victor se détendit devant ce paysage tout en mouvement qu'il avait envie de découvrir. Il se retourna vers Henri qui dormait encore profondément comme un bambin insouciant et il lui en voulut de ne pas comprendre que cette matinée était tellement importante.

Sans bruit, avec un lambeau d'espoir, il descendit à la cuisine. Son père était bel et bien parti. Désappointé, il vit ensuite deux couverts sur la table: l'homme avait pensé à eux et tranché le pain. Le cœur serré, Victor eut enfin un élan d'amour libre et spontané pour lui. Ce pain-là fut le meilleur de sa courte vie: il le mangeait chez son père, et c'était lui qui l'avait coupé pour eux. Une fois rassasié, il eut le sentiment exaltant que toute la maison lui appartenait. Il pouvait en prendre possession.

Il remonta à l'étage à pas feutrés et entra dans la chambre de son père. Sans qu'il sût pourquoi, la vue de la courtepointe flamboyante lui serra le cœur. Il lui sembla qu'il manquait quelque chose à cette chambre. Sa mémoire travaillait frénétiquement, cherchant des images, des odeurs, des souvenirs. Inconscient de toute cette activité laborieuse, l'enfant n'en perçut que le résultat tangible: une grande tristesse et une nostalgie viscérale de sa mère. Dans la brume de ses souvenirs, il entrevoyait sa maman ailleurs, assise près d'un poêle à bois et berçant le petit Henri. Un goût de tarte aux pommes lui emplit la bouche. Il sentit deux larmes couler sur ses joues et saler ses lèvres. Le cœur en détresse, il referma la porte sur cette chambre que n'habitait qu'un homme et où tout était réduit au minimum, simple et pratique.

Comme il n'arrivait pas à chasser tout seul cette tristesse poignante, l'enfant se précipita en trombe dans l'autre chambre, sautant sur le lit, bousculant son frère trop ensommeillé à son goût.

— Hé! la marmotte! Réveille-toi!

Henri, éberlué, ne reconnut pas la chambre et Victor lui lança des vêtements en riant, fier de sa supériorité d'aîné.

— Papa est parti travailler. Viens-t'en, je vais te montrer la maison.

Charles vint dîner et les enfants le virent pour la première fois avec ses habits de travail et non endimanché. Il avait aussi de la sciure dans les cheveux et laissait dans son sillage une odeur différente de celle que leur grand-père ramenait avec lui de la forge. Leur père fricota rapidement un repas sommaire qu'ils avalèrent de bon appétit, malgré son goût fade. Victor languissait après le moment où son père lui demanderait de l'accompagner, mais, à la fin du repas, celui-ci ne dit rien et retourna travailler, le laissant encore plus abandonné que le matin. Dans l'après-midi, les enfants, désœuvrés dans cette maison inconnue et trop vide pour eux, en explorèrent les abords, la rivière, les alentours de la scierie avec ses piles de planches, ses billots, et ils entendirent vaguement, au loin, le bruit des scies. Le soir,

Charles, fourbu, prépara un repas plus copieux mais guère meilleur que celui du midi.

— Grand-maman fait des bons bouillis, dit innocemment Henri, traduisant tout haut ce que son frère pensait tout bas.

Charles fronça les sourcils et ajouta:

— Je le sais, j'ai pensionné longtemps chez eux.

— Chez grand-maman? Dans la maison de grand-maman? s'étonna Henri.

— Hein? Comment ça? demanda Victor.

Le père se rendit compte que ses fils ignoraient de nombreux épisodes de sa vie et il leur en révéla quelques-uns, sobrement pour ne pas ressasser trop de souvenirs. Victor en connaissait certains, ayant glané des réflexions ici et là chez les Gingras, mais, dans sa petite tête, la chronologie de ces événements n'était pas plus claire que dans celle d'Henri.

Quand leur père arrêta ses brèves confidences, Victor se sentit obligé de combler le silence gênant. Il parla de tout et de rien. D'abord intéressé, l'adulte solitaire, étranger à ce monde de l'enfance fait de petits riens qui se sont vécus avec une telle intensité que, sur le moment, ils sont ce qu'il y a de plus important au monde, se perdit dans ses pensées au sujet d'une commande de madriers. Puis ils firent la vaisselle ensemble. Charles alla ensuite nourrir les chevaux dans les deux écuries et nettoyer les stalles. Ses garçons l'accompagnèrent en placotant, riant un peu nerveusement, compensant leur malaise par leur émerveillement de visiter non pas une mais deux écuries, et fiers de participer à la besogne à laquelle ils aidaient machinalement chez leur grand-père. Pour sa part, Charles se félicita de les avoir amenés tous les deux. «Comme ça, ils peuvent s'occuper ensemble», se dit-il, soulagé de ne pas devoir s'engager dans les détails de leur conversation à laquelle il ne savait comment participer et qui, malgré ses efforts, ne l'intéressait pas vraiment.

Le lendemain matin, Victor se leva avant son père pour mettre toutes les chances de son côté. Charles s'étonna de le voir déjà à la cuisine et se réjouit que son fils soit matinal. Celui-ci mit la table: deux couverts seulement.

— Ton frère se lève pas, lui?

— Moi, je me réveille toujours de bonne heure. Mais lui, c'est une vraie marmotte.

Un souvenir inattendu flotta dans les yeux du père: celui du petit Victor, à trois ans environ, qui se faufilait dans leur lit et faisait crier Mathilde quand il se collait contre elle avec ses petits pieds glacés et piocheurs. Charles but son thé pour chasser cette image. Victor frétillait sur le banc et se décida avant de ne plus en avoir le courage, disant d'une traite:

— Je vais aller au moulin avec vous, papa?

C'était fait. C'était dit. L'enfant n'avait pourtant pas le loisir de savourer sa victoire: il concentrait toute son attention à attendre la réponse, comme si toute sa vie allait en dépendre. Le père, qui le voyait encore comme à trois ans, réalisa qu'il avait grandi, qu'il était un jeune garçon alerte et, ce qui lui plut par-dessus tout, qu'il devait être vaillant puisqu'il lui offrait de lui-même de venir l'aider.

— Ben, j'ai pas pensé à ça vraiment, mais c'est certain que je pourrais te trouver des petites jobines à faire.

Il essayait de ne pas montrer indûment sa fierté paternelle et il y réussit si bien que Victor ne la soupçonna pas. Le reste du déjeuner fut pris en silence. Une impatience fébrile gagnait l'enfant de seconde en seconde. Il voulait battre son frère de vitesse et partir avant que celui-ci ne se réveille, pour avoir son père à lui tout seul. Ce dernier était loin de soupçonner l'admiration dont il était l'objet et il suggéra malencontreusement:

— Ton frère aimerait peut-être venir lui aussi?

Victor sentit son père lui échapper.

— Il est encore petit, il a juste six ans. Ben, presque sept.

Charles eut un sourire indulgent pour le petit homme qui se croyait vieux du seul fait qu'il était l'aîné et l'enfant interpréta ce sourire comme une connivence entre eux. Il ne répondit rien, soucieux de ne pas réveiller son frère et de partir au plus vite, et s'impatientant à chaque geste non prévu de son père qui lui semblait remettre en question toute l'affaire. Ils partirent enfin et Victor referma tout doucement la porte de la cuisine derrière eux. Pour la première fois, le père et le fils partaient ensemble. L'un à la suite de l'autre, ils cheminèrent vers la scierie. L'enfant aurait voulu marcher ainsi pendant des heures dans l'ombre de son père, l'ombre du début d'un jour plein de promesses. Il regarda religieusement son père ouvrir la grande porte et il pénétra dans la scierie comme dans un sanctuaire.

Ils entrèrent au rez-de-chaussée et l'enfant découvrit non pas des planches et des madriers, mais une fournaise en briques et, au-dessus, un réservoir fermé, de forme cylindrique, qui s'allongeait horizontalement sur environ cinq mètres. Au-dessus de cette bouilloire, des tuyaux, nombreux et complexes, l'impressionnèrent. Sous le plafond, des courroies horizontales de différentes largeurs s'entrecroisaient sans qu'il arrive clairement à voir d'où elles partaient ni où elles allaient. Elles traversaient même le plafond à différents endroits. Victor était subjugué. Charles ne pensa pas à initier son fils à tout cela, le croyant trop jeune pour s'y intéresser et pour comprendre.

— Ça sert à quoi, la fournaise, papa? Vous chauffez le moulin?

Étonné de son intérêt, le père se réjouit et la fierté lui gonfla le cœur.

— Non, ça chauffe la bouilloire. Dedans, c'est plein de petits tuyaux. La vapeur fait de la pression. Tu vois, ici, c'est des pistons; ça contrôle la pression. C'est la pression qui fait tourner les *straps*.

— Puis si ça va trop vite? s'inquiéta Victor.

Charles s'étonna une fois de plus de sa perspicacité.

— On contrôle ça avec des valves. Regarde.

La main large du père désignait les tuyaux, les pistons, les valves, les courroies aux fils solides noirs et bruns dont certains côtés s'effilochaient un peu.

— C'est simple, dans le fond. Les croûtes font du feu. Le feu chauffe l'eau. L'eau fait de la vapeur. La vapeur fait de la pression. La pression actionne l'engin. L'engin fait tourner les courroies. Les courroies sont rattachées aux scies. Les scies coupent le bois.

Charles remplit la fournaise de croûtes et y alluma un bon feu. Victor l'observa pour le faire à son tour. Il se dit que ce serait son travail: chauffer la fournaise pour tout actionner. Il se trouva très important. Et il ne se demanda pas comment tout cela avait pu fonctionner avant qu'il n'arrive. Mais son père lui désigna plutôt un énorme tas de bardeaux, coupés à un pied de longueur environ, et lui expliqua le travail qu'il lui confiait.

— Tu pourrais corder ce bois-là. Fais des brassées bien égales. M. Gervais pourra les attacher plus vite.

Et le père le délaissa pour aller compter le nombre de planches prêtes à être livrées dans la journée, revenant vérifier le feu, surveillant la pression dans les tuyaux. Victor se mit à la tâche. Une demi-heure plus tard, les ouvriers commencèrent à arriver. L'un des employés, Gervais, à peine plus vieux que son père, salua joyeusement Victor qui jouait parfois avec son fils.

— Ouais, on est rendu un homme, à c't'heure?

Un peu plus tard, une main d'homme ébouriffa amicalement les cheveux de Victor en passant. L'enfant crut que c'était son père et se releva avec un sourire radieux. Mais ce n'était que M. Gervais. Le petit se pencha bien vite pour cacher sa déception. L'ouvrier ouvrit la porte de la fournaise, tisonna les braises, la remplit à craquer. Dans le réservoir, l'eau bouillait déjà. Charles passa et défendit à Victor d'ouvrir la porte de la fournaise.

— Un tison dans un moulin à scie, c'est assez pour que tout brûle ici-dedans, expliqua-t-il brièvement.

Son fils était fasciné et effrayé par les flammes qu'il apercevait entre deux attisées. Gervais était rapide et dosait la quantité de croûtes ou de bran de scie à engouffrer dans la fournaise. Distrait par ce court spectacle régulier, Victor entendit enfin la vapeur commencer à chanter dans les tuyaux. Il croyait rêver. Il était au cœur de l'action, dans la scierie de son père, et tout s'activait autour de lui. Et lui aussi participait à ce grand mouvement que dirigeait son père comme un dieu tout-puissant. Il voulut le voir à l'œuvre et délaissa son travail quelques instants pour monter à l'étage. Il s'arrêta dans l'escalier dès que sa tête dépassa. Il chercha son père des yeux. Quand il le repéra, son admiration augmenta, si cela était encore possible, à le voir diriger avec dextérité un énorme billot de près de cent kilogrammes. Charles aperçut la tête de son fils; celui-ci, intimidé, redescendit vivement à sa besogne. Courbé au-dessus du tas de bardeaux, tête penchée, l'enfant entendit alors le hurlement de la scie déchirer l'espace à l'étage au-dessus. Le hurlement aigu recommença, encore et encore. Le bruit s'empara de toute la scierie, remplissant tous les coins et recoins. Victor était blême comme la mort; ses jambes tremblaient sous lui sans qu'il puisse se contrôler. L'enfant avait si peur qu'il n'arrivait plus à décrocher de la terreur qui le serrait comme un étau à chaque rugissement de la scie. Il se sentait mourir de seconde en seconde, en proie à ce bruit infernal qui lui vrillait les oreilles. Il essayait de se ressaisir et de ne penser qu'aux bardeaux, rien qu'aux bardeaux, mais ses mains n'arrivaient plus à se coordonner pour saisir et placer les bouts de bois dans une pile ordonnée. Il se sentit tout à coup saisi par le collet et il sombra dans un grand nuage sombre. Quand il reprit conscience, il était assis dehors, dans l'herbe, et Gervais le secouait.

— Ça va mieux, ti-gars?

Le père de famille vit les yeux de l'enfant redevenir clairs et il sourit.

— C'est chaud en masse, à côté de la fournaise, hein? Quand on est pas habitué, ça cogne pas mal. Prends un peu d'air avant de revenir.

L'homme retourna vivement à son travail qu'il avait retardé pour s'occuper du garçon. Victor tremblait sans savoir pourquoi. Il n'avait pourtant qu'une idée en tête: retourner travailler avant que son père ne s'aperçoive de son absence. «Il va avoir honte de moi, il va penser que je suis trop petit pour l'aider, il va dire que...» L'enfant se remit sur ses pieds, vacillant puis se raidissant de colère contre lui-même. «Je suis pas un bébé, papa aura pas honte de moi.» Il serra les dents et rentra dans la scierie, assailli de nouveau par le bruit terrorisant de la scie, mais refusant de le laisser s'emparer de lui encore. Il alla tout droit vers le tas de bardeaux et s'appliqua, presque avec rage, à prendre les bouts de bois et à les corder, ne voyant qu'eux, ne sentant qu'eux dans ses mains raidies. Son père surgit derrière lui.

— Ça tiendra pas, cordé de même. Mets un bout épais, ensuite un mince. Comme ça, ça va monter égal.

L'enfant fixa le bois, trop énervé pour comprendre. Charles plaça une dizaine de bardeaux sous ses yeux, mais si rapidement que Victor n'eut pas le temps de saisir. Un client arriva et son père l'oublia pour traiter de choses plus importantes. L'enfant malhabile avait essayé de capter le mouvement, mais il était trop secoué par ses émotions. Gervais le surveillait de loin, mine de rien, et lui vint en aide, plaçant plus lentement les bardeaux, prenant soin de vérifier que le garçon suivait ses gestes. Victor comprit enfin et sa joie triomphante eut raison de sa frayeur de tout à l'heure. Pour la troisième fois, Gervais manifesta de l'attention à l'enfant: il passa son bras autour de ses petites épaules, le sentant fragile, et il renforça son appui.

— Tu comprends ben, mon garçon. Force-toi pas à aller vite, applique-toi plutôt à travailler comme il faut. La vitesse, ça vient après, pas avant.

Sentant une présence sûre auprès de lui, Victor reprit confiance et réussit de beaux paquets solides. Quand il se releva, fier de lui, contemplant son chef-d'œuvre enfin terminé, son regard se posa sur un nouveau tas de bardeaux qu'un employé venait de jeter près de lui. Le jeune garçon fourbu comprit avec désarroi que ce serait toujours à recommencer. Quand il rentra dîner avec son père, Henri lui demanda rageusement:

— Où t'étais, donc?

Charles répondit:

— Au moulin, avec moi. Ça m'a rendu service pas mal, ajouta-t-il pour encourager Victor, alors que, dans son for intérieur, il avait trouvé inquiétant de le savoir là.

— Moi aussi, j'aurais pu y aller, protesta Henri.

— Tu dormais, trancha Victor. On est partis de bonne heure, nous autres.

Et ce «nous autres», combiné au compliment de son père, paya Victor de toutes ses peines de l'avant-midi. Cette satisfaction ne diminua en rien la fatigue physique qui accablait l'enfant, peu habitué à travailler autant et sans arrêt. Charles en eut pitié quand il le vit s'asseoir en grimaçant, tout courbaturé.

— T'en as assez cordé pour aujourd'hui. Reste avec ton frère, après-midi.

— Moi, je suis pas fatigué. Je peux y aller, proposa Henri.

Victor en eut un coup de sang. Cette première journée au moulin avec son père, il l'avait payée assez cher pour la garder pour lui et, pour une fois, il fut spontané, presque violent.

— Non! Pas aujourd'hui! Demain si tu veux, mais pas aujourd'hui!

La violence de la protestation était telle que Charles fronça les sourcils, cherchant à comprendre. Il se rappela que Gervais avait dû surveiller Victor à maintes reprises et que cela faisait perdre du temps à son employé. C'était suffisamment de dérangement pour la journée.

— Demain, ça fera pareil. Victor pourra te montrer.

L'aîné triomphait. Sa colère tomba du coup et il respira, soulagé. Aujourd'hui, l'affaire ne se jouait qu'entre lui et son père; et demain, ce serait à lui, l'aîné, à initier son cadet au domaine fascinant et inquiétant de l'entreprise de son père. «Mais demain, juste demain», pensa l'enfant.

70

Le lendemain, Victor, gorgé de fierté, entra à la scierie la tête haute et salua M. Gervais d'un air entendu et habitué signifiant à son frère qu'il connaissait les airs. Il s'appliqua à bien montrer à son cadet comment corder les bardeaux, mais celui-ci, plus dormeur que son aîné, bâillait encore. Déçu de son frère, Victor, nerveux, se préparait aussi mentalement à l'assaut sonore.

— Regarde donc ce que tu fais! Tu pourras jamais apprendre à corder, si ça continue.

D'en bas, les garçons entendirent les ouvriers arriver et la voix estompée de leur père qui donnait des ordres. Gervais vint fourbir la fournaise et vérifier la pression. Puis il ouvrit les valves et l'engin démarra. Là-haut, Vanasse actionna les scies. Un bruit effrayant remplit la scierie. Victor déglutit péniblement et s'obligea, avec toute la fermeté dont il était capable, à se faire une raison. Absorbé par cet effort presque au-dessus de ses forces, il en oublia son frère quelques instants.

Henri était fasciné, envoûté par le bruit strident des scies. Il ne put résister et grimpa l'escalier quatre à quatre, s'arrêtant, comme son frère la veille, sur les dernières marches. Les yeux à la hauteur du plancher, il vit les bottines solides des hommes, les courroies monstrueuses qui traversaient le plancher et rejoignaient des roues de différentes grosseurs près des scies. Il s'amusa de voir le bran de scie tomber en un cône pointu comme le sable du petit sablier que l'institutrice tournait régulièrement sur son pupitre, à l'école. Il n'y allait pas encore, mais Victor lui en avait tant parlé qu'il reconnaîtrait le geste quand il irait à son tour, en septembre. Fasciné, il imagina la scierie tout entière comme un immense sablier et ne put s'empêcher de se rapprocher de la grande scie. Son père le vit et s'inquiéta. Il le rejoignit pour le faire reculer. Henri se tourna vers lui, les yeux brillants.

— Allez-vous me laisser scier un jour, papa? lui cria-t-il par-dessus le vacarme.

Le père imagina tout à coup ses fils travaillant avec lui. Il refoula l'émotion soudaine qui le gagnait.

— Ben certain!

— Quand?

Étonné de cette insistance, le père répondit vaguement:

— Quand tu seras grand. Ces machines-là, c'est pas pour jouer.

Henri dévorait des yeux la grande scie ronde qui découpait l'énorme billot de quatorze pieds comme s'il se fût agi simplement d'un long pain de ménage.

Charles était si fier de son petit et, en même temps, si soucieux de ne pas étouffer son ardeur qu'il voulut le rassurer ou l'encourager et il glissa sa large main sur l'épaule du gamin un bref moment avant de se reprendre et de retourner travailler plus loin. Encore sous l'envoûtement de la scie puissante et vorace, Henri fit à peine attention au geste de son père. Mais son frère, qui l'avait finalement suivi pour le ramener en bas, s'était figé sur la dernière marche et avait suivi la scène, incrédule. Du coup, les bardeaux et la scierie perdirent leur intérêt: son travail à lui ne valait rien puisque son père n'en faisait pas de cas. Il serra les dents, refoulant son chagrin, et redescendit corder des bardeaux avec désarroi.

Le lendemain matin, il fit semblant de dormir quand son père se leva et il se garda de réveiller Henri. Le midi, il annonça qu'ils iraient voir Marie-Louise et leurs grands-parents dans l'après-midi. Il dit cela d'une traite, essayant de paraître le plus indifférent possible. Il avait pris les devants, préférant s'éloigner, incapable de supporter un rejet de son père, et ne souhaitant pourtant que le contraire: qu'il paraisse déçu ou, au mieux, l'invite carrément à retourner l'aider. Le père était effectivement déçu. Il avait cru que son aîné s'intéressait à son travail puisqu'il avait tant insisté pour y aller. Mais voilà qu'après deux jours seulement il s'occupait à autre chose. «Les enfants, c'est ben changeant», se dit-il tout en ne pouvant s'empêcher de jeter un coup d'œil à Henri. «Lui, au moins, il a eu l'air d'aimer ça, les scies.» Il retourna tranquillement à la scierie et Victor, le cœur serré, le regarda s'éloigner. Le jeune garçon se tirailla ensuite avec son frère pour se défaire de tout ce qui l'agitait intérieurement, et tous deux, ne sachant trop comment échapper à cette situation nouvelle d'inaction déroutante, se mirent en route.

Quand Charles avait bâti sa scierie, en 1897, il l'avait située à un mille environ du village. Quand il y eut construit sa maison, en 1900, d'autres s'étaient déjà érigées le long du chemin. C'était maintenant presque une rue et M. Manseau était, pour les nouveaux arrivants, «celui qui était là avant». Cette ancienneté conférait à Charles une sorte de notoriété qu'il aimait bien.

Victor faisait le chemin à pied pour la première fois, mais il était sûr de son affaire, d'autant plus sûr qu'Henri, plus rêveur, n'avait pas remarqué les lieux et n'aurait pu se retrouver tout seul.

En les voyant surgir, Amanda eut un petit sourire heureux et narquois et leur donna des biscuits qu'elle venait de faire, un peu pour combler le vide créé par leur absence. Victor se détendit. Ici, chez ses grands-parents, il pouvait simplement jouer, comme tout enfant de huit ans, insouciant, heureux de ses vacances scolaires. Il avait déjà terminé sa deuxième année, il avait eu de bonnes notes, autant en écriture qu'en calcul et en catéchisme. Oui, il avait bien mérité ses vacances, dans la chaleur souveraine de cet après-midi de juillet. Ici, il ne se sentait plus responsable de personne et il s'épuisa à jouer avec Henri. Il alla faire son tour à la forge de son grand-père, étonné de la différence entre l'odeur de corne brûlée et de crottin qui y régnait et l'odeur de copeaux et de bran de scie qui imprégnait la scierie. Par réflexe, il alla chercher le chat qui se cachait souvent sous le fourneau de la forge. Mais, par cette chaleur, le félin n'y était pas et Victor quitta la forge, se sentant abandonné même du chat.

Henri resta sur le palier, près de la porte de la cuisine. Contrairement à son frère, il avait peur des chevaux. Arrivé chez ses grands-parents à un an et demi, il avait découvert brutalement l'univers de la forge et en était resté craintif. Le bébé n'était pas habitué au martèlement sonore incessant, au hennissement des chevaux ni à leurs ruades qui ébranlaient parfois les poutres de la boutique et se répercutaient dans la maison. Certaines bêtes, malaisées à ferrer, devaient parfois être placées dans une stalle étroite qui limitait leurs mouvements et ils ruaient rageusement, ébranlant les poutres. Henri avait peur de ces chevaux rétifs, et, comme il ne savait les distinguer des autres, il se méfiait de tous les chevaux.

Pour des raisons différentes, les deux frères allèrent jouer avec Marie-Louise, la poussant même sur la balançoire étroite que leur oncle Alphonse avait suspendue à un vieux chêne.

— Venez souper, les enfants! leur cria Amanda, debout sur la galerie.

Victor reprit instantanément le fil du temps.

— Papa va nous attendre, répondit-il, redevenu soucieux de son père et de son rôle d'aîné. Faut y aller, grand-maman.

Il en oublia sa sœur sur la balançoire et houspilla son frère.

— Dépêche-toi! Papa va s'inquiéter de nous autres.

— Moi aussi, je veux y aller, les supplia Marie-Louise.

— Tu peux pas venir, dit Henri en la faisant descendre. Il n'y a personne pour s'occuper de toi; on est juste des gars.

Il lui tira une tresse et fila lui aussi en criant à l'aïeule:

— Au revoir, grand-maman!

Déjà les deux garçons traversaient la grande cour de la forge. Leurs pas martelèrent bientôt le trottoir de bois. Ils tournèrent à droite, vers l'église. De la galerie, le regard d'Amanda se dirigea malgré elle vers la gauche, vers la maison qui avait appartenu à sa tante Delphina. Perdue dans ses pensées, elle aperçut tout à coup la petite Marie-Louise qui traversait la cour à la suite de ses frères et s'engageait en courant sur le trottoir de bois, frêle silhouette à contrejour.

— Marie-Louise! cria-t-elle, inquiète.

La grand-mère descendit le perron et marcha le plus vite qu'elle put vers la forge, en criant à son fils:

— Clophas! Marie-Louise vient de prendre le chemin!

Le jeune forgeron déposa le fer qu'il martelait et sortit à la lumière du jour, plissant les yeux.

— Qu'est-ce qu'il y a, maman? Le feu est pris?

— Marie-Louise se sauve! Grouille-toi!

Le jeune homme leva sa main droite en visière et vit sa petite nièce disparaître devant l'église. Il piqua à travers les terrains et la rejoignit rapidement.

— Où tu t'en vas de même? lui dit-il en la soulevant dans ses bras en riant.

— Lâche-moi! Lâche-moi! Je veux aller avec papa! Lâche-moi!

Elle lui martelait le torse de ses petits poings fermés. Clophas s'amusait de la colère enfantine, ne croyant pas sérieusement que quelqu'un puisse vouloir à ce point aller vivre avec son beau-frère. Il revint vers la forge en la serrant fermement contre lui. L'enfant se sentit vaincue et elle appuya sa petite tête sur l'épaule de son oncle en sanglotant. Les bouts de ses tresses brunes se mêlaient à la moustache brun-roux de Clophas et lui chatouillaient les joues.

— Pleure pas, voyons! Il est pas mort, ton père. Tu vas le voir dimanche, comme d'habitude.

Ils étaient revenus devant la forge. Marie-Louise pleurait à fendre l'âme, tellement qu'Éphrem sortit voir à son tour, rejoignant Amanda. Clophas profita de leur présence pour rassurer l'enfant.

— Tiens, grand-papa est là, lui aussi. T'es pas toute seule.

Elle sanglotait de désespoir, abandonnée par ses frères. Clophas n'osait la déposer par terre, craignant qu'elle ne se sauve de nouveau. Mais elle était aussi trop lourde, à cinq ans, pour que sa grand-mère s'en charge.

— Bon, t'es correcte, là? demanda-t-il.

— Tes frères sont juste partis pour quelques jours, dit Amanda en essayant de la consoler.

L'enfant se redressa et repoussa son oncle, qui la déposa à sa hauteur, sur la troisième marche du perron.

— Mes frères, eux autres, ils ont un père. Mais moi j'ai personne! Personne!

Elle s'accroupit sur la marche et se remit à pleurer, la tête enfoncée dans ses bras repliés sur ses genoux. Amanda avait le cœur tout remué devant une si grande détresse.

— Voyons donc, ma petite enfant! Toi aussi, t'as un père... puis une grand-maman, puis un grand-papa...

— Non! cria l'enfant désespérée en se relevant brusquement. J'ai pas de père! J'ai pas de grand-père! hoqueta-t-elle. Mon grand-père, il aime juste Henri, juste Victor. Pas moi! Jamais!

Sidérés de tant de douleur, les trois adultes ne savaient que dire. La fillette s'enfuit dans la maison et la porte moustiquaire claqua derrière elle. Le bruit de ses petits pas précipités dans la cuisine puis dans l'escalier intérieur s'estompa. Amanda lança un regard vif à Éphrem et monta le perron d'un pas courroucé.

— Sa mère a été plus chanceuse qu'elle.

Clophas ne riait plus. Il lissa sa moustache et rentra à la forge. «T'as fini par comprendre ça, toi aussi, hein? se dit-il. Le père, il a le cœur grand comme le monde, mais juste pour une personne à la fois, ça a l'air. Puis ça s'adonne que ç'a jamais été moi. Ni toi non plus.»

Victor et Henri entrèrent en courant chez leur père et le retrouvèrent au moment où il finissait de cuire l'omelette du souper. Trois couverts étaient mis. Il ne leur dit rien. «Il s'est même pas aperçu qu'on était pas revenus», se chagrina Victor. Henri, affamé, avala une première bouchée et jeta un regard de reproche à son frère. «On aurait dû souper chez grand-maman...», signifia-t-il par un soupir.

Leur sœur ne goûta pas davantage son repas. Ses oncles n'avaient pu la dérider. Ils s'étaient même disputés à son sujet, les deux premiers ne mesurant pas le chagrin de l'enfant et le dernier s'étant indigné de leurs moqueries. Leur père avait dû hausser le ton et finalement leur mère Amanda s'était impatientée, le corps en sueur, une mèche rebelle sur son front moite.

— Allez donc vous épivarder dehors, tous les trois. Il fait assez chaud ici-dedans sans se faire étriver en plus!

Dès qu'ils furent sortis, elle essaya de changer les idées de la petite. Elle lui parla encore de ses cousins Hermance et Louis qui vivaient «loin, loin, loin», dans l'Ouest. La petite les aimait parce qu'ils étaient plus petits qu'elle, à ce qu'on lui avait dit, et que sa grand-mère versait toujours des larmes en lisant les lettres de l'oncle Damien et de la tante Mélanie. D'habitude, elle aimait se faire parler d'eux, se faire redire les mêmes petites histoires quotidiennes que les lettres racontaient. Mais, ce soir, rien ne parvenait à l'intéresser. Éphrem se leva lentement, la prit par la main et lui dit, pour la première fois de sa vie:

— Viens, grand-papa va te raconter une histoire...

Elle cessa aussitôt de renifler, incrédule. Amanda, sans laisser voir sa surprise, souhaita qu'il réussisse là où elle échouait, ce soir. L'enfant s'était laissée emmener. Éphrem s'assit dans la berçante et la hissa sur ses genoux, retrouvant difficilement les gestes et les paroles d'autrefois. La petite était si étonnée qu'elle ne savait s'abandonner. L'homme ne disait toujours rien; la fillette, encore chagrinée, restait suspendue à la promesse extraordinaire d'une histoire qui tardait pourtant à commencer. Amanda desservit, perplexe. La curiosité fut la plus forte et Marie-Louise réclama timidement:

— C'est une histoire de quoi, grand-papa? Une histoire... de loups? murmura-t-elle.

Il sourit.

— Un loup, un loup... Il est pas si méchant que ça, quand même!

— Qui ça? hasarda-t-elle.

— Ben, le monsieur, le monsieur de l'histoire.

L'enfant, déjà gagnée par la magie de l'histoire à venir, oubliait son chagrin. Ses yeux bruns perçants fixaient intensément le vieil homme, qui ne put en supporter la candeur innocente.

— Viens plus près, murmura-t-il.

Ses grands bras la collèrent tout doucement contre ses larges épaules, nichèrent sa tête dans son cou, de telle sorte que le regard candide de l'enfant ne fût plus dirigé vers son visage. Une oreille contre la poitrine de son grand-père, calfeutrée dans ses bras pour la première fois de sa vie, elle ferma à demi les yeux. Elle était prête à écouter.

— Une fois, se décida-t-il, il y avait un monsieur, pas encore vieux, qui avait une petite fille.

Il se tut pour prendre le temps de bien contrôler l'émotion qu'il ne voulait pas laisser monter.

— Une petite fille comme moi? lui demanda Marie-Louise en se redressant pour le regarder.

— Oui. Non... Plus jeune que toi.

— Et les cheveux?

— Quoi, les cheveux?

— Ils étaient de quelle couleur?

— Blonds. Blonds comme les blés en juillet, dit-il lentement.

— C'est quoi, des blés? demanda-t-elle, le front plissé.

Amanda lavait la vaisselle et ajouta une explication à la portée de l'enfant.

— C'est un grand champ, avec de l'herbe... De l'herbe jaune doré.

— De l'herbe dorée? s'exclama la petite. Ça se peut?

Éphrem s'irrita.

— Ben voyons donc, Marie-Louise! Un champ de blé, c'est pas dur à voir, ça!

Elle fronça les sourcils devant la rebuffade de son grand-père. Amanda prit sa défense.

— Quand on a cinq ans et qu'on est jamais sortie de la forge puis du village, c'est peut-être bien malaisé à voir..., reprocha-t-elle.

Plus confuse que jamais, l'enfant préféra revenir à l'histoire.

— Ils étaient dorés, les cheveux?

— Oui, c'est ça, dorés, bougonna-t-il.

Il reprit difficilement le fil.

— Et le grand-papa...

— Vous aviez dit que c'était un papa! rectifia-t-elle.

Éphrem soupira, excédé.

— Bon, à c't'heure, c'est moi qui conte l'histoire. Tu poses plus de questions!

Marie-Louise gigota, contrariée elle aussi, mais reprit sa position, de biais avec la poitrine de l'homme.

— Pour le papa, sa petite fille, c'était la personne la plus importante du monde.

Amanda se détourna, blessée. Il le vit.

— Avec sa femme, c'est certain.

Ils se regardèrent. La femme n'avait plus l'âge de se faire des illusions.

— La première ou la deuxième? murmura Amanda.

Elle faisait allusion à sa sœur Élodie, la première épouse d'Éphrem, qui avait été emportée par la tuberculose et qui était la mère de Mathilde. Éphrem revit sa jeune belle-sœur venir prendre soin de la petite et s'attacher au père aussi, et il se revit reprendre courage à la seule présence d'Amanda dans sa maison. Il l'aimait tout autant aujourd'hui qu'à cette époque, sincèrement. Mais deux amours pouvaient-ils être pareils? Il se sentait impuissant devant le doute d'Amanda, le voyant et le ressentant comme jamais encore il n'avait accepté de le faire. Il soupira et sa tête se fit plus lourde sur celle de l'enfant. Son ton devint plus grave; il résista de moins en moins à l'émotion qui le gagnait.

— Sa fille l'aimait beaucoup aussi. Et elle aimait beaucoup sa maman. Elle riait tout le temps. Quand il l'entendait, c'était comme... comme les grelots des carrioles en hiver.

L'enfant n'en avait pas entendu souvent, mais la magie, cette fois, n'en fut que plus grande, entourée de mystère.

— Le soir, le papa prenait sa petite fille dans ses bras...

— Comme moi aujourd'hui? ne put-elle s'empêcher de dire joyeusement, se mettant aussitôt la main devant la bouche qui avait parlé malgré l'interdiction.

Les yeux du grand-père s'embuèrent.

— Oui... Mieux, même. La petite fille écoutait son cœur. Elle riait et disait qu'elle l'entendait battre comme une grosse horloge...

— Une horloge grand-père! s'écria l'enfant en riant. Comme toi, grand-papa!

Amanda se mordit les lèvres pour ne pas rire; Éphrem s'arrêta, décontenancé. Quand il avait décidé, avant le souper, de s'occuper un peu de la petite et de lui raconter cette histoire, qu'il avait soigneusement préparée dans sa tête, il ne s'était pas attendu à la participation ingénue de l'enfant. Ces diversions eurent du bon: elles dissipèrent l'émotion. Son silence fut interprété comme un reproche et la fillette se tut.

— Le papa prenait soin de sa fille...

— Sa maman aussi?

— Oui, sa maman aussi. La petite grandissait, grandissait, grandissait...

L'enfant se redressa, les yeux ronds d'excitation.

— Une géante? s'exclama-t-elle.

Décidément, le conteur avait une auditrice qui ne laissait rien passer. Il leva les yeux au ciel, découragé.

— Pas une géante, Marie-Louise. Une grande personne.

— Ah bon! fit-elle, déçue.

— Une grande personne qui maria un...

— Un prince! s'émerveilla la petite.

Il fronça les sourcils.

— Franchement, ça me serait jamais venu à l'idée de l'appeler de même, fit Éphrem en soupirant.

Amanda ajouta son fion:

— Pour elle, c'était peut-être un prince... Nous autres, les femmes, on a tendance à embellir les affaires.

Elle versa l'eau de la vaisselle dans l'évier et nettoya le bac.

— Ça amène des déceptions, risqua-t-il.

— Pas nécessairement, répondit-elle lentement.

La fillette s'impatientait.

— Puis, grand-papa, c'est quoi qui arrive?

82

Il la regarda puis la colla contre lui. De sa large main où la corne s'était épaissie avec les années, il lui effleura le front. La petite ferma doucement les yeux.

— Il est arrivé que la vie... ou plutôt la mort... — ben, c'est la vie aussi — ... est venue la chercher, dit-il en lui caressant la tête pour la première fois en cinq ans.

Il se fit un grand silence. L'enfant cessa de bouger; le ton du vieux se cassa.

— Elle est partie sans dire au revoir à personne...

— Même pas à son prince? chuchota-t-elle sans bouger.

— Même pas à son père, murmura-t-il. Et le papa a eu tant de chagrin que... qu'il a enfermé son vieux cœur dans une petite boîte pour l'empêcher de tomber en morceaux. Il l'a fermée bien comme il faut, la petite boîte, pour qu'elle ne s'ouvre plus jamais.

La petite murmura:

— Il n'a plus jamais ouvert sa petite boîte, le papa? Jamais, jamais?

— Jamais...

Il se tut, le regard fixe.

— Maintenant, même s'il voulait l'ouvrir, il ne pourrait plus...

— Pourquoi?

— Parce que... parce qu'il a perdu la clé.

— Personne est allé la chercher? souffla-t-elle tristement.

— Personne. La clé, il l'avait jetée au fond d'un lac, un lac grand, grand, grand. Si grand qu'il ne pouvait pas en voir le fond.

Deux grosses larmes coulèrent des yeux de l'enfant et mouillèrent la chemise de flanelle usée du grand-père. La petite, apaisée par la voix grave et l'histoire triste, murmura, la voix déjà ensommeillée:

— Alors, elle est méchante, la petite fille. Elle a tout emporté avec elle. Moi, j'en aurais laissé pour les autres. Elle n'est pas belle, ton histoire, grand-papa.

Elle s'endormit, épuisée par son gros chagrin de la fin de l'après-midi. Le vieil homme sentit le corps enfantin s'alourdir sur son cœur. Sa vieille tête presque blanche s'appesantit sur celle de la petite. Mais aucune larme ne mouilla ses paupières. Dans ces yeux qui s'étaient usés à tant fixer le métal rougi au feu et les flammes dansantes, aucune larme n'avait lavé le regard depuis trop longtemps.

— Même si je le voulais, ma petite fille, je suis plus capable. La clé, je sais plus où elle est. La clé, je veux plus savoir où elle est...

Il garda l'enfant un long moment contre lui et s'assoupit avec elle. Il se réveilla courbaturé, la chemise mouillée contre son cœur. Il alla porter sa petite-fille dans le lit qui avait été celui de sa fille. Amanda la déshabilla et la coucha sans qu'elle s'éveille. «Ça nous fait confiance, des enfants; puis nous autres, qu'est-ce qu'on en fait, de cette confiance-là?» Elle alla se coucher à son tour, fatiguée comme elle l'était de plus en plus souvent, lui sembla-t-il. Éphrem était déjà allongé. Il se demanda ce qu'il était advenu de ses désirs d'autrefois et il se tourna vers le mur.

CHAPITRE 4

MAINTENANT que Charles voulait reprendre ses enfants avec lui, il ne pouvait être question de les confier à n'importe qui.

Pendant ces cinq dernières années où il n'avait vécu que pour son commerce, il avait eu l'occasion de rencontrer quasiment tout le monde à cent kilomètres à la ronde. Ce qui incluait les jeunes filles en fleur, les aînées qui avaient élevé leurs frères et sœurs, ainsi que les veuves de tous âges.

Parmi les femmes qui avaient attiré l'attention de Charles, il y avait la jeune Florida, du cinquième rang, à la poitrine généreuse et à la croupe avenante; le regard gourmand du veuf avait dévoré plus d'une fois les prunelles coquines de la jeune fermière. «Mais je suis pas sûr que ces beaux yeux-là seraient bien utiles pour tenir maison», se raisonna-t-il. Il pensa ensuite à la nièce du curé. «Mlle Catherine serait dépareillée dans une maison.» La jeune femme était instruite. «Ce serait bon pour mes affaires», se dit le veuf. Elle jouait aussi du piano, était toujours bien mise, remplaçait parfois l'institutrice et semblait aimée des enfants, il l'avait vérifié auprès de Victor. «Pour le reste, je suis pas sûr...», se méfia Charles qui voulait y trouver son compte lui aussi. Il pensait à la satisfaction de son corps seulement. Il n'en demandait pas plus; il ne s'octroyait pas le droit d'en souhaiter davantage. C'était sa manière de rester fidèle à Mathilde.

À quelque temps de là, il alla négocier une coupe de bois dans un village pas très éloigné, chez un certain Gratien Lachapelle. Le vieux fermier n'avait plus ses fils avec lui et il avait besoin d'argent comptant. Le commerçant offrit un bon prix qui réjouit le fermier, et le contrat, préparé comme d'habitude par le notaire Lanthier, fut lu à haute voix par la fille de la maison.

Avec un regard semblable à celui qu'il utilisait pour évaluer une coupe de bois et qui insécurisait toujours ses clients, Charles examina la jeune femme: «elle est proche de la trentaine», évalua-t-il, bien de sa personne, propre. Elle ne semblait pas vraiment timide, mais plutôt réservée, discrète. Elle se tenait toute droite auprès de la table, d'une fierté sans raideur. Elle ne lui adressa pas vraiment la parole, se contentant de lire le contrat d'une voix mesurée. Peu habituée aux termes juridiques, elle buta sur un mot.

— Lis donc comme du monde, Melda! s'irrita son père, soucieux.

Jusqu'à maintenant, tous les contrats qu'il avait acceptés dans sa vie avaient été conclus verbalement. Aujourd'hui, ce M. Manseau arrivait avec un document préparé d'avance et par un notaire. Illettré, le fermier ne pouvait en vérifier lui-même le contenu et cela le rendait doublement méfiant.

Sa fille avait rougi et avait serré les lèvres, humiliée de cette réprimande devant cet étranger dont le regard la suivait depuis son entrée dans la maison et qui lui avait causé un émoi inconnu dès le premier instant de sa présence. Elle respira lentement, se reprit patiemment et, dès que son père n'eut plus besoin d'elle, retourna à sa besogne. Une fois le contrat signé, le vieux alla ranger soigneusement sa copie, sans doute le premier document de sa vie, dans sa chambre, attenante à la cuisine. Charles glissa à la jeune femme:

— Il n'est pas toujours commode, votre père.

Elle leva les yeux vers lui et Charles reçut un regard franc qu'il lui retourna avec un peu trop d'insistance. Elle rougit, intimidée par cet homme d'affaires au regard trop perçant et à la longue moustache presque insolente, et se détourna pour lui répondre, s'efforçant de paraître insensible à ses paroles.

— C'est juste sa façon; dans le fond, on a rien à lui reprocher.

Charles regarda autour de lui: personne d'autre ne semblait habiter la maison.

— «On»? Vous êtes pas toute seule avec lui?

— C'est une manière de parler, répondit-elle, un peu mal à l'aise de se démentir. Les autres sont tous partis.

Charles promena son regard sur la cuisine simple mais bien entretenue.

— Votre nom, reprit-il, ça doit être Imelda, je suppose?

Troublée de cette insistance, elle acquiesca simplement de la tête.

— C'est un beau nom, ajouta-t-il en la regardant plus longuement.

Elle se tourna vers l'armoire et s'occupa.

— Oui... quand on l'utilise comme il faut.

Charles partit et siffla le long du chemin, éprouvant un sentiment inattendu de sécurité.

Dans les jours qui suivirent, seul chez lui, il se confirma qu'il trouvait sa maison décidément trop silencieuse à son goût, que le rire de son petit Henri lui manquait, que ses repas étaient immangeables, qu'il n'était pas certain que sa petite Marie-Louise eût déjà reçu au moins une poupée dans sa vie, et que Victor, qui avait les yeux de Mathilde et la lui avait si souvent rappelée qu'il évitait son regard, était son premier fils, comme lui, Charles, était le premier fils de son père Anselme.

La semaine suivante, Charles retourna à la ferme des Lachapelle, soi-disant pour y effectuer un relevé sommaire des essences d'arbres. Il prit soin d'arriver à l'heure du midi. Mlle Imelda lui offrit timidement de se joindre à eux pour le dîner. Il avala avec un bon appétit un repas simple mais consistant. La fille de la maison causait peu, mais voyait à tout. Le visiteur prit le temps d'observer plus longuement son visage, sans beauté particulière, mais régulier. Ses cheveux brun foncé et ses yeux noisette n'étaient pas, par ailleurs, mis en valeur par la robe terne qu'elle portait; il admit que c'était cependant ce qui convenait le mieux pour les travaux salissants de la ferme.

Le père discourait pour eux trois et Charles se surprit à le trouver moins grognon que l'autre jour. À la fin du repas, le vieux alluma sa pipe par bouffées qui aspiraient la flamme vacillante de son allumette, agaçant le tabac sans l'enflammer. Charles alla aux informations.

— Comme ça, vous êtes juste tous les deux, à c't'heure?

Il attendit. Comme son père fumait en silence, la fille se sentit obligée de répondre.

— Ils sont tous partis. Deux aux États, deux à Montréal, et le dernier aux chantiers.

— Moi aussi, j'ai une sœur aux États, dit Charles.

Elle ne relança pas la conversation. Il dut essayer une autre piste.

— Ils sont plus jeunes que vous, je suppose? dit-il, réalisant trop tard qu'il avait mal formulé sa question.

— Oui, dit le vieux. C'est elle qui les a élevés. Quand ma défunte est partie, il y a dix ans, c'est elle qui a tout pris en charge: la maison, les enfants, tout le barda. C'est une fille dépareillée que j'ai là! se vanta-t-il.

Charles trouva son filon prometteur.

— J'ai bien vu ça. Avec un bon ordinaire de même, votre fille doit avoir un promis dans le village, c'est certain.

Imelda rougit, stupéfaite de l'allusion à peine déguisée. Le cœur battant, elle ramassa les couverts et commença aussitôt à laver la vaisselle. Une fois de plus, Charles observa sa manière de travailler, efficace, sans ostentation. Il s'attarda sur le trouble qu'il provoquait chez Imelda Lachapelle, glissant son regard le long du corps dont la robe longue et le grand tablier ne sauraient résister longtemps à l'envie qu'il avait d'aller voir en dessous. Il souriait, n'osant croire que bientôt, peut-être, il aurait ce plaisir à la portée de la main. Le père finit par répondre:

— Avec un vieux malcommode comme moi, il n'y a pas grand jeunesse qui se presse à la porte.

Charles n'arriva pas à déceler s'il s'en vantait ou le constatait avec un peu de remords. Il comprit cependant qu'il suivrait sans doute sa fille ou accueillerait le gendre chez lui. Il répondit, en reprenant une deuxième tasse de thé:

— Je vous trouve pas si malcommode que ça. À votre âge, je serai peut-être ben pire.

— Ça se peut, mais à mon âge, tu vas être pas mal riche, d'après ce que je peux voir.

— Comment ça? protesta le visiteur en masquant sa fierté. Je suis pas dans la rue mais je nage pas dans l'argent non plus. J'ai une bonne maison puis un commerce qui marche bien. Mettons que si je me remariais, ma femme manquerait de rien, conclut-il en jetant un regard explicite à la jeune femme.

Imelda se raidit, irritée. «Une maison, j'en ai une. Pour en changer, faudrait que j'aie du sentiment pour quelqu'un. Pour l'instant, je vois pas qui ça pourrait être.» Elle se sentit mal à l'aise de se mentir à elle-même et s'en défendit. «Mais ce sentiment-là, en admettant qu'il existerait, il faudrait que l'autre personne l'ait aussi.» Elle vaqua à ses occupations et regarda le visiteur à la dérobée, incapable de déchiffrer les sentiments de celui-ci. «Ce qu'il y a dans le cœur du monde, c'est plus malaisé à voir.» Charles se méprit sur le trouble qu'il suscitait et crut que son message était clair et accepté. Il prétendit avoir besoin de revoir une partie de la forêt et il offrit au fermier de l'accompagner. «Si je dois le prendre avec elle, autant m'en faire une idée.»

Ils ressortirent du boisé deux heures plus tard avec de grands sourires de connivence, n'ayant jamais parlé d'Imelda, mais s'étant fort bien compris. Le visiteur repartit après être allé dire un bref au revoir à la jeune femme qui rentrait du poulailler avec des œufs frais.

Après la vaisselle du souper, le vieux Gratien toucha un mot à Imelda de la visite de M. Manseau. Offusquée d'être la dernière à être mise au courant d'un tel projet, si projet il y avait réellement, elle répondit sèchement:

— Voyons donc, son père! Vous vous faites des accroires. M. Manseau, avec sa position, peut se trouver bien mieux que moi.

Elle tut le reste, humiliant pour elle. «Et il peut faire ses commissions lui-même. La première intéressée, c'est moi, me semble!» Le père voulut insister; elle l'arrêta net.

— Son père, quand un homme comme lui veut quelque chose, il y va pas par quatre chemins. À moi, il a rien dit.

Elle saisit rageusement son grand chapeau de paille inutile à cette heure, et sortit travailler au potager dans la fraîcheur du soir. Une larme perla à ses paupières pendant que son corps s'accroupissait près d'un rang de petites fèves et que ses mains besogneuses en arrachaient déjà les mauvaises herbes. Mais ses pensées se heurtaient confusément les unes contre les autres. M. Manseau s'intéresserait à elle? «Un homme comme lui?» Un frisson lui parcourut l'échine, comme si l'une des mains fortes de Charles Manseau, qu'elle avait suivies des yeux pendant tout le repas du midi, s'était posée sur l'une des siennes. Son corps ploya sous le fardeau trop lourd de ses rêves de jeune femme. Son cœur, comme celui de toutes les jeunes filles du rang, avait souhaité battre à son tour pour un homme, sans que personne, ni dans les fermes environnantes ni parmi les connaissances de ses frères et sœurs, n'arrive, jusqu'à maintenant, à susciter d'émoi en elle, à part de brèves étincelles. Année après année, elle avait relégué ses aspirations au second plan à cause de ses frères et sœurs, ensuite à cause du caractère de son père, et maintenant à cause de son âge à elle. «Personne a jamais voulu de moi; c'est pas à mon âge que ça va arriver. Je vais coiffer Sainte-Catherine pour la quatrième fois en septembre.»

Et voilà que cet homme, un inconnu, en fait, lui bouleversait le cœur de sa seule présence, d'un regard appuyé sur elle, d'allusions audacieuses mais par le biais de son père. «C'est pas de même que j'avais imaginé ça», s'avoua-t-elle, regrettant ses rêves de tendres aveux plus longuement attendus que quelques semaines, et murmurés dans l'intimité après qu'elle se serait laissé courtiser un certain temps, comme cela devait se faire.

Maintenant, elle refoulait ses larmes, rageuse de tout ce potager qui ne servait qu'à son père et à elle, elle qui avait tant ravalé ses appétits de vivre qu'elle n'en avait plus qu'un appétit d'oiseau. «Un homme comme lui...», se redit-elle, et ses yeux s'illuminèrent au souvenir de la silhouette droite et forte, de la tignasse encore juvénile, des yeux qui la transperçaient. Et ses pensées diffuses se fixèrent sur le souvenir des mains de M. Manseau, ces mains que — maintenant elle se l'avouait, elle osait se le dire à elle-même, toute seule, dans la solitude — elle avait aimées tout de suite, larges, fortes, protectrices. Malgré elle, une petite espérance de rien du tout lui fit flotter le cœur sans avertissement, sans sa permission. «Non, c'est pas vrai. Quand il est venu l'autre jour, il ne m'a même pas regardée, il...» Mais au souvenir des regards de l'homme, elle se leva pour nier le trouble qu'ils provoquaient chez elle depuis leur première rencontre, quand il l'avait regardée lire le contrat. Elle sarcla vigoureusement pour enlever cette idée qui, si elle la laissait faire, ne serait-ce qu'un instant de plus, allait s'incruster dans son cœur et sa pensée comme les mauvaises herbes envahissaient le potager qu'elle ne pouvait négliger sans finir par s'en repentir.

Mais le chiendent et le plantain n'arrivaient pas à occuper son cerveau et encore moins son cœur. «Si... si jamais... il revenait et que...» Elle secoua la tête, refusant à l'avance. L'idée n'était pourtant pas déplaisante en soi. «Admettons qu'il y ait un peu de vrai dans les accroires du père, je...» Elle se justifia de poursuivre sa réflexion par la logique. Il était évident, même si cela lui apparaissait invraisemblable, que, si jamais M. Manseau s'intéressait vraiment à elle, elle se devait de préparer une réponse. Dans un sens ou dans l'autre.

Le dilemme lui apparut si réel, brusquement, qu'elle cessa de sarcler. Elle resta immobile dans la brunante qui semblait descendre plus rapidement depuis quelques jours. «On est juste à la fin juillet puis déjà les soirées commencent à raccourcir, songea-t-elle. Dans ma vie aussi, peut-être», ne put-elle s'empêcher de penser, presque effarée devant la fuite inéluctable du temps. Au seuil de la trentaine, que lui restait-il à vivre, en plus de prendre soin de son vieux père? Elle se tourna instinctivement vers la ferme.

Son regard glissa sur la petite maison recouverte de déclin de bois grisonnant, sur le poulailler, l'écurie, la grange, tous en bois, tous vieillis également, et que ni les mains usées de son père ni ses mains de femme ne pourraient remettre en état et encore moins à neuf.

Son regard erra ensuite sur les champs vallonnés, lisérés de roches qui, remontées à la surface ici et là par le gel et enlevées de printemps en printemps, avaient été empilées près des clôtures, protégeant ainsi les semences d'arbres qui, transportées par le vent et s'y logeant bien à l'abri, y germaient à l'insu des fermiers, formant des lisérés de feuillus, seuls changements apparents d'une année à l'autre. «Qu'est-ce que je vais faire de ça, si je tombe toute seule?» Elle frissonna. La présence de son père, même tyrannique, était quand même une présence. Mais la solitude complète, pouvait-elle l'envisager? «Je vendrai. Je peux pas voir à ça toute seule.» Vendre. Partir. Recommencer autre chose, ailleurs. «Avec d'autre monde....», se surprit-elle à penser.

Elle en fut agacée et secoua la tête. «Franchement, comment je pourrais croire qu'il s'intéresserait à moi? Un homme comme lui!» Et, pour la deuxième fois de la soirée, la présence charnelle de cet homme, presque un inconnu, habita son espace et la fit rougir. Ses yeux et ses mains, voilà ce qui la fascinait. «Les yeux d'un homme qui pense; qui pense loin d'avance, tout le temps. Des yeux qui vivent!» admira-t-elle. Et ces mains, Imelda en connaissait même la texture sans jamais les avoir touchées; elle les avait ressenties jusque dans les siennes rien qu'à les regarder. Des mains fortes, un peu poilues sur le dessus, avec des jointures saillantes. «À cause de ses gros travaux dans le bois, peut-être», se dit-elle, rêveuse. Des mains qui manœuvraient des billots de douze, seize, même dix-huit pieds de long, de deux à trois pieds de diamètre, de cent à trois cents livres, à l'écorce rugueuse ou lisse. Des mains qu'elle imagina aussi — et sa respiration s'accéléra — trancher le pain au bout de la table familiale avant de le distribuer à des enfants.

— Cou'donc, Melda, lui cria son père de la galerie, restes-tu plantée là pour faire peur aux corneilles?

Son rire, dont le mépris était à peine déguisé, s'égrena dans le soir. La femme se pinça les lèvres, blessée, et se recourba vers la terre qui devait être domptée.

— Arrache-toi pas les yeux pour rien; le serein va tomber. Rentre donc!

— Dans ma vie aussi, le serein va tomber ben vite, marmonna-t-elle en ramassant lentement, avec lassitude, ses outils et le tas de mauvaises herbes qu'elle avait arrachées.

Deux semaines plus tard, un samedi du début d'août, Amanda eut la surprise d'apprendre que Charles emmènerait ses trois enfants en pique-nique dans l'après-midi du dimanche.

— Où comptes-tu aller? lui demanda-t-elle.

— Je sais pas trop. On va juste se promener.

94

— Lui, partir sans savoir où il va? maugréa Éphrem après son départ. Il aurait bien changé.

— Laisse-le donc faire, tempéra Amanda. C'est vrai qu'il change pas mal, ces temps-ci, mais les enfants sont tellement contents de partir avec lui, surtout la petite.

Le lendemain matin, Amanda leur prépara un repas pour dix et leur fit des recommandations pour trois jours, ajoutant une couverture pour le pique-nique.

— Voyons donc, maman! riait Clophas. Ils s'en vont pas pour une semaine!

Alphonse ébouriffa les cheveux d'Henri et embrassa sa nièce. Il était un peu mortifié de ne pas avoir été invité et il s'en voulait de ce sentiment puéril.

— Les enfants, ça se fatigue vite, dit Amanda à son gendre. Marie-Louise est habituée de faire une sieste l'après-midi. Oublie pas, Charles.

— Oui, oui, marmonna-t-il, visiblement impatient de partir.

Moins cependant que les enfants, qui avaient fortillé pendant toute la première messe et ne tenaient plus en place. D'aller pique-niquer, c'était déjà particulier; que ce soit leur père lui-même qui les y emmène et sans les grands-parents en plus, c'était inhabituel et exaltant. Amanda vit Charles soulever Marie-Louise pour la déposer dans la voiture.

— Non! Fais monter Victor avant, des fois que le cheval s'emballerait.

Arrêté dans son geste, Charles garda sa fille un instant au bout de ses bras. Suspendue dans les airs par ce père si lointain, l'enfant oscilla entre les larmes et le rire, puis son visage se crispa et elle se mit à pleurer.

95

— T'es ben bébé! la taquina Henri. Papa va pas te manger.

— Excusez-la, papa, intervint Victor. Elle vous connaît pas autant que nous autres.

Et il lança à son père un tel regard de possessivité que Charles en resta muet. Il ramena doucement sa fille contre son épaule, mais la petite n'osait se laisser aller et elle se raidit. Amanda fut bouleversée. «Mon Dieu! Charles reprend ses enfants. Je le sens.» Éphrem termina la réflexion de sa compagne:

— Il leur manque juste une mère, à c't'heure.

Il s'engouffra dans la forge en prétextant quelque chose à vérifier, comme s'il avait l'habitude d'y aller le dimanche. Les deux garçons montèrent dans la voiture et Victor prit fermement les rênes en mains. Charles déposa la petite entre eux et grimpa à son tour, à droite, jetant machinalement un regard sur le fouet fixé verticalement dans son socle, à la droite du conducteur pour ne pas gêner sa vision. Puis, il enleva les rênes des petites mains de son fils dont le regard ne pouvait se rassasier de son père.

— Hue!

Le cheval partit tranquillement, les deux plus jeunes firent de grands au revoir de la main à leur grand-mère et à leurs trois oncles. Volubile, Henri se faisait une fierté d'initier Marie-Louise à tout ce qui les entourait, les maisons, les rues, mais il dut rapidement improviser, ce qu'il faisait fort bien, parce qu'il ne connaissait pas, lui non plus, ce qu'il y avait après les limites du village. Il mêlait tant de fantaisie à sa description que Charles, malgré lui, éclata de rire. Les enfants se figèrent: était-ce bon signe? Étonné lui-même de l'effet qu'il avait provoqué, le père voulut créer une diversion, mais il ne savait que dire à des enfants, ne trouvant pas de sujets de conversation autres que la scierie et les forêts.

— Avez-vous déjà vu ça, une coupe de bois? demanda-t-il.

Les enfants se consultèrent du regard. Victor parla au nom des autres.

— Non, papa. Puis vous, en avez-vous déjà vu?

Charles se figea à son tour. Cette question polie et innocente lui signifia à quel point ses enfants ignoraient tout de lui, de son métier.

— Oui, j'en ai déjà vu. C'est avec ça que j'ai eu du bois pour construire ma maison.

— Notre maison? s'exclama joyeusement Henri avec une admiration candide.

— Oui, se reprit Charles doucement. *Notre* maison.

Il sourit et regarda ses enfants à la dérobée; ils se tenaient bien droits, sagement, attentifs à ses moindres paroles. Il fut ému de se sentir l'objet d'une telle vénération. Qu'avait-il fait pour mériter une telle confiance? «Leur mère aussi me regardait de même...» Il inspira profondément et admit pour la première fois que Mathilde n'était pas tout à fait disparue puisqu'elle vivait à travers eux, à travers leurs yeux affectueux, à travers le rêve et le rire d'Henri, le regard profond et dérangeant de Victor, la petite moue et la vivacité de Marie-Louise.

— On arrive-tu? chuchota Marie-Louise à Henri.

Charles entendit et comprit. Après cinq ans de colère, d'amertume, de révolte et de solitude, il accepta le départ définitif de sa femme et le fait que les autres, par contre, même lui, étaient bel et bien vivants, qu'ils continuaient tous à vivre.

— Si ça vous tente de voir une coupe de bois, j'en ai une belle un peu plus loin. Je peux vous la montrer. On y va? insista-t-il, ne voulant pas manquer son coup.

Marie-Louise et Henri trouvaient déjà le voyage long après dix minutes et n'affichèrent pas un enthousiasme délirant. Victor rayonnait. Enfin, son père allait lui faire partager sa vie d'homme.

— Oh oui, papa! On y va!

Se sentant approuvé par ses enfants, le veuf laissa ses pensées errer jusqu'à la ferme du vieux Lachapelle, s'immiscer dans la maison, y chercher la fille des lieux... Il l'imagina au retour de la grand-messe dans une robe coquette, dressant la plus belle table de la semaine... Dans sa rêverie, Charles alla jusqu'à visualiser le vieux Gratien de bonne humeur. Voyant un sourire flotter sur le visage énigmatique de son père, Victor se sentit seul au monde, loin de cet homme qui semblait perdu dans ses pensées et loin de son frère et de sa sœur qui, encore petits, s'amusaient à des riens, dans l'insouciance d'une enfance dont il était sorti depuis longtemps, lui semblait-il. Une heure plus tard, les enfants ayant demandé dix fois chacun: «Quand est-ce qu'on mange?», «Quand est-ce qu'on arrive?», Charles trouva un endroit ombragé et quitta la route.

— *Wo!*

Dès que le cheval s'arrêta, les garçons sautèrent vivement de la voiture et allèrent se soulager dans un buisson, au risque de s'égratigner un peu les jambes et les bras. La petite ne se contenta pas aussi facilement et, à force de rechercher un isolement plus discret, elle s'éloigna de plus en plus. Une fois soulagée à son tour, elle se releva en remontant sa petite culotte et se vit avec terreur au milieu de buissons inconnus et deux fois plus grands qu'elle. Ses hurlements glacèrent son père qui se précipita à sa recherche, essayant de se diriger vers la voix. L'homme retrouva l'enfant affolée et, pour la deuxième fois de sa vie — et dans la même journée —, la petite fut soulevée par son père, mais, cette fois, elle se blottit

98

contre son épaule en pleurant, avec une confiance totale. Charles n'avait pris personne dans ses bras avec tendresse depuis cinq ans et il aurait voulu prolonger cette chaleur durant un long moment encore. Les garçons surgirent brusquement en traitant leur sœur de bébé, ce qui la fit pleurer davantage et ses longues tresses brunes furent secouées par la petite tête qui sanglotait. Dérangé dans ses émotions, Charles se fâcha brusquement et les garçons retrouvèrent le père distant qui les glaçait et dont ils avaient cru se défaire dans les semaines précédentes.

Tout le monde s'assit finalement sur l'épaisse couverture de laine, qui leur faisait un coussin plus douillet que les brindilles drues et séchées du mois d'août. Les enfants se jetèrent avidement sur la nourriture, et le silence soudain, ponctué du chant strident des cigales, sembla à Charles un bienfait du ciel après le babillage incessant qui avait bourdonné à ses oreilles depuis le départ, les hurlements d'effroi de Marie-Louise et les moqueries des garçons.

Dans la paix de ce dimanche après-midi, il eut tout à coup le désir de parler à ses enfants de leur mère. De leur dire qu'elle aimait pique-niquer, qu'elle riait souvent, comme Henri qui trouvait le moyen de rire même la bouche pleine, et que... Il se ravisa, trouvant incongru de leur parler de leur mère le jour où, justement, il allait rendre visite aux Lachapelle. «Ce sera mieux pour eux autres», se redit-il, convaincu, depuis leur bref séjour chez lui et encore plus depuis ce matin, qu'il ne pouvait remplacer leur mère à lui seul. Repu après le copieux repas, l'adulte eut besoin d'une courte sieste autant que la petite, qui bâillait depuis longtemps et qui se colla contre lui, déjà ensommeillée. Le repos fut de courte durée: les garçons se croyaient trop grands pour se reposer après le repas du midi et ils se tiraillaient.

— Bon, il est temps de partir, grogna le père.

Il rapailla les restes du repas et les empila dans le panier, secoua la couverture et la plia sommairement, réprimandant les garçons de ne pas faire leur part, puis assit la petite contre lui sur le siège avant et relégua les deux garnements à l'arrière. La fillette n'avait pas assez dormi et elle somnolait, oscillant de gauche à droite. Victor fortillait comme s'il voulait dire quelque chose à son père sans oser s'y décider. La chose avait l'air importante parce que l'enfant, ramassant son courage, finit par se serrer les fesses pour se hausser un peu et demanda:

— Papa, si on revient chez nous, pourquoi on revire pas de bord?

— T'as le sens de l'orientation, mon garçon. T'as raison, ce serait pas le bon chemin. Mais c'est pas là qu'on va.

— Où on va? C'est une surprise? s'exclama Henri.

— Je vais vous montrer ma coupe de bois. C'est ce qu'on avait décidé à matin, me semble.

Les deux garçons se regardèrent; même Victor était moins enthousiaste qu'au départ. Charles ajouta fièrement:

— C'est une belle forêt, avec toutes sortes de beaux arbres. Je vais vous montrer à les reconnaître; vous allez être les plus savants de l'école.

— Une forêt? s'écria Marie-Louise en se réveillant. Avec des loups? demanda-t-elle peureusement.

— Il n'y a pas de danger, s'amusa son père. Puis s'il y en a un qui veut te faire mal, je lui tords le cou!

Il la dévisagea en souriant et l'enfant sourit à son tour, rassurée par ce père qui lui semblait si fort et si différent de celui qu'elle avait connu les dimanches et les jours de fête. Charles se sentait de plus en plus guilleret au fur et à mesure qu'ils approchaient de la ferme, mais il ne pouvait empêcher les doutes de gruger sa confiance. Imelda Lachapelle voudrait-elle de lui? De ses enfants? Il se ravisa. «À nous quatre, on est mieux que son vieux grincheux de père, décréta-t-il pour se donner confiance. N'empêche qu'il faut qu'elle leur plaise aussi; c'est pour eux autres que je le fais.» Il s'agita un peu sur la banquette. Ce n'était pas tout à fait vrai et il le savait. C'était aussi pour lui, pour qu'il puisse vivre en homme; et il trouvait cette raison normale. Il se réjouissait que la fille Lachapelle ne soit plus une jeune fille de dix-huit ans. «Ma famille est déjà commencée».

Ils arrivèrent enfin et il était temps. Les garçons étaient engourdis d'avoir été trop longtemps assis et ils se chamaillaient pour des riens. Marie-Louise se tortillait sans oser parler de son envie et Charles craignait que, dans dix minutes, les trois ne soient plus montrables et, par le fait même, compromettent sans le savoir le but de ce pique-nique.

Le soleil était haut à trois heures de l'après-midi; Imelda était sur la galerie, dans un coin ombragé par un gros érable qui poussait du côté sud, et elle cousait en silence, un silence relatif puisque son père ronflait dans sa chambre et que la fenêtre donnait sur la galerie. En entendant un cheval arriver, la jeune femme leva des yeux étonnés et contents. Étonnés parce que les Lachapelle recevaient rarement des visiteurs, contents parce que l'ennui lui pesait de plus en plus. Les jours de semaine, elle avait beaucoup à faire; cela allait toujours. Mais, les dimanches après-midi, elle se morfondait, ressentant plus cruellement maintenant la monotonie de sa vie dans laquelle rien ne se passait et rien ne semblait jamais devoir se passer. Elle plissa les yeux en apercevant plusieurs personnes. «Une famille? Qui ça peut être?» Pourtant, il n'y avait qu'un adulte dans le petit groupe. La voiture s'approcha. Imelda reconnut M. Manseau et présuma que ce devaient être ses enfants, les trois orphelins. Ses craintes et ses espoirs de l'autre jour lui saisirent brusquement le cœur; le vide de sa vie sembla se combler tellement qu'elle en fut étourdie, rivée à sa chaise.

— *Wo!* cria Charles pour se donner une contenance quand, en fait, le cheval docile était déjà arrêté devant le perron.

Le vieux Lachapelle bondit dans son lit et sa fille se leva, avançant jusqu'aux marches. «Mon Dieu! Qu'est ce qu'il faut dire?» se demandèrent simultanément Charles et Imelda.

— Bonjour, lança le visiteur en faisant descendre de voiture ses enfants intimidés. C'est effronté d'arriver de même, mais c'est les enfants: je voulais leur montrer une coupe de bois.

Le vieux ouvrit la porte moustiquaire et sortit, mal réveillé, en bretelles, les cheveux en broussaille, et n'ayant pas eu la présence d'esprit de camoufler son air grincheux. À la vue de ce vieux bonhomme hirsute qui surgissait brusquement sur le perron, Marie-Louise, tiraillée par l'envie d'uriner et fatiguée de la longue route, poussa un cri de frayeur et pissa dans sa culotte. Le son indiscret amena toute l'attention sur elle et la petite fondit en larmes, profondément humiliée devant son père, ses frères et les deux étrangers. Charles s'attendait si peu à cela qu'il resta silencieux devant le petit drame qui se déroulait sous ses yeux. Imelda eut pitié de la petite et profita avec soulagement de la courte diversion que le ciel lui envoyait. Elle descendit le perron, se pencha vers l'enfant et lui dit tout doucement:

— Viens, on va arranger ça toutes les deux.

En entendant enfin une voix féminine, Marie-Louise cessa d'uriner, ouvrit les yeux et aperçut une femme qui lui souriait gentiment et qui lui prit la main, l'entraînant doucement dans la maison, loin des regards des autres. Imelda se retourna vers eux et essaya de les mettre à l'aise.

— Installez-vous, on sera pas longues, dit-elle simplement.

Charles comprit qu'il avait vu juste et se décida.

— Bonjour, monsieur Lachapelle. Mes garçons voulaient voir ma coupe de bois; ils sont grands à c't'heure. Ça vous dérange pas si je les emmène dans le bois?

Le vieux comprit et se peigna de la main en reprenant ses esprits.

— Ben voyons donc! Ç'a ben de l'allure. On pourrait peut-être y aller tout le monde ensemble, ajouta-t-il, de connivence avec Charles. Ma fille aussi aime ça, le bois.

— Ben certain! approuva Charles. Ma petite va se sentir mieux avec elle.

Du dessous de la galerie sortit une chatte curieuse avec cinq chatons turbulents à ses trousses. Victor se précipita vers eux, talonné par Henri qui trouvait enfin l'occasion de se dégourdir. Les hommes s'assirent sur la galerie et causèrent des garçons et de la ferme. À l'intérieur, Imelda avait déshabillé l'enfant et lavait le petit corps que la chaleur de la journée et la petite mésaventure éprouvaient durement. Elle lui dénicha une petite culotte d'enfant usée mais propre, qui datait de longtemps, et lava celle de Marie-Louise.

— On va l'étendre au soleil, elle va sécher tout de suite.

Elle sourit à l'enfant pour s'occuper le cœur, l'empêcher de paniquer devant la situation si soudaine qu'elle ne savait pas comment y faire face. Elle rhabilla la petite, dénoua, peigna, renoua les tresses soyeuses tout en la regardant attentivement. Elle était assaillie par l'espoir sinon la certitude que, si elle acceptait ce pour quoi elle déduisait que M. Manseau était ici cet après-midi, cette petite, totalement inconnue pour elle il y avait quinze minutes à peine, deviendrait «sa» petite fille. «Une petite fille? À moi?» Le cœur de la jeune femme fondit de tendresse et elle s'accroupit devant la fillette pour être à sa hauteur. Sans l'avoir prémédité, elle lui ouvrit simplement les bras; l'enfant s'y blottit spontanément, retrouvant la sécurité que l'éloignement de sa grand-mère lui enlevait depuis le matin. Imelda était bouleversée et retenait Marie-Louise contre elle, elle qui n'avait eu personne à étreindre depuis tant d'années et qui en était venue à croire qu'elle n'en aurait plus jamais.

— As-tu soif? demanda-t-elle lentement en effleurant le front moite.

L'enfant fit signe que oui avec un tel sourire de reconnaissance que la femme se sentit prête à lui offrir toute l'eau du puits. Après s'être désaltérée, Marie-Louise redonna la main à Imelda et celle-ci, ayant épuisé toutes les raisons de retarder le face à face, serra la petite main dans la sienne pour se donner du courage. Elles sortirent toutes deux et Charles, soulagé de voir sourire Marie-Louise rafraîchie et repeignée, leva ensuite les yeux vers Imelda qui n'osait encore le regarder trop directement. Dès qu'elle aperçut ses frères jouant avec les chatons, la fillette oublia les adultes et se précipita vers les petites boules de fourrure soyeuse, en contournant le cheval qui s'était avancé de deux pas pour profiter de l'ombre.

— On va aller dans le bois, dit le vieux Lachapelle à sa fille. Viens-tu avec nous autres?

Elle ne sut que répondre, partagée entre le désir de la promenade inattendue dans la fraîcheur bienfaisante du boisé et la crainte de se retrouver face à face avec M. Manseau.

— Les enfants voulaient voir une coupe de bois; ça nous ferait faire une promenade à tout le monde, insista Charles.

«Nous». Ce «nous» innocent les incluait tous deux dans une activité commune préméditée qui la visait directement.

— Oui..., répondit-elle enfin. Ça nous rafraîchirait; on en a bien besoin.

— En tout cas, ma petite a l'air mieux que tout à l'heure. Vous avez le tour avec les enfants, complimenta le visiteur.

Elle leva les yeux vers lui, perplexe. «Ce serait seulement pour ses enfants?» Charles le devina et voulut dissiper le malentendu.

— Vous avez le tour pour ben des affaires: la maison, le potager. Le repas de l'autre jour était ben bon, mademoiselle Imelda.

«C'est pour tenir sa maison...», se chagrina-t-elle.

— C'est une fille dépareillée, vanta le vieux. Celui qui va l'avoir, il va être bien chanceux, insista-t-il lourdement.

Imelda rougit, essayant de cacher la déception qui flottait en elle.

— Je vais chercher mon chapeau de paille, dit-elle en rentrant quelques instants.

Sitôt à l'abri dans la maison, elle s'appuya au cadre de la porte de sa chambre. «Mon Dieu! c'est bien vrai! Qu'est-ce que je vais faire?» Émue, elle n'osait suivre l'élan spontané qui lui gonflait le cœur d'un sentiment si bon et si doux qu'elle en avait peur. «Maman, vous qui êtes au ciel depuis si longtemps, dites-moi quoi faire. Qu'est-ce que je dois faire?»

— As-tu trouvé ton chapeau? lui cria son père.

Elle ressortit avec deux chapeaux et en tendit un à son père.

— Ma fille pense à tout, se rengorgea-t-il. Je pourrais plus m'en passer.

Charles appela ses enfants et se dirigea vers la forêt. Il ajouta enfin, d'un ton qui se voulait serein:

— Si votre fille partait, vous pourriez peut-être partir avec elle. C'est bon pour des enfants de vivre avec les grands-parents.

Deuxième allusion aux enfants. Imelda renfonça son chapeau sur sa tête et le large rebord cacha le regard déçu de ses yeux bruns. Charles, une deuxième fois, voulut se rattraper.

— Comme ça, votre fille serait moins dépaysée dans une autre maison ou dans un autre village, peut-être.

Ce n'étaient plus des allusions, mais des jalons. Pierre par pierre, il se construisait un chemin vers celle qui ne semblait guère en poser de son côté. Pourtant si, à sa manière; puisque les enfants semblaient au centre de la question, elle les observa attentivement, essayant de jauger s'ils en valaient la peine. «La peine de quoi?» se surprit-elle à penser. Elle regarda autour d'elle, se remplissant le cœur du souvenir de la ferme où elle était née, l'ayant toujours trouvée avenante, belle, et s'étant demandé cent fois comment elle ferait pour la quitter. Aujourd'hui, depuis tout à l'heure, elle se voyait déjà loin d'ici, mais frissonnait devant le vide puisqu'elle ne savait rien de son avenir possible.

— Hé! C'est quoi, ça? s'exclama Henri. Des framboises noires?

Les hommes éclatèrent de rire et Imelda rectifia simplement:

— C'est des mûres. Goûtes-y. Ça ressemble pas du tout aux framboises.

Les enfants se délectèrent et se tachèrent les doigts.

— Si on avait un panier, on en rapporterait à grand-maman, dit Henri. Elle a peut-être jamais vu ça.

— Voyons donc! le sermonna Victor. Vieille de même, elle en a vu certain.

— Vieille comment? demanda le vieux Gratien.

— À peu près votre âge, précisa Charles.

Et, devant le sourire éloquent du vieux, il ajouta moqueusement:

— Son mari est un peu plus vieux qu'elle.

Devant son air dépité, Imelda et Charles se lancèrent un premier regard de connivence, amusés, et se sourirent vraiment pour la première fois. Au hasard de la promenade, ils se retrouvèrent côte à côte et le vieux entraîna les enfants un peu plus loin pour leur montrer un nid de guêpes tombé lors d'un violent orage et déserté depuis lors. Charles sentit que c'était le moment. Il parla de sa vie depuis la mort de sa femme, ajouta qu'il avait construit sa maison lui-même; il parla de sa scierie, mais il évita de revenir sur ses enfants une troisième fois. Imelda l'écouta en silence, captant les sous-entendus: «Je vis à l'aise, j'ai une maison où aucune femme n'a jamais vécu, bref, je suis un bon parti.» Et, bien sûr: «J'ai amené mes trois enfants pour voir si ça allait de votre côté puis du leur.» Imelda comprit que le désarroi de Marie-Louise, qu'elle avait réussi à dissiper en gagnant le cœur de la petite, était important pour le père. Et la jeune femme se sentit en confiance avec ce père qui se souciait que ses enfants acceptent leur nouvelle mère. Elle prit conscience que déjà, malgré elle, elle s'envisageait comme telle. Elle tenta de se refréner en cherchant à dire quelque chose à son tour. Mais elle ne trouvait rien. Qu'avait-elle à offrir en échange? Ni maison, ni passé, ni enfants, rien sauf un père exigeant qui, malgré tout, avait l'air de bien s'entendre avec M. Manseau. Elle se déprécia devant son peu de biens matériels, ne comprenant pas que ce n'était pourtant pas ce dont Charles Manseau avait besoin puisqu'il en était déjà doté. Elle comprit toutefois que ce n'étaient là que des restrictions qui n'étaient pas celles de son cœur.

— Une femme comme vous dans une maison, ce doit être une bénédiction pour des enfants puis... un mari, dit-il en s'arrêtant.

Il avait une furieuse envie de la serrer contre lui, de lui démontrer que c'était pour lui aussi qu'il la voulait, pour son corps, pour son appétit d'homme en pleine santé. Mais il ne bougea pas, attendant qu'à son tour la femme lui signifie son idée. Elle avait rougi du compliment et l'allusion matrimoniale lui causa un émoi tangible. Son corps devint tendre et chaud, et elle rêva de ces larges mains couvrant les siennes, étroites et tremblantes, pour les emprisonner.

— Puis vous, mademoiselle Imelda, une vie de même, est-ce que ça vous tenterait?

C'était fait. Il avait formulé clairement sa demande. Elle l'avait entendue. Elle ne pouvait plus la nier. L'offre était là. Maintenant, il lui fallait se décider. Elle releva les yeux vers les enfants qui revenaient en courant et elle demanda, à voix basse:

— Ils s'appellent comment, vos enfants?

Charles les présenta:

— Celui qui prend son temps puis qui nous dévisage, c'est Victor, le plus vieux. Le petit frisé puis le plus pressé, c'est Henri. La petite...

Marie-Louise courait vers eux en riant de plaisir mais, comme d'habitude, sa spontanéité se refroidit quand elle fut à quelques pas de son père et, un peu décontenancée, elle glissa plutôt sa petite main dans celle d'Imelda.

—... c'est Marie-Louise, conclut Charles. Elle a l'air de vous trouver ben de son goût, elle aussi...

Le cœur d'Imelda battit trop vite. Elle attendit un peu et répondit sobrement :

— Moi aussi.

Elle respira profondément deux fois et réussit à retrouver un souffle plus pondéré. Alors, et alors seulement, elle se tourna vers lui.

— C'est bien de la considération de votre part.

Charles ne savait comment interpréter cette réponse ambiguë.

— Vous la méritez.

Elle eut un sursaut.

— Si c'était vrai, il y en a qui s'en seraient aperçus.

Il fronça les sourcils. Cherchait-elle une manière de refuser ? Doutait-elle de lui ? Ne pouvant plus reculer, il ouvrit son jeu, sachant qu'il ne pourrait aller plus loin.

— C'est tant mieux pour moi si les hommes de par ici savent pas vous regarder. Moi, je considère que je pourrais pas être plus chanceux.

Ils marchèrent encore un peu. Imelda avait peine à s'imaginer objet de chance et de désir. Elle, Imelda Lachapelle, toujours au service des autres, pourrait-elle aujourd'hui décider pour elle-même ? Selon ses goûts à elle ? Pour la première fois depuis longtemps, elle oublia les autres, même les trois enfants rieurs qui l'attendrissaient déjà. Elle s'octroya le droit de désirer la présence de cet homme à ses côtés, pour elle toute seule et pour le reste de ses jours, cet homme qui, parce qu'il posait son regard sur elle, la révélait à elle-même comme jamais elle n'avait cru pouvoir apparaître à ses propres yeux, et qui suscitait chez elle un bouleversement jusque dans sa chair. Son cœur allait éclater tant il se gonflait de joie, d'impatience de vivre.

— Si vous avez bien pensé à votre affaire et que c'est ça que vous voulez...

— C'est ça que je veux.

«Si vous voulez de moi, je vous aimerai toute ma vie», lui promit-elle du fond de son cœur. «Mon cœur a jamais aimé un autre homme; je vous le donne. Je ne le reprendrai jamais.»

— C'est bien correct pour moi aussi.

Elle tourna enfin son regard vers lui et lui sourit. Charles sentit un poids énorme tomber de ses épaules et, à défaut d'étreindre sa compagne, il souleva Henri de terre et les rires nerveux du gamin, étonné d'une telle familiarité, scellèrent l'engagement du couple. Imelda attendit un mot de tendresse ou un geste affectueux qui ne vint pas. «Ça doit s'apprendre», l'excusa-t-elle.

Après le retour à la ferme et une copieuse collation — Charles n'ayant pas voulu rester à souper —, la petite famille quitta les Lachapelle, y laissant une telle solitude qu'Imelda ne sut comment s'occuper de toute la soirée et se coucha de bonne heure pour en finir avec cette journée aux émotions si vives, qui l'éprouvaient autant qu'une grande peine. Mais elle se tournait et se retournait en vain dans son lit, incapable de s'abandonner au sommeil. Elle imagina son corps, tout à coup, le soir de ses noces, et tenta vainement de visualiser les gestes sacrés, ces gestes que l'Église réservait avec tant de sévérité aux époux. «Ils doivent être beaux, ces gestes-là, pour que l'Église en fasse tant de cas», se dit-elle. Dans son cerveau fatigué, la somnolence aidant, Imelda eut de troublantes visions d'accouplements d'animaux, de mûres noires et juteuses que M. Manseau mangeait avec gourmandise, et de ses larges et belles mains qui s'aventuraient sous les draps, n'atteignant jamais de but précis.

Charles revint deux fois pour faire les arrangements avec Gratien Lachapelle, qui déclara qu'il devait d'abord vendre sa ferme avant d'aller s'installer chez son gendre, dût-il y passer l'hiver tout seul. Le futur gendre protesta, s'impatienta; le futur beau-père s'entêta. C'était mal connaître M. Manseau, qui finit par laisser le vieil entêté assumer ses paroles. Pris à son propre piège, Gratien Lachapelle dissimula mal sa déception de constater que son bien-être ne passait pas avant le mariage de sa fille, et celui-ci fut fixé à la fin de septembre, avec une dispense des deuxième et troisième publications des bans.

CHAPITRE 5

LA FIN de septembre était chaude. De jour, en jour la nature se muait en une avalanche de couleurs où les feuillages rouge vif tranchaient sur les jaune-brun et les verts.

Pour ses deuxièmes noces, Charles n'était pas aussi restreint financièrement qu'aux premières. Il préféra néanmoins un remariage discret tout en s'habillant quand même de neuf. La mode avait changé entre 1895 et 1905 et il lui semblait surtout indécent de se présenter à la cérémonie avec les mêmes vêtements qu'autrefois. Il alla s'acheter un complet neuf à Magog, où se trouvait un excellent magasin de confection pour hommes. «C'est mieux que par catalogue; quand on voit ce qu'on achète, on se trompe moins.»

Il choisit d'abord une chemise blanche avec un faux col aux pointes arrondies, grognant parce que le col dur lui remontait sous le menton. «Je vais avoir l'air d'un coq qui s'étire le cou pour chanter!»

— Ça paraît que vous êtes un homme fier, lui dit le vendeur. La tête haute, ç'a l'air naturel pour vous.

Charles se rengorgea et acheta la chemise et deux faux cols. Le marchand lui montra ensuite des habits, dont le client écarta d'emblée toutes les coupes audacieuses.

— Faut que ça me dure longtemps, énonça-t-il clairement.

Il fixa son choix sur un complet trois-pièces gris fer avec de fines rayures brunes. Le veston était sobre: une poche à revers de chaque côté, et une troisième, plus petite, au-dessus de celle de droite. Quatre boutons fermaient le veston presque au cou, avec un col tailleur assez étroit. Les pans du veston étaient arrondis au bas. Le gilet avait quatre poches, qui formaient pour ainsi dire un carré sur la poitrine de l'homme. Celle du bas, à droite, servirait à y glisser sa montre, comme il était de mise. Il ajouta ensuite un nœud papillon du même gris que son complet. L'ayant vu rogner sur tout, le vendeur fut un peu étonné de l'entendre demander un couvre-chef en plus.

— C'est au chapeau qu'on reconnaît un homme élégant, approuva-t-il.

— Une tête, rectifia Charles, ça se protège. Du chaud comme du froid.

Le vendeur soupira devant cette remarque prosaïque. Il conseilla néanmoins un accessoire gris fer au lieu du noir qui assombrissait le teint de son client. Quant au modèle, Charles opta pour un chapeau melon. «C'est ce qui se porte le plus, raisonna-t-il; ça se démodera moins. Il refusa les guêtres et les gants. «C'est bon pour le notaire.»

De retour chez lui, Charles revêtit tous ses vêtements neufs et regretta, pour la première fois en cinq ans, qu'il n'y eût pas de miroir convenable dans sa maison, un grand miroir où il aurait pu se voir des pieds à la tête d'un seul coup d'œil. Dépité, il dut se contenter du petit miroir du réchaud du poêle à bois, qui ne lui renvoya que des parties de lui-même.

114

Pour Imelda, c'était un premier mariage. Si, dans son euphorie discrète de fiancée, elle avait tendance à oublier qu'elle allait avoir vingt-neuf ans, son père prenait un malin plaisir à le lui rappeler. Il se cachait ainsi à lui-même qu'il acceptait difficilement de perdre la première place dans la vie de son aînée.

— À ton âge, on n'est plus une jeunesse, ma fille! On s'habille pas comme pour une première communion.

L'idée ne lui en était jamais venue. À besogner du matin au soir, elle était plus habituée à des robes sobres et ternes qu'à des rubans et dentelles. Mais son mariage était l'événement le plus important de sa vie et, aussi émue qu'une jeune fille, Imelda se prépara une toilette de circonstance.

Elle pensa d'abord à un ensemble de couleur claire. Son sens pratique reprit le dessus: une jupe pâle serait trop salissante et elle ne la porterait pas suffisamment pour en justifier la dépense. Elle opta plutôt pour une jupe d'un rouge sombre et une blouse d'un gris très léger, presque blanc. Celle-ci était plissée en ovale à partir de l'avant du col, froncée généreusement sur toute la poitrine pour se refermer en plis cousus vers la ceinture; elle se fermait devant avec douze petits boutons rouges, jusqu'au col de dentelle, haut et empesé. Les manches s'élargissaient aux poignets, mais deux petits boutons rouges les refermaient sagement.

La jupe, très ajustée à la taille, sans plis, longue jusqu'aux bottines, s'évasait en de larges lés. Au lieu d'un frison au bas, ce qui en aurait fait une jupe de tous les jours, Imelda avait cousu quatre lisérés gris pâle, étroits et seyants, qui soulignaient encore davantage les mouvements du vêtement.

Le mariage ayant lieu en automne, elle se tailla aussi une cape qui la couvrirait des épaules à la taille. Plutôt que de choisir des garnitures coûteuses et difficiles à coudre, elle copia un modèle qu'elle avait vu dans un catalogue, chez une voisine. Elle ajouta une pèlerine sur la cape, se protégeant ainsi doublement le cou et les épaules du froid possible en cette saison. Pour atténuer la sobriété de la cape, elle ajouta trois brandebourgs gris pâle.

Il lui fallait aussi un chapeau. Elle dégarnit son canotier du tissu défraîchi et, avec les restes de la jupe rouge et de la blouse grise, elle se composa un chapeau neuf avec l'aide de la voisine. Celle-ci était une experte dans ce genre de transformation: elle avait quatre chapeaux de base qu'elle transformait ainsi au fil des saisons. Elle lui donna même une vieille plume d'autruche dont elle ne se servait plus. Le bout en étant élimé, Imelda la tailla carrément de moitié et la ficha dans les plis du chapeau rouge nouvellement créé. Cette teinte chaude seyait à ses cheveux bruns et ravivait son visage réservé.

Chez le marchand général, Imelda s'acheta des gants gris et de fines bottines de cuir brunes qui lui dureraient dix ans. Son père n'avait pas fait toutes ces dépenses de bon cœur mais, fier de cette alliance avec M. Manseau, il ne voulait pas que sa fille arrive en guenilles chez son mari.

Quant au trousseau, il était prêt depuis long-temps. Par bouts de soirées pluvieuses d'automne ou glaciales d'hiver, sans trop y croire, Imelda avait brodé nappes, serviettes, vêtements de corps et de nuit, en se répétant à maintes reprises, pour atténuer une déception qu'elle redoutait, que tout cela ne servirait à rien. Voilà donc qu'elle allait se marier! Tout s'était fait si vite qu'elle se demandait parfois si elle avait suffisamment mûri sa décision. «Je devrais faire plus confiance à la vie», se reprocha-t-elle encore une fois, en faisant taire ses doutes. «Quand on se lève le matin, personne ne sait d'avance comment la journée va se passer. Mais il faut se lever pour le savoir.»

Le matin de ses noces, elle releva ses cheveux en chignon comme d'habitude, mais trouva qu'elle avait l'air trop sévère. Son père ne l'avait jamais encouragée à la coquetterie et elle se sentit malhabile tout à coup, voulant désespérément plaire à son futur époux mais ne sachant comment y parvenir. Elle s'obstinait à replacer une mèche de cheveux, mais le grand miroir ovale, dont le tain s'était effrité par petites plaques, lui montra qu'au contraire la laisser dépasser sur le front et près des oreilles adoucissait ses traits. La frange inégale et désinvolte lui redonna un peu d'assurance quant à sa féminité, et son affection déjà maternelle se conforta à la pensée de la petite Marie-Louise, son alliée dans sa prochaine maisonnée. Elle ne craignait pas Henri non plus. «Un enfant qui rit ouvre son cœur», se rassura-t-elle. Victor, elle ne savait trop. «Il est trop raisonnable pour son âge. Il se souvient peut-être de sa mère plus que les autres», songea-t-elle.

— Arrives-tu? lui cria son père. On va pas bretter toute la journée.

Imelda promena un dernier regard sur sa chambre presque vide; ses quelques meubles et effets étaient déjà rendus à Saint-François-de-Hovey. «Chez M. Manseau», se surprit-elle à penser. Elle n'arrivait pas à dire «chez nous»; sans doute parce qu'elle n'avait pas encore vu la maison où elle allait vivre désormais. Ses derniers bagages étaient ficelés. Ils contenaient, entre autres, le service de vaisselle que sa tante Olivine lui avait offert comme cadeau de mariage. Huit couverts blancs décorés de minuscules fleurs bleues. «De la vaisselle d'Angleterre», s'était émue Imelda en le recevant, se sentant si peu digne d'un présent aussi dispendieux. «Ma petite fille», lui avait dit la tante, que sa nièce dépassait pourtant de trente centimètres, «on passe assez de temps à cuisiner, nous autres, les femmes, pour mériter de manger

117

dans de beaux vaisseaux tout ce qu'on prépare.»
Imelda eut encore une pensée reconnaissante pour sa
tante. Puis elle soupira. Ayant épuisé toutes les raisons de retarder son départ, elle se redressa le dos et
osa pivoter lentement sur elle-même pour juger de
l'effet de sa toilette. Modeste, elle se trouva simplement convenable. Il ne lui restait plus maintenant
qu'à partir. Elle sortit de sa chambre de jeune fille et
descendit à la cuisine. Son père et elle se regardèrent,
si endimanchés qu'ils en étaient intimidés. Il ne lui fit
aucun commentaire et Imelda ne sut pas si elle était
attirante ou non en ce jour de son mariage. La fille
respectueuse s'agenouilla et baissa la tête.

— Voulez-vous me bénir, son père?

Le vieux se sentit inhabile.

— On n'est pas au jour de l'An, ma fille.

Elle s'entêta patiemment.

— C'est pas une année nouvelle que je commence à matin, c'est une vie, papa.

Il hésita puis, en tremblant, il traça le signe de la
croix au-dessus de la tête docile.

— Que le bon Dieu te bénisse, Imelda, balbutia-
t-il, surpris lui-même du ton de sa voix.

Les noces se fêtant en principe dans la famille de
la mariée, il s'était présenté un problème. Seule fille
de la maison, Imelda aurait dû préparer le repas
elle-même, ce qui évidemment ne convenait pas. Ses
frères et sœurs étant à Montréal et aux États-Unis, et
le benjamin aux chantiers, aucun d'eux n'aurait pu
s'en charger. Il lui restait une tante, du côté maternel:
Olivine, ménagère du curé au village. Quand Charles
et Imelda étaient allés au presbytère pour prendre
des arrangements en vue de la publication des bans
et de la messe de mariage, le curé, par considération
pour sa ménagère, avait demandé à celle-ci de préparer du thé pour quatre, la priant ainsi de les rejoindre

au salon pour cette occasion spéciale. Olivine les avait servis avec empressement. Comme le silence était intimidant pour tout le monde, elle avait demandé, de sa petite voix, à quel endroit se fêteraient les noces. Charles n'y avait pas pensé, Imelda presque trop.

— C'est une noce toute simple, avait finalement répondu le fiancé.

— Mes frères et sœurs viendront pas, avait ajouté la fiancée, puisque c'est juste une messe de mariage, pas une vraie noce.

La fiancée s'était nié la peine que l'absence de ceux-ci lui causait. Ils avaient prétendu qu'il était impensable pour eux de se rendre au village à la fois en septembre et en décembre. Imelda, raisonnable, s'était convaincue qu'il était plus important que son frère et sa sœur de Montréal viennent passer les fêtes chez son père plutôt que de venir aux noces de leur sœur aînée, qui les avait élevés. Ce n'était pas l'avis d'Olivine. La vieille demoiselle avait ouvert la bouche, l'avait refermée et avait regardé silencieusement sa tasse de porcelaine. La vaisselle fine qu'elle tenait alors à la main, non pas pour la laver mais pour y boire, et ce pour la première fois en quarante ans de service, et au salon de monsieur le curé, lui avait insufflé une certaine audace. Elle avait commenté doucement:

— Vous allez quand même pas vous en aller de même, le ventre creux, tout de suite après la messe?

Les fiancés n'avaient rien répondu. Elle avait insisté.

— Si j'avais une maison, je te ferais un beau repas de noce, ma petite fille. Bien bon, à part ça.

Le curé avait compris.

— Vous serez combien? avait-il demandé prudemment.

119

Charles avait fait le compte rapidement. «Moi, Imelda et son père, mon père et ma mère, Philippe et Louise. Puis la tante Olivine.»

— Huit, avait-il dit. Les enfants viennent pas.

— Neuf avec vous, monsieur le curé, s'était empressée de préciser la ménagère.

— La salle à manger est peut-être assez grande. Qu'est-ce que vous en pensez, mademoiselle Olivine?

— Mais les paroissiens? avait-elle protesté pour la forme.

— Un repas, ça usera pas les meubles; les marguilliers vont comprendre ça. Et puis une fois n'est pas coutume; vous n'avez pas quinze nièces à marier, j'espère? avait-il ajouté avec un rire un peu forcé.

L'affaire avait été convenue. Le matin des noces, Olivine mit la dernière main à la table de fête, souleva pour la dixième fois les couvercles des chaudrons odorants et se hâta de passer à l'église en oubliant d'enlever son grand tablier blanc empesé. Les mariés venaient d'entrer et la famille Manseau était assise dans les bancs depuis une demi-heure. Anselme s'impatientait et marmonna:

— Espérons que c'est la dernière fois qu'il se marie, celui-là; j'ai pas juste ça à faire, moi.

Philippe lui décocha un tel regard de colère que le père, mal à l'aise, toussota. Le marié reconnut le grognement étouffé de son père et il redressa la tête un peu plus. Qu'avait-il, ce matin, pour impressionner sa famille? Ce remariage ne démontrait-il pas clairement que le premier lui avait échappé? Charles lissa malgré lui le revers de son costume neuf, de bonne coupe, et tâta sa montre neuve à travers son gousset. Il se rassura: au moins, sa réussite était plus évidente qu'en 1895. Dès que la ménagère fut entrée dans l'église, le curé lui lança un regard de reproche depuis la sacristie et il sortit enfin rejoindre l'assistance, suivi de deux enfants de chœur.

Charles prêta une attention distraite aux paroles religieuses. Il craignait que cette cérémonie ne ravive trop de souvenirs, mais il n'arrivait pas à ressentir quoi que ce soit, comme s'il se fût agi d'un autre que lui. Ses yeux vifs examinèrent plutôt l'église étrangère, son ouïe fut dérangée par la voix autoritaire que l'écho répercutait dans la nef presque vide. Son faux col empesé, très ajusté, le faisait souffrir et il avait hâte de le détacher sous le nœud papillon.

À ses côtés, Imelda essayait de se concentrer sur les paroles du curé, mais elle était dérangée par une déception qu'elle avait jugée anodine et qui pourtant ternissait sa joie. Elle avait rêvé d'un mariage simple, mais devant tous les paroissiens. Ce matin, elle avait l'impression d'une cérémonie à la sauvette et, n'eût été sa tante Olivine, qu'elle entendit se gourmer discrètement, elle aurait pu croire la situation irréelle, isolée qu'elle était au milieu de tous ces Manseau qu'elle ne connaissait pas. Elle regretta avec amertume l'absence de sa famille. «Je les ai élevés, ne put-elle s'empêcher de se dire; moi aussi, je me suis dérangée pour eux autres.»

Elle s'aperçut que l'officiant la dévisageait et elle crut qu'elle aurait dû se lever ou s'agenouiller. Elle jeta un regard furtif à Charles, à sa droite; il était immobile. Elle se rassura. Revenant à la cérémonie, le curé, songeur lui aussi, souhaita mentalement à cette paroissienne vaillante et humble d'être bénie de Dieu.

L'un après l'autre, Imelda Lachapelle et Charles Manseau se jurèrent fidélité à vie. Il respira de soulagement, elle sentit un souffle d'angoisse lui glisser sur l'échine. Déjà son mari se levait et, du regard, l'invitait à en faire autant.

Dès qu'il fut entré au presbytère et qu'il eut posé les pieds sur le parquet de lattes de merisier, qu'il craignit instantanément de salir, il se sentit agacé. L'odeur des planchers cirés à outrance et la vue des meubles trop bien astiqués et de deux larges fougères dont rien ni personne n'effleurait les bouts arrondis en crosses de violon tant il y avait de l'espace et qui poussaient presque outrageusement devant des rideaux blancs cachant des fenêtres aux moulures mieux ouvragées que toutes celles des maisons des paroissiens d'ici et d'ailleurs provoquèrent chez le marié de la colère et du dépit. «C'est pas mal d'affaires, à mon dire, pour quelqu'un qui vit tout seul et qui est pas censé toucher à l'argent. Puis en plus, c'est pas une place pour une noce; j'aurais dû faire à mon idée et fêter ça dans ma maison!» regretta-t-il en refusant de se rappeler qu'un tel repas devait se cuisiner et par quelqu'un qui ne pouvait être ni lui ni la mariée. Il se consola en se redisant que le village d'Imelda se trouvait à mi-chemin entre le sien et celui de ses parents; c'était ainsi plus commode pour la famille Manseau, car Berthe et Anselme ne rajeunissaient pas et Louise en était au début de son neuvième mois de grossesse. Philippe aurait préféré qu'elle ne se déplace pas dans son état, mais elle avait insisté, sachant que son mari se serait abstenu d'assister au repas de noces plutôt que de la laisser seule à la maison.

Tout un chacun s'était levé tôt, ce matin-là, et avait parcouru une bonne distance dans un jeûne total. Ils passèrent sans tarder à la salle à manger, assez spacieuse pour accueillir quinze personnes, alors que, dans le quotidien, le pasteur était seul à l'utiliser. Celui-ci offrit alors aux mariés une grande illustration en couleurs de la Sainte Famille, encadrée et sous verre, qui émut Imelda et déplut à Charles qui la prit comme une exhortation à recommencer une famille. «J'aime pas ça qu'on me donne des ordres, pas plus celui-là qu'un autre.»

Ce rappel de l'autorité fit se tourner machinalement le regard de Charles vers son père. Celui-ci crut que son fils lui réclamait un cadeau de noces. Il avait refusé d'en apporter un malgré la demande discrète de sa femme.

— Il est plus en moyens que nous autres. Il s'en achètera.

Maintenant, sous le regard de son aîné, il se sentait mesquin et un souvenir de près de trente ans s'imposa à lui. Charles, à trois ans, avait voulu grimper, un soir, sur les genoux de son père pour se faire bercer. Mais Anselme, qui ne s'était jamais fait bercer par son père, n'avait su comment accueillir le petit.

— Tu vois ben qu'il y a pas assez de place pour deux sur cette chaise-là! avait-il grogné en bourrant vivement sa pipe pour occuper ses mains.

Il lui sembla soudain, en ce jour du remariage de son fils aîné, que celui-ci avait eu, un bref instant, le même regard. Secoué, Anselme énonça ses besoins primaires.

— Ouais, on s'est levés pas mal de bonne heure, nous autres, à matin.

Olivine sourcilla devant ce sans-gêne. Louise lança un regard impuissant à Philippe qui récupéra l'impolitesse.

— Parlant de manger, tu nous as pris pas mal de court, Charles; on a pas eu grand temps pour te préparer quelque chose.

Anselme se rengorgea, jouissant de son autorité. Il déchanta à la phrase suivante.

— Maman et Louise t'ont empaqueté deux douzaines de pots de conserves et de confitures; je les ai déjà placés dans ta voiture. Tu les mangeras à notre santé. Vous... les mangerez à notre santé, se reprit-il, confus, en souriant à Imelda.

Louise alla embrasser sa belle-sœur.

— C'est de bon cœur. On a pensé que t'aurais pas eu le temps de t'en préparer dans tout le barda de ton mariage. On s'est dit aussi que Charles devait pas avoir grand-chose de ce côté-là.

La mère fut gênée de ne pas offrir davantage et elle dénigra son travail, et celui de sa bru par la même occasion.

— C'est pas les meilleures, mais c'est mieux que rien.

— Ça fait bien longtemps que j'ai pas mangé des confitures faites à la maison, se réjouit Charles, touché de cette attention. Je vais leur faire honneur.

— C'est pas juste pour toi! blagua son frère. T'es mieux de prendre ta part, Imelda; Charles est bien capable de tout garder pour lui!

Olivine profita de ce moment d'humour pour placer les invités à table et fit asseoir les mariés entre Berthe et le curé. Puis elle commença à servir, allant et venant sans bruits, s'assurant discrètement que tous les invités se tenaient convenablement à la table de monsieur le curé. Elle avait bien fait les choses, autant pour accommoder sa nièce, orpheline de mère, que pour remercier le curé de son hospitalité généreuse.

La cuisine recherchée exaspéra le marié autant que les lieux. «Ils se paient de l'ordinaire qu'on peut même pas avoir dans nos cuisines», songea-t-il, ignorant que la ménagère avait puisé dans ses économies pour les recevoir à dîner. En effet, l'offre du curé avait porté sur la salle à manger et non sur la nourriture. Charles trouva que le repas s'éternisait et, malgré la faconde de leur hôte, qui essayait de mettre les gens à leur aise, ceux-ci, pour la plupart des étrangers à sa paroisse, n'oubliaient pas les lieux et se sentaient quasiment gênés d'y fêter une noce. L'excellente cuisine de la tante Olivine fut à peu près le seul sujet de conversation et de plaisir pendant tout le repas.

Charles ne pouvait s'empêcher de jeter des coups d'œil furtifs à sa belle-sœur Louise, assise de l'autre côté de la table; épuisée, la jeune femme avait les yeux luisants de fièvre. Ayant à l'esprit les confidences douloureuses de Philippe, il évitait de rencontrer son regard pour se concentrer sur son épouse, assise à côté de lui. «Ma femme.» Il lui fallait s'habituer à cela maintenant. Depuis sa décision, au mois d'août, il s'était interdit jusqu'au souvenir de Mathilde, se sentant coupable de se remarier. Il décida brusquement de tourner définitivement ces pages de son passé et de ne plus jamais s'en octroyer la moindre évocation. Il prit une dernière fois ses enfants comme paravent: «Ils avaient besoin d'une mère.»

Pour concrétiser son désir sincère de rupture avec le passé, il se tourna à demi vers sa nouvelle épouse. Il en ressentit un grand soulagement: elle était là, bien vivante. Ces petits cheveux fous en auréole sur son front, ce col de dentelle et ces minuscules boutons rouges qui fermaient le corsage lui semblèrent des signes certains que la retenue et la réserve d'Imelda Lachapelle n'étaient qu'une apparence et qu'en elle la vie n'attendait que lui pour donner libre cours à des débordements. Ceux-ci étaient assez prévisibles dans son regard d'homme. Maintenant qu'il avait assumé sa décision socialement, il s'impatientait. Il regarda l'heure pour la troisième fois à la nouvelle montre qu'il s'était offerte pour son remariage et la glissa dans son gousset. Le curé comprit et se leva pour les grâces, imité prestement par les invités qui n'attendaient que ce geste

125

libérateur. Imelda, debout à côté de son mari, ressentit, plus concrètement encore qu'à l'église, que sa vie d'épouse allait commencer.

Dehors, près de la voiture et du cheval impatient de partir, elle dit au revoir à son père, qui ne manifesta pas de regrets; il affichait une attitude distante et indifférente, comme si Imelda le quittait pour quelques heures seulement. Olivine embrassa la mariée avec émotion, déjà soucieuse de ses trois petits-neveux qui lui tombaient du ciel.

— Tu vas faire une bonne mère pour ces petits enfants-là. J'en suis bien sûre.

Imelda en eut un pincement au cœur. «Ma tante aussi pense qu'il me marie juste pour les enfants.» Les Manseau retournèrent à leur ferme, le vieux Gratien Lachapelle rentra au presbytère pour payer la messe de mariage, et les nouveaux mariés prirent la route de Saint-François-de-Hovey.

Imelda, nerveuse, s'emplissait les yeux des couleurs de feu et d'or de la forêt, adoucies par les verts sombres et les ocres. Puis, sans transition, pour tromper sa véritable inquiétude — entrer chez eux en gens mariés —, elle se retournait et jetait un coup d'œil au tableau de la Sainte Famille, empaqueté à la hâte par sa tante, et à la caisse de vaisselle, qui pouvaient l'un et l'autre se briser sous les soubresauts de la voiture cahotant sur la route de terre. Le marié cherchait quelque chose à dire et, de temps en temps, il regardait à la dérobée son épouse silencieuse. «J'espère qu'on va se faire une belle vie ensemble», souhaita-t-elle du plus profond de son cœur. Elle se tenait toute droite, de son côté du siège, laissant un grand espace entre eux. Il l'aurait souhaitée tout contre lui. «On est mariés, me semble.» Mais elle semblait perdue dans ses pensées. Quand la voiture fit un soubresaut plus marqué que les autres, il saisit cette diversion:

— Il paraît qu'il y a une invention aux États. Une sorte de voiture qui bardasse pas mal moins. Mais le plus beau de l'affaire, c'est qu'elle avance toute seule. Sans chevaux.

— Ça se peut? s'étonna Imelda.

— Même que ça avance plus vite, ç'a l'air.

Comme pour protester, le cheval distilla sans bruit une odeur pestilentielle. Charles éclata de rire.

— Ça sent rien, à part de ça. Rien pantoute.

— Ce serait une grosse amélioration, approuva Imelda en s'éventant de la main.

Cette main de femme finement gantée l'excita. La présence de la femme, de «sa» femme, à côté de lui, à sa gauche, retint son regard qui glissa lentement sous les plis de la longue jupe dont les mouvements le troublaient depuis ce matin. La promiscuité féminine, si inhabituelle, lui donna soudain un coup de sang.

— Hue! cria-t-il au cheval qui galopa aussitôt.

— Le cadre! craignit Imelda.

«Les confitures!» s'inquiéta Charles. Il se tempéra et ramena le cheval au trot. Ils cheminèrent à travers les campagnes vallonnées et il dénombra encore les clôtures; c'était devenu sa marotte.

Ils arrivèrent au village à la fin de l'après-midi et Imelda, fatiguée, descendit de cette voiture inconfortable sur une si longue distance, heureuse de se dégourdir un peu. Émue, elle monta lentement les deux marches du perron et franchit enfin, timidement, le seuil de sa nouvelle maison.

Elle entra dans la vaste cuisine. Celle-ci lui apparut si grande et si bien éclairée, avec ses larges fenêtres à guillotine, comparée à la petite maison de ferme d'où elle venait. Devant elle, une grande table familiale s'étendait de la porte à la fenêtre qui lui

127

faisait face. Aux deux bouts de cette grande table se trouvait une chaise à barreaux, et de chaque côté un banc tout neuf. Après ce premier coup d'œil, Imelda regarda discrètement à sa droite. Tout près de la porte, devant une fenêtre, une berçante en rotin, au dossier haut, semblait attendre une présence. Le long du mur adjacent, une porte, qui devait donner sur un hangar à bois, estima la femme. Plus loin, le poêle à bois, le plus beau qu'elle eut jamais vu. Adossés au mur du fond se trouvaient des armoires et un évier avec un robinet. Imelda n'en crut pas ses yeux. «L'eau courante...» À gauche de l'évier, une fenêtre qui s'ouvrait sur la rivière. Imelda aima d'emblée cette présence inhabituelle de l'eau qu'elle côtoierait désormais.

Au milieu du mur de gauche, deux belles portes vitrées menaient à la salle à manger. Celle-ci était légèrement plus petite que la cuisine, parce qu'une petite pièce lui était contiguë. Elles n'étaient meublées ni l'une ni l'autre, comme les deux pièces carrées du fond, dont celle de gauche, qui serait le salon, donnait sur la porte vitrée qui s'ouvrait sur la rue, et l'autre, à droite, pourrait servir de chambre «pour les grands événements», pensèrent-ils l'un et l'autre en effaçant rapidement cette évocation de leur esprit, pour des raisons différentes. Dans la cuisine, entre les portes vitrées du salon et la fenêtre qui donnait sur la rivière, un escalier, plus large qu'à l'ordinaire, tournait après trois marches à angle droit et conduisait à l'étage. Dessous se trouvait la porte de la cave.

Imelda eut spontanément de la gratitude pour ce veuf bien nanti qui consentait à lui faire partager son aisance matérielle, tout en constatant avec étonnement l'absence de meubles. Cela devait suffire pour un homme seul, mais non pour une famille. Charles s'attendait à ce regard surpris.

— J'ai pensé que t'aimerais autant arranger ça à ton goût. Je ferai d'autres meubles aussitôt que les froids vont prendre; j'ai plus de temps à moi dans ce temps-là. Tu me diras ce qu'il faut.

C'était sa manière de lui signifier que la maison serait désormais son domaine. Elle lui fut reconnaissante une deuxième fois de ne pas lui avoir imposé les goûts d'une autre ou même les siens. Ils montèrent à l'étage, passèrent sans entrer devant la seule chambre à droite, dont la porte était fermée. En face de cette chambre, un corridor donnait accès à quatre autres chambres assez petites, qui se trouvaient donc au-dessus de la vaste cuisine; deux à gauche, du côté de la rivière, déjà sommairement meublées, et deux à droite, du côté de la cour, encore vides. Imelda abaissa instinctivement son regard sur sa taille. Ces deux chambres seraient habitées si elle était une bonne épouse, avec un ventre généreux. «Je vais faire mon possible pour qu'on ait une bonne famille en santé», se promit-elle.

Charles ramena la nouvelle mariée vers l'escalier, en face de la pièce fermée, dont il ouvrit la porte. C'était la chambre des maîtres, deux fois plus grande que les autres puisqu'elle faisait toute la largeur de la maison. À gauche, deux placards encadraient une fenêtre qui donnait sur la cour. Une porte en était entrouverte et un vêtement d'homme s'y devinait. «Ma place est de l'autre côté», comprit-elle. À droite, entre deux placards encore, une fenêtre s'ouvrait sur la rivière qui, passant derrière la scierie, faisait ensuite un coude avant de passer devant la fenêtre de la cuisine. En face de la porte d'entrée de la chambre, il y avait une autre porte, plus petite. «Ça doit être un grenier», déduisit Imelda. Au milieu de la pièce, adossé au mur du grenier, trônait un grand lit et, en face, à droite de la porte d'entrée, se trouvait une grande commode à trois tiroirs. Du côté du lit qui serait celui d'Imelda, Charles avait placé le chiffonnier, sur lequel étaient déjà installés une cuvette et un pot à eau assortis à petits motifs bleus. Le meuble et ces divers objets venaient de la mère d'Imelda et la fiancée avait tenu à les faire apporter.

Rien n'était accroché aux murs de plâtre blanc, qu'elle souhaita tapisser pour leur donner vie. «Je vais accrocher le cadre à gauche de la commode», se dit-elle. Cette sobre chambre était pourtant illuminée par le lit ou plutôt par la courtepointe dont l'or et l'orange éclatants attirèrent et retinrent son regard ébloui. Elle ne put s'empêcher d'effleurer l'étoffe. «Elle l'avait faite pour ses noces», pensa-t-elle avec admiration pour la femme qui l'avait cousue, mais en se trompant sur l'identité de celle-ci. Elle eut un pincement de jalousie au cœur à l'évocation gênante de l'autre dans la chambre à coucher, le jour de son mariage. Resté près de la porte, l'homme se tenait à côté de la commode.

— Je l'ai finie avant-hier, dit-il pudiquement, dissimulant mal sa fierté. J'espère qu'elle va être assez grande à ton goût.

Elle se retourna vers lui. Son regard engloba le meuble de pin dont la devanture était finement sculptée. Elle admira discrètement la dextérité du menuisier et la finition soignée de la commode. Son regard s'attarda enfin sur l'objet de son désir: la main d'homme sur le rebord du meuble. Cette main qui l'avait fascinée dès le premier instant lorsque M. Manseau était venu voir son père. Aujourd'hui, elle pouvait enfin s'en contenter. Elle fit deux pas vers lui et posa timidement sa main gantée sur cette main masculine, en effleura avec émotion les jointures nerveuses, les doigts déliés; spontanément, elle la prit dans les siennes et la porta à ses lèvres en un baiser furtif. Charles s'attendait si peu à ce geste qu'il retira promptement sa main, mal à l'aise d'être l'objet d'un désir et troublé par cet aveu muet de sensualité qui libéra aussitôt la sienne. Il attira Imelda contre lui et, pour la première fois, l'embrassa, savourant ce qui était désormais son dû. Prise au dépourvu, elle écourta ce qui était le premier baiser d'homme de sa vie, gardant le goût de ces lèvres pleines et chaudes. Elle recula et enleva nerveusement son chapeau, replaçant les deux longues broches entre les plis du tissu et de la paille. Elle chercha des yeux où le déposer. Il le lui prit doucement des mains et le posa sur la commode.

Il la regarda intensément et respira d'aise. Maintenant, ils étaient mariés. Il ramena lentement sa femme vers lui et l'embrassa avec un désir moins retenu pendant que ses mains palpaient pour la première fois le cou, les épaules qu'il devinait solides sous le tissu de la pèlerine et de la cape. Ses doigts en voulurent davantage. Ils se glissèrent dessous et connurent enfin le buste ferme qu'ils brûlaient maintenant d'atteindre sans entraves. Mais les petits boutons rouges qui avaient séduit Charles le matin le freinèrent dans ses élans. Ses doigts les délaissèrent et continuèrent leur exploration. Il retrouvait l'aisance de sa vie d'homme marié, laissant libre cours, après cinq années de veuvage, à son désir longtemps retenu. Imelda se sentait défaillir sous la gêne et des sensations si nouvelles pour elle, et qui l'assaillaient avec tant de force qu'elle ne savait les qualifier de bien ou de mal. Les mains de l'homme collèrent brusquement le ventre de la femme contre son sexe durci. Imelda recula, surprise, presque effarouchée. Charles se ressaisit et sourit de contentement par avance.

— T'as raison... On... on peut attendre encore un peu, souffla-t-il, se contenant avec effort. Je vais rentrer tes affaires.

Il passa sa main dans sa tignasse et alla chercher les derniers bagages de sa nouvelle épouse.

— J'ai pas dételé le cheval, dit-il en déposant le ballot des vêtements d'hiver de sa femme sur le lit. On est invités à souper chez les Gingras; même si les enfants vont rester là jusqu'à demain, ils voulaient nous voir aujourd'hui sans faute.

Il lui désigna ensuite la petite porte.

— C'est le grenier. Je peux mettre tes affaires d'hiver là-dedans.

Elle acquiesca simplement de la tête. Il y alla, revint, referma la porte. Il souriait, parlait, se déplaçait à l'aise dans l'espace qui semblait s'animer à son seul passage, comme s'il donnait vie à tout ce qu'il touchait, mais il l'emportait aussi avec lui dès qu'il sortait. Il ressortit pour nourrir et abreuver le cheval. Enfin seule, Imelda repéra le pot de chambre dans un coin, ferma la porte, tourna la clé dans la serrure et s'isola pour un besoin pressant.

Un peu plus tard, Charles et la nouvelle Mme Manseau remontèrent en voiture, encore endimanchés, et prirent le chemin du village. L'un des employés marquait à la craie les billots qu'un fermier venait d'apporter. Il les regarda partir puis cracha, dépité. «Les filles du village étaient pas assez bonnes pour lui, je suppose?» Il faisait allusion à sa sœur, qu'il aurait bien voulu présenter à son patron, sans jamais avoir osé le faire. Maintenant que le veuf était remarié, l'employé lui en voulait de sa propre indécision.

Le nouveau marié fit marcher son cheval au pas. Il voulait montrer à tout le monde que sa vie redevenait normale. De la fenêtre du magasin général, Maurice Boudrias le vit passer et tourner le coin de la rue pour aller chez les Gingras.

— La vie change, murmura le marchand, songeur.

Sa femme Émérentienne, l'ancienne institutrice de Beauce, la sœur d'Éphrem Gingras, leva les yeux du comptoir d'où elle vérifiait un arrivage de mercerie et regarda le nouveau couple. La pensée de sa nièce Mathilde et des souvenirs douloureux de cette époque lui empoignèrent le cœur. Elle revit son frère Éphrem lui apporter la petite Marie-Louise en pleine nuit; Marie-Louise, cette petite chose orpheline dès sa première heure de vie.

Émérentienne chercha son mari des yeux. Il était retourné dans l'embrasure de la porte ouverte menant à la cuisine et un sourire flottait sur son visage aux joues couperosées. Une fois de plus, il admirait son fils Dieudonné. L'enfant de cinq ans, avec sa chemisette au col empesé, son pantalon court de serge brune, ses bas bruns aux genoux et ses bottines bien luisantes, jouait sagement dans la cuisine avec le cheval de bois que son père lui avait fait. «Il n'y a que lui qui compte, songea Émérentienne avec dépit. Pourquoi je ressens pas ça, moi aussi? Puis pourquoi Maurice ressent pas ça pour moi?» La femme dans la cinquantaine, le cœur soudain serré, se remit à la besogne, désemparée, ayant une fois de plus le sentiment qu'elle ne contrôlait plus rien de sa vie ni de ses émotions depuis la naissance de cet enfant, issu d'un mariage tardif.

— Ouais, la vie change! répéta Maurice Boudrias.

Il se tourna vers sa femme et lui dit affectueusement, mais sobrement:

— Pour le mieux.

Une petite phrase de rien du tout qui distilla un sentiment de plénitude et de légèreté dans la pièce. Émérentienne, un peu consolée, esquissa un demi-sourire et continua son travail moins fatiguée que l'instant d'avant.

La voiture de M. et Mme Manseau s'arrêta dans la cour de la forge. De la cuisine, Éphrem ronchonna. Il trouvait déplacé, presque indécent, de recevoir Charles à l'occasion de son remariage, mais Amanda avait insisté.

— La vie s'arrête pas, Éphrem. Les petits ont besoin d'une mère puis ce sera pas facile pour elle. Changer de village, se marier, prendre un mari puis trois enfants du coup, c'est une grosse bouchée. Charles et les petits font partie de notre famille, et elle aussi, à c't'heure!

Mais l'homme qui avait autrefois perdu sa femme et ensuite sa fille ne trouvait pourtant pas justifié de recevoir la remplaçante de celle-ci. Amanda avait ajouté doucement, mais fermement:

— Éphrem, si nous autres on l'accepte, les enfants vont suivre. Sans ça, ça va être bien compliqué pour tout le monde. Puis si on la tient à l'écart, elle pourrait faire de même avec nous autres aussi. Pour elle, on est les parents de «l'autre».

À la pensée de voir s'éloigner ses petits-enfants, le grand-père avait accepté. Par ailleurs, il était curieux de savoir de quoi elle avait l'air, la nouvelle Mme Manseau.

Amanda n'avait pas mentionné la seconde raison de son invitation. Même si Mathilde avait été discrète sur ses relations conjugales avec Charles, elle pressentait qu'après cinq ans de veuvage son ex-gendre ne jeûnerait pas. Les inviter à souper dès ce soir, avant même la nuit de noces, c'était sa manière à elle de tendre la main à cette jeune femme esseulée dans ce village.

Pourtant, quand Marie-Louise, qui les guettait à la fenêtre, s'écria «Les voilà!» le vieux couple ressentit brusquement une telle douleur de l'absence de leur fille disparue trop tôt qu'Amanda éprouva le besoin inhabituel d'avaler un petit verre en vitesse et d'en servir un prestement à Éphrem. Les trois oncles et les deux garçons, endimanchés, se levèrent et vinrent se placer au salon en silence, nerveusement. La petite courut ouvrir la porte qui donnait sur la grande galerie et, contenant avec peine son impatience, les regarda monter l'escalier extérieur. Elle prit spontanément la main de la jeune femme et c'est elle qui l'amena à ses grands-parents. Mise en confiance, Imelda se sentit soulagée d'un grand poids. «C'est quand même une drôle d'idée de souper chez les parents de l'autre», pensa-t-elle en enlevant chapeau et cape après les présentations. La conversation s'anima rapidement avec les trois enfants qui se dégênaient, surtout Marie-Louise, plus bavarde que d'habitude, et les trois oncles, jeunes hommes excités malgré eux par la présence de cette femme inconnue chez eux. Charles sentit que c'était là son véritable repas de noces. Imelda aussi, puisque les enfants y étaient. «Mes enfants», se dit-elle pour la première fois, les regardant longuement, pour se convaincre d'une certitude qui lui remplissait le cœur.

Contrairement à son appréhension, Éphrem l'accepta aisément. «Elle vaudra jamais ma fille», se rassura-t-il en observant le visage régulier, les cheveux bruns qu'il trouvait ternes et le chignon trop sévère. Il jeta un coup d'œil au veuf remarié et surprit un regard qui ne trompa pas celui qui avait été veuf lui aussi. «Ouais, il a hâte à sa nuit de noces, celui-là.» Amanda aussi avait perçu cette lueur d'attente, mais ne trouvait pas son écho chez la jeune épousée, encore innocente de toute cette partie obscure de la vie de femme mariée que personne, sans doute, ne lui avait révélée ou même suggérée. «Orpheline de mère, avec une tante servante du curé, c'est pas ça qui renseigne.»

En effet, Imelda n'était pas renseignée, et quand les nouveaux époux revinrent chez eux et montèrent à leur chambre, ils réalisèrent, chacun à leur manière, à quel point ils se connaissaient peu. Imelda sortit timidement une longue chemise de nuit qu'elle aurait préféré enfiler dans la solitude ou du moins dans l'obscurité. Mais Charles, cette fois, ne pensa même pas à éteindre la lampe. La jeune épouse comprit qu'elle devait se hâter de se dévêtir pendant que son époux s'occupait aux mêmes gestes de l'autre côté du lit, dos à elle. Il étira le temps et ne se retourna pas avant que les craquements du lit ne lui indiquent que son épouse se glissait discrètement sous les couvertures.

Imelda, heureuse, pouvait enfin démontrer sa tendresse naissante envers cet homme qui la fascinait et elle avait hâte de se blottir tout doucement contre lui, contre son épaule d'homme, forte et solide.

Charles souffla la lampe et s'étendit à son tour. Une chaleur l'habita instantanément. Rien n'entravait plus désormais ses désirs refoulés depuis cinq ans. Il n'eut aucune des hésitations timides du puceau qu'il était à ses premières noces. Mais sa nouvelle épouse était vierge et elle aurait eu besoin, comme la première, des maladresses timides et touchantes. Il n'y pensa pas; il n'en était plus là. Déjà ses mains s'appropriaient sans pudeur le corps de la femme, son pénis était déjà dressé et impatient.

Pourtant toute prête à découvrir son devoir, Imelda frissonna sous des attouchements qu'elle ne s'était jamais permis elle-même sur son propre corps. Elle eut vite sa mesure, pour cette première fois, des familiarités charnelles que cet homme encore inconnu trois mois auparavant se permettait sur elle. Mais déjà il la prenait d'assaut, s'allongeait sur elle, forçait son sexe. Démunie devant ses privautés presque brutales, elle secoua la tête sur l'oreiller, essayant de

136

refréner l'ardeur de l'homme dont le poids l'étouffait et dont le souffle de plus en plus saccadé l'effrayait.

Charles réalisa à peine que les mains de la femme ne le caressaient plus. Il croyait que, comme Mathilde et Germaine l'avaient fait, la femme le presserait contre lui, s'ouvrirait à lui entièrement. Son sexe n'en pouvait plus d'attendre mais le sexe vierge de la femme lui résistait toujours. Il en fut excité davantage et sa virilité exigeante et dure pénétra d'un coup la femme qui tentait, non pas de l'attirer encore plus profondément en elle, mais de s'enfoncer dans le matelas pour échapper à cette intrusion douloureuse dans sa chair intime. Tout à son désir, Charles jouissait de sa femme, s'attendant à un accueil passionné comme il en avait reçu des deux autres femmes. Il se heurta à une inertie désarmante, presque sèche, et il éjacula vite, surexcité. Trop vite. Il n'était pas rassasié. Le sperme compensa pour le refus implicite de la femme et il recommença encore plus longuement, sous l'emprise de sa chair fiévreuse, les gestes tant attendus pendant son veuvage. Il jouit une deuxième fois, violemment et, heureusement pour elle, rapidement. Le son rauque s'évanouit sur ses lèvres de mâle et la femme, traumatisée, sentit le corps de l'homme s'alourdir sur le sien.

Charles sembla revenir à lui, il s'étira la main droite, tira du chiffonnier du côté d'Imelda un bout de chiffon propre qu'il y avait placé et qu'il tendit à la femme. Elle déduisit à quel usage il devait servir. Étonnée et gênée, sinon honteuse, elle s'essuya si discrètement qu'elle ne réussit qu'à étendre le sperme au lieu de le recueillir, et se sentit salie, malodorante. Charles somnolait déjà, épuisé et repu de ses deux jouissances, apaisé à la pensée que désormais sa femme se trouverait là, à portée du corps, nuit après nuit. Les yeux ouverts dans le noir, Imelda, immobile, était encore sous le choc. «C'est ça, les gestes sacrés du mariage? Des animaux dans la grange...», s'avoua-t-elle péniblement et deux larmes coulèrent sur ses joues.

Le lendemain matin, Charles se réveilla tôt, selon son habitude, mais, cette fois, avec la sensation d'avoir dormi longtemps et profondément. Il lui fallut quelques secondes pour se souvenir que, pour la première fois en cinq ans, il se réveillait avec une femme à ses côtés. Il la regarda dormir un moment, étonné de sa posture droite et immobile comme celle d'une statue. Il hésita, puis, admettant que tout cela était vrai, et permis, il laissa remonter en lui l'appétit qu'il avait fait taire longtemps. Se tournant vers elle, il la caressa, détendue dans le demi-sommeil. Puis il retourna puiser, dans la femme à peine tirée de sa torpeur, le plaisir dont il ne se rassasiait pas. Mais c'était le matin, sans doute avait-il les idées plus claires; il perçut nettement que ses gestes ne suscitaient pas d'adhésion amoureuse. La femme, réveillée trop vite, détourna spontanément son visage de l'haleine du matin de l'homme et celui-ci se sentit rejeté, repoussé. Un sentiment désagréable coula en lui si brutalement que pour le chasser il s'enfouit encore plus profondément dans le sexe de sa femme, jouissant vivement, presque honteux, avant de retomber de son côté du lit.

Il ne savait comment interpréter cette inertie et il refusa le malaise qu'il ressentait confusément. Il se tourna vers Imelda, guettant un sourire en ce premier matin ensemble. Son corps avait été comblé trois fois depuis hier soir et il voulait, d'une certaine manière, sans aller jusqu'à en remercier son épouse, au moins lui démontrer sa satisfaction. Il rencontra un regard si fuyant qu'il se leva sans rien dire et alla se soulager la vessie dans le pot de chambre, conscient, sans la voir, que sa femme détournait son regard de son corps d'homme à moitié caché par la longue chemise de nuit. Le jet s'écoulant dans le pot produisait un bruit qui remplissait toute la chambre de son insolente banalité quotidienne et l'odeur forte et acide de l'urine du matin se répandit dans l'air. Dès qu'il eut fini, Charles posa le couvercle sur le pot de chambre, par habitude et par égard pour l'odorat d'Imelda, qui lui en fut reconnaisssante. Combien de fois n'avait-elle pas demandé, en vain, cette simple attention à son père, pour éviter d'empester la chambre jusqu'à ce qu'elle aille faire le lit?

Charles endossa ses vêtements de travail et Imelda retrouva l'homme qui était venu à la ferme des Lachapelle, quelques mois auparavant. Il s'assit ensuite sur le bord du lit, et enfila ses bas, mit ses bottines, en noua les cordons. Ses mouvements faisaient bouger le lit, et les deux fessiers, si près l'un de l'autre et pourtant si loin, subissaient les mêmes soubresauts du matelas, l'un assouvi et triomphant, l'autre échauffé, encore humide et collant. Imelda se trouvait malpropre, avec cette substance gluante qu'elle n'avait pas réussi à nettoyer complètement ce matin non plus. Un relent d'odeur d'urine flotta et Imelda réalisa que ce serait à elle, désormais, de vider le pot de chambre. Dans les pensées émotives de son lendemain de noces, elle entremêlait les deux gestes de l'homme, les confondant. «Il se vide en moi puis là-dedans, puis après c'est moi qui suis prise avec...» Ce n'était ni une plainte ni de la colère; c'était simplement la constatation d'un fait qu'elle avait ignoré jusque-là. «Ça doit être partout pareil.» Et un sentiment nouveau, inattendu, pointa en elle. «Puis les autres, comment est-ce qu'elles prennent ça, elles?» Imelda pensa aux femmes qu'elle connaissait, cherchant à se faire une raison. Charles aurait voulu trouver quelque chose à dire avant de sortir de la chambre conjugale en ce premier matin, mais tous les mots lui parurent déplacés devant l'inertie paralysante de son épouse dont il avait pourtant joui trois fois en quelques heures. Il dit simplement:

— Je vais faire le déjeuner; tu connais pas encore les airs de la maison.

Il sortit de la chambre, laissant la porte ouverte par habitude. Imelda, enfin seule, respira à fond pour la première fois depuis la veille. Elle ramena la courtepointe jusqu'à son menton et ferma les yeux à demi; son regard distrait erra sur un rayon de lumière qui se faufilait à travers les rideaux disjoints, du côté de la cour. Le soleil ravivait encore plus les couleurs de feu de la courtepointe et de fines poussières dansaient dans le rayon. Imelda s'absorba entièrement dans les couleurs et dans le mouvement de ces alliées silencieuses. Une autre alliée se faufila jusqu'à elle: la bonne odeur d'un thé chaud venait de la cuisine, ainsi que le crépitement du repas dans un poêlon. «C'est la dernière fois que je fais le déjeuner», pensa l'homme. «C'est la première fois que quelqu'un me prépare mon déjeuner», constata la jeune épouse et elle s'accrocha à une forme de reconnaissance pour son mari. Cette bouée inattendue la secoua de sa torpeur et elle ne voulut pas le faire attendre. Elle se leva, souleva le pot à eau: il était vide. Son besoin de se dégommer était plus fort que sa timidité et elle se décida à descendre à la cuisine en vêtement de nuit, le pichet à la main. En entendant ses pas, Charles leva les yeux vers l'escalier et la vit apparaître, ses longs cheveux épars sur ses épaules recouvertes d'un long châle, sa chemise de nuit ne dévoilant que le bout de ses pieds nus. Il sourit spontanément, mais, du fond des yeux, s'attendrit devant la féminité de sa nouvelle épouse et ne lui en voulut plus de sa réticence amoureuse. «C'est la première fois pour elle, c'est normal.» Il délaissa le

140

déjeuner et lui remplit le vase, qu'il offrit de lui porter là-haut.

— Non, non, dérangez-vous pas...

Elle se reprit:

— Dérange-toi pas... C'est pas trop lourd pour moi.

Elle se hâta de monter l'eau elle-même, voulant éviter qu'il n'ait le goût de la prendre encore, ferma la porte et fit rapidement sa toilette. Pendant le repas, il lui expliqua sommairement où se trouvaient les effets domestiques, en concluant, avec un soulagement non dissimulé:

— Tu peux arranger ça à ton goût; maintenant, c'est tes affaires.

Elle promena son regard sur la cuisine: son domaine pour le reste de sa vie.

— J'ai affaire au moulin à matin pour une couple d'heures, ajouta-t-il, mais avant le dîner on va aller au magasin: il n'y a pas grand-chose dans l'armoire. À la fin de l'après-midi, on ira chercher les enfants.

Les enfants. Elle sourit à son tour. «Oh oui!» se dit-elle, heureuse à la pensée de serrer bientôt contre elle la petite Marie-Louise. «Ma petite fille», songea-t-elle, le cœur rempli de tendresse. Charles la regardait à la dérobée évoluer un peu maladroitement dans cette cuisine inconnue puis retrouver peu à peu l'aisance des gestes coutumiers d'une maîtresse de maison. Il sortit. Quand le bruit de ses pas se fut estompé, Imelda se retrouva seule dans sa nouvelle maison pour la première fois, le cœur flottant, la tête pleine de pensées éparses. Elle les résuma en quelques mots:

— Je suis mariée, à c't'heure.

Le souvenir des yeux de convoitise et des mains de Charles sur son corps provoquèrent en elle deux réactions contradictoires. D'une part, la fierté de provoquer tant de désir chez un homme qu'elle admirait secrètement, presque avec pudeur, et, d'autre part, un désenchantement amer. Sa curiosité pudique et confuse des ébats amoureux avait été confrontée si brutalement à la réalité que son corps ne voulait plus maintenant que se protéger, sachant pertinemment que ce n'était que le début d'une longue soumission, celle que l'Église exigeait des femmes envers leurs maris.

La femme rejeta ces pensées et se força à se concentrer sur la vaisselle à laver, sa première besogne domestique dans sa nouvelle maison. Un détail la fascina de nouveau: l'eau courante, une grande amélioration par rapport à la pompe qu'il lui fallait actionner à la main, chez son père. Elle s'amusa à faire couler l'eau d'un simple mouvement des doigts et s'étonna de la faiblesse du débit. Elle entendit le son lointain des scies au lieu du beuglement des vaches et, dans le silence de la maison, elle imagina les rires et les bousculades de trois enfants. «Mes enfants...»

Si son bas-ventre se crispait, douloureux à la suite des ébats répétés du père, son cœur, lui, se dilatait de tendresse par avance pour les petits. Et elle voulut que le souper soit bon et beau pour leur souhaiter la bienvenue chez eux.

Elle fit la liste de ce dont elle avait besoin, incluant ces petits riens qui différencient un repas appétissant d'une nourriture à peine mangeable. De son côté, Charles se retrouva avec plaisir à la scierie, en territoire connu. Son corps était satisfait et, cette fois, il pouvait le laisser voir, la tête haute. Il sut que ses employés avaient blagué à son sujet, rien qu'à en voir deux pencher la tête un peu trop au-dessus des madriers qu'ils sciaient. S'il avait quitté la chambre nuptiale sans éclat, ici, il pouvait afficher qu'il avait eu plus que son dû. «Il était temps que les affaires se replacent», se rassura Vanasse.

Au milieu de l'avant-midi, Charles emmena Imelda faire les courses, pour lui montrer le village tout autant que pour la montrer à tout le village. Il la présenta à Émérentienne et Maurice Boudrias, qui, en retour, présentèrent Dieudonné à la nouvelle venue.

— Il est du même âge que la petite de Charles, fit Maurice, tout fier. Ce sont presque des jumeaux.

«Envoye, fais le jars, ronchonna Charles. Ton Dieudonné, lui, il a pas tué sa mère même si elle était pas une jeunesse.» Imelda évalua d'un coup d'œil que cette femme-là aussi avait dû être surprise de sa nuit de noces; elle craignit surtout qu'elle n'eût pas changé d'idée depuis.

Devant le bureau de poste, ils croisèrent le curé qui revenait de l'école, où il était allé faire sa visite habituelle. Imelda tressaillit d'émotion en réalisant qu'elle avait maintenant deux enfants qui étudiaient là, puisque Henri y avait commencé sa première année au début du mois. Marie-Louise y serait l'an prochain. Elle se réjouit de la garder un an avec elle, rien que pour elle, et le goût de catiner un jour des enfants qui seraient d'elle lui gonfla le cœur. Le curé Falardeau, qui avait remplacé le curé Chevrette, fut content de connaître la nouvelle madame Manseau qui, par sa seule présence, réunirait une jeune famille depuis trop longtemps séparée. Il donna des nouvelles de quelques-uns de ses paroissiens, entre autres du jeune séminariste Eugène Gagnon.

— Vous vous souvenez de lui, monsieur Manseau? C'est le fils d'Eusèbe et Rosalba Gagnon.

Le marié se rappela vaguement le jeune garçon qui, autrefois, avait lu à haute voix le contrat de sa première coupe de bois en échange de la créance de son père, Eusèbe Gagnon. Ce souvenir lui sembla vieux de cent ans.

— Oui, oui, répondit machinalement Charles. Il va devenir prêtre? demanda-t-il, plus curieux qu'intéressé.

— Dans trois ans. Ses parents voudraient bien l'avoir ici, dans la paroisse. Ce serait une belle consolation pour eux autres, avec leur belle famille.

Le tiède paroissien n'était pas sûr de vouloir se confesser un jour à ce prêtre-là. Ils revinrent à la maison. Imelda prépara une simple omelette et le thé. Charles le huma avec une surprise heureuse: elle l'avait infusé corsé, comme il l'avait toujours aimé. Il repoussa le souvenir du thé de Mathilde, trop faible à son goût et trop fort au goût de la vieille tante Delphina.

Dans l'après-midi, Imelda installa ses vêtements dans la commode, rapidement, désireuse de sortir de la chambre sans tarder pour ne pas y attirer son mari. Elle prépara ensuite le souper, de son mieux, pour plaire à toute sa nouvelle famille. Elle prit le temps de faire un gâteau, autant pour s'occuper que pour tenir son mari éloigné, trouvant qu'il rôdait un peu trop autour d'elle à son goût.

Elle avait vu juste; les pensées de Charles étaient monopolisées par leurs premières relations conjugales. «C'est normal, elle connaissait pas ça», se redisait-il. Pourtant, une petite voix lui souffla: «Mathilde non plus...» Sa pensée alla chercher le souvenir de la passion de Germaine. «Je l'ai connue après bien des années de mariage; peut-être qu'elle aimait pas ça, au début, elle non plus», s'obstina-t-il. Ses références s'arrêtaient là. Deux pour, une contre. «C'est une question de temps», conclut-il. Il résolut de prendre son mal en patience.

Il avait hâte lui aussi d'avoir les enfants autour de lui: ses deux fils et sa petite Marie-Louise. Le gâteau sentait bon et il goûta un bien-être qu'il prit pour de l'appétit alors qu'il s'agissait en fait d'un profond sentiment de sécurité: une femme s'occupait maintenant de lui, de ses enfants, de sa maison. Il se sentit désœuvré, n'osant pas aller travailler le lendemain de ses noces; il se berça un peu pour s'occuper et s'empêcher d'aller à la scierie, même s'il en mourait d'envie. Il chercha ensuite quelque chose à dire pour mieux connaître cette femme, la sienne désormais. «Le moulin, ça l'intéresse peut-être pas», songea-t-il. Il se rabattit sur un propos domestique.

— T'as eu l'air surprise de voir un robinet.

— Oui, mon père a pas encore l'eau courante, répondit-elle, ne sachant pourquoi il parlait de ce détail.

Il crut avoir trouvé un sujet de conversation.

— Quelqu'un du village a découvert une source en haut de la butte, en arrière du village. C'est presque en droite ligne avec l'église.

— Ça fait loin? questionna Imelda.

— Même pas un mille. L'important, c'est que ça donne une bonne pente. Pour une fois que ça nous sert, toutes ces côtes-là.

— En quoi ça aide? demanda-t-elle, intriguée.

Charles la regarda avec surprise. Il était étonné qu'elle s'intéresse à ce genre de chose.

— Des hommes du village ont construit un réservoir proche de la source pour emmagasiner l'eau. D'autres ont creusé des troncs de cèdres de sept ou huit pieds de long. À la forge, les Gingras ont patenté des joints de métal; on a rabouté les tuyaux de cèdre avec ça.

melda jugea le procédé efficace. Curieuse, elle ne put s'empêcher d'ouvrir le robinet. Elle s'abstint de

145

mentionner que le débit, par contre, était nettement inférieur à celui d'une pompe.

— C'est sûr que, même avec un arbre d'une largeur de sept ou huit pouces, le trou du milieu est juste de un pouce ou un pouce et demi de large. Mais avec la bonne pente qu'on a, on peut avoir de l'eau courante. Même qu'on l'a en hiver comme en été parce qu'on a enterré les tuyaux assez creux. Ça fait moins d'eau à la fois, mais on en a toute l'année.

Elle regarda son mari à la dérobée; il semblait indûment fier de cet aqueduc. Elle eut l'impression qu'il attendait d'en être félicité personnellement, comme s'il était pour quelque chose dans cet avantage que constituait la topographie accidentée de Saint-François-de-Hovey. Elle fut réticente à jouer le jeu de cette forme de vantardise qu'elle jugea puérile. Mais elle ne voulut pas non plus se montrer déplaisante. Elle se reprocha toutefois de ne pas ressentir un contentement sans faille.

— C'est bien avantageux, dit-elle simplement.

À la fin de l'après-midi, Vanasse, sous prétexte de se faire expliquer une commande mal comprise, traversa à la maison de son associé. En fait, c'était Mme Manseau qu'il voulait voir. Il surgit malencontreusement au moment où les parents ramenaient les trois enfants chez eux. Vanasse compara rapidement la femme avec sa bru Germaine, et admit que celle-ci était plus en chair et plus vivante. C'était la première qualité qu'il lui reconnaissait depuis l'affront qu'elle avait fait à son fils, et avec son associé en plus. Par bravade ou méchanceté, ou peut-être pour clore définitivement l'histoire, il donna des nouvelles de ses deux fils des États-Unis, insistant sur Armand qui n'était pas revenu depuis deux ans.

— À cause du petit, peut-être ben, dit le vieux. Il a un peu plus d'un an, à c't'heure. Leur visite d'il y a deux ans a porté fruit, ricana-t-il.

146

Charles sursauta à peine, refusant de se sentir impliqué. «Je n'ai pas été le seul dans la vie de Germaine — puis elle est mariée: c'est pas trois ou quatre fois avec moi qui a changé quelque chose là-dedans.» Mais l'allusion du vieux avait quand même jeté un doute et il sortit ses griffes lui aussi.

— Votre fils doit être content d'avoir un garçon. Puis vous aussi; ça fait un Vanasse de plus.

L'œil de Charles était hautain, narquois. Le vieux se sentit perdant encore une fois et d'une autre manière.

— Aux États, ça fera pas un Vanasse comme par icite.

Charles regretta d'avoir retourné le fer dans la plaie.

— Je vais aller au moulin pour la commande. À deux, ça devrait pas être long.

Les deux hommes sortirent. Imelda ne put s'empêcher de sentir un grand mouvement de vie autour d'elle. Ce va-et-vient lui plaisait déjà, l'entraînait malgré elle, et la vigueur de sa jeunesse trouverait enfin là un environnement à sa mesure. «Il se passe plus d'affaires ici en une journée que durant deux semaines chez mon père.» Elle s'inquiéta de lui. «Je sais pas ce qu'il va manger pour souper, à soir.» Les enfants, intimidés et indécis, étaient restés sur le pas de la porte avec leurs maigres bagages.

— Bon, vous pouvez monter vos affaires dans vos chambres, leur suggéra-t-elle gentiment.

Les deux garçons grimpèrent l'escalier et entrèrent spontanément dans la première chambre à gauche, celle qu'ils avaient utilisée au cours de l'été. Imelda les avait suivis et elle les arrêta.

— J'ai pensé que, comme vous êtes deux, vous pourriez prendre la chambre du fond. Marie-Louise aurait peut-être peur d'avoir la dernière chambre toute seule.

La fillette entra fièrement dans sa chambre, comme une petite reine prenant possession de son territoire. Les garçons, dépités, se sentirent expulsés de la leur. Henri poussa son frère du coude et bluffa.

— Les filles, ç'a toujours peur de tout! Viens-t'en, Victor. Nous autres, on est grands.

Marie-Louise se retourna vivement vers eux, piquée.

— Pour le reste, poursuivit Imelda, un peu mal à l'aise, les bécosses sont...

—... en arrière de l'écurie, trancha Henri. On est déjà venus, nous autres.

— Je veux pas aller dehors la nuit, larmoya Marie-Louise; chez grand-maman, j'avais un pot de chambre et...

— Je t'en ai apporté un vieux, la rassura Imelda. J'ai pensé que vous autres, les garçons, vous n'auriez pas peur de sortir tout seuls.

Ils n'étaient pas enchantés outre mesure, mais ils ne le montrèrent pas. Imelda rappela à la petite avec humour:

— Mais tu t'en sers seulement la nuit. Le jour, tu iras dehors, toi aussi.

Les garçons s'installèrent dans leur nouvelle chambre et Imelda aida la petite à ranger ses vêtements dans la commode. Ensuite, Victor et Henri, tout fiers de déjà connaître la maison, la firent visiter à leur petite sœur intimidée. Ils lui firent découvrir des cachettes qu'ils trouvaient extraordinaires mais qui effrayèrent la benjamine. Celle-ci finit par s'esquiver pour rejoindre sa nouvelle mère, et Victor, mortifié du peu de cas que faisait sa sœur de ses connaissances d'aîné, déclara à son frère:

148

— Les filles, ça veut jamais rien faire.

Le souper était prêt, leur premier vrai bon repas dans ce qu'ils appelaient «la maison neuve», et les garçons se précipitèrent dans la cuisine, affamés et excités. Ils n'osaient pourtant se mettre à table, parce que leur père n'était pas là et qu'ils ne savaient comment se comporter avec leur nouvelle mère. Celle-ci non plus: accueillir tendrement en imagination trois orphelins dans son cœur et savoir concrètement quoi leur dire quand ils se languissaient de souper, c'était différent. Ils étaient tous les quatre décontenancés par l'absence du père, le seul lien entre eux.

— Où on va se placer, *maman*? demanda Marie-Louise, savourant ce mot.

Imelda se tourna vers eux, profondément émue du mot qui chantait à ses oreilles. Elle lissa son tablier machinalement en évaluant la table et le nombre de convives. Henri glissa tout bas à sa sœur:

— C'est pas notre mère.

Victor le rabroua, les yeux froidement fixés sur son cadet.

— C'est notre *nouvelle* mère. Maintenant, on est une famille comme les autres.

Henri fit la moue, se soumettant à son aîné sans pour autant changer la décision de son cœur. Imelda désigna le bout de la table, vers la porte.

— Votre père voudra peut-être cette place-là; moi, je vais prendre ce bout-ci de la table. Ce sera mieux pour servir. Vous autres...

Victor alla immédiatement se placer à la gauche de son père, dos aux portes vitrées du salon. Marie-Louise alla spontanément à la gauche d'Imelda, dos au poêle. Cela c'était fait si vite qu'Henri resta tout seul. Il protesta en faisant à son tour les gros yeux à sa cadette.

149

— C'est la place de papa. C'est là qu'il mangeait quand on est venus, cet été.

Imelda s'en voulut d'avoir pris les devants. «Qu'est-ce qu'il fait donc? C'était si urgent que ça, au moulin?» Elle l'entendit alors arriver et les estomacs de la petite famille se détendirent de soulagement. Charles ouvrit la porte et s'arrêta sur le seuil, figé par le tableau qu'il avait sous les yeux: sa femme et ses trois enfants qui l'attendaient, la table mise, avec un souper qui sentait bon. C'était la première fois qu'il vivait un tel moment depuis la construction de sa maison, cette maison dont il avait tant rêvé. Le rire joyeux de Mathilde résonna à ses oreilles et il mit quelques secondes avant de réaliser que c'était Henri qui s'esclaffait parce que le chat des Gingras, que Victor avait emmené avec eux, venait de se choisir une place lui aussi.

— Les animaux mangent pas à table, trancha le père en s'avançant.

Victor descendit doucement le chat, qui sauta de nouveau sur le banc et en fut délogé une seconde fois. Charles vit la petite Marie-Louise à son ancienne place, attendant son approbation. Imelda expliqua, d'une voix mal assurée:

— J'ai pensé que vous... que tu aimerais mieux manger au bout; quand... tu... rentreras du moulin, ce sera plus vite fait.

Elle avait vu juste, Charles y avait même déjà placé sa chaise. L'autre chaise, plus fignolée, celle qu'il avait construite ces dernières semaines pour Imelda, il l'avait placée à l'autre bout, près de l'évier et du poêle. L'homme s'avança vers la place qui était la sienne désormais. Henri protesta.

— Oui, mais vous mangiez pas là avant. D'habitude...

Son père tira la chaise et s'assit.

— Les habitudes changent, mon garçon. Vu que j'ai plus besoin de me faire à manger moi-même, ma place, c'est ici à c't'heure.

Ils prirent place et Henri, boudeur, s'éloigna de son père qui l'avait débouté; il ne se plaça pas à sa droite, mais plutôt sur le même banc que son frère. Il se trouva donc ainsi plus près d'Imelda que de son père. Celle-ci se méprit et crut qu'il l'avait choisie, en quelque sorte. Elle lui sourit si gentiment qu'Henri, désarmé, lui sourit à son tour. Il avait l'impression d'être accepté par au moins l'un de ses parents. Victor vit le manège et se tourna vers son père, comme pour l'assurer de sa fidélité. Bien loin de tout cela, Charles se sentait si comblé de voir enfin ses enfants autour de lui et une épouse au bout de la table que, bouleversé par l'abondance qui l'assaillait presque douloureusement, il ferma les yeux un moment et sentit le besoin impérieux de l'exprimer.

— On mange pas comme des bêtes. On va prendre le temps de remercier pour tout le manger qu'on a.

Il n'avait pas l'intention d'aller jusqu'à dire le bénédicité. Imelda crut qu'il lui en laissait la charge et, joignant les mains, elle prononça lentement, humblement, pour la première fois de sa nouvelle vie d'épouse et de mère, la phrase de reconnaissance devant l'abondance. Les enfants étaient habitués à cette prière, que le grand-père Gingras récitait avant chaque repas, de sa voix grave et lente. Charles se signa ensuite et, de cette main ferme qui fascinait tant sa nouvelle épouse, il se coupa une large tranche de pain. Leur premier repas de famille était commencé.

CHAPITRE 6

CHARLES réalisa rapidement que la présence de quatre personnes de plus dans la maison du matin au soir signifiait qu'il n'y serait plus jamais seul désormais, ne fût-ce qu'un instant. Lui qui vivait en solitaire depuis cinq ans, il trouvait difficile la présence constante des trois enfants, qui lui avaient pourtant tellement manqué. Il regrettait parfois ses longs moments de silence et de solitude qui lui permettaient de réfléchir à ses affaires à son aise.

Un soir, en prenant une deuxième tasse de thé, il se rendit pleinement compte qu'Imelda, qui besognait dans sa maison à la journée longue depuis un certain temps déjà, était presque une inconnue. Que savait-il d'elle, au fond? «Ça s'est fait ben vite, tout ça», se dit-il. Ce n'était aucunement un regret, simplement une réflexion. «La vie, des fois, ça nous pousse plus vite qu'on le penserait.» Il savait pourtant qu'il avait décidé rapidement le remariage, presque sur un coup de tête, parce que s'il avait réfléchi, il ne se serait peut-être pas résolu à remplacer Mathilde, sa première épouse. «Les enfants avaient besoin d'une mère», se redit-il en regardant la femme qui réussissait à brosser les longs cheveux bruns de la petite Marie-Louise, de la racine jusqu'aux bouts follets, sans que l'enfant ne crie ni ne serre les dents.

Il se souvint de sa petite sœur Mélanie, qui en pleurait souvent. «Arrête donc de gigoter, aussi!» s'impatientait sa mère avec la petite encore trop jeune pour aller à l'école. L'homme dans la trentaine observa longuement les gestes lents et précautionneux de la femme qui démêlait les cheveux en douceur, empoignant parfois délicatement, mais fermement, une mèche en broussaille pour que le cuir chevelu de la petite soit insensible au contrecoup de la brosse. L'enfant babillait avec sa nouvelle mère. «Elle n'a jamais eu d'autre mère qu'elle», se dit Charles. Une fois de plus, il chercha sur le visage enfantin des traits de sa véritable mère; elle n'en avait aucun. Il en fut contrarié. Et il lui en voulut, une fois de plus. Et, une fois de plus, il se le reprocha. «Comme si c'était de sa faute.» Pourtant, même cette réflexion était ambiguë.

Il repoussa ce souvenir et se concentra sur les mains d'Imelda. «Elle a le tour avec la petite; ça paraît qu'elle connaît ça, les enfants.» Il en eut, malgré lui, du dépit. «Ça paraît aussi qu'elle connaît pas grand-chose aux hommes.» Il se leva pour aller finir sa journée habituelle de travail à la scierie: vérifier et graisser la machinerie pour le lendemain. Imelda déposa la brosse sur la table et lissa doucement de la main la chevelure brune et bouclée de la petite.

— Va embrasser ton père avant d'aller te coucher.

L'enfant, intimidée, y alla lentement, mais il était trop grand pour elle et il ne comprit pas qu'il lui suffisait de se pencher vers elle pour la rejoindre. Il lui passa simplement une main distante sur la tête.

— Bonne nuit.

Imelda eut de la peine pour la petite et l'embrassa deux fois pour tenter de compenser le manque paternel. Charles revint se coucher une heure plus tard, en appétit, et en oublia de rentrer du bois pour le lendemain. L'obscurité de la chambre conjugale masqua encore une fois sa déception devant une autre jouissance non partagée. «Ça doit finir par s'apprendre, se dit-il, comme le reste.»

Le lendemain matin, quand il rentra déjeuner après être allé chauffer la fournaise de la scierie, il constata qu'Imelda avait dû aller chercher du bois elle-même dans le hangar attenant à la cuisine. La nuit d'octobre avait vu les premières gelées d'automne; son épouse avait dû avoir froid dans le hangar. Il fut contrarié de sa négligence de la veille.

— À partir d'aujourd'hui, Victor, dit-il à l'enfant qui s'était mis à table seulement après que son père se fut assis, ce sera à toi de rentrer le bois. T'es assez grand pour ça.

L'aîné se redressa fièrement sur sa chaise.

— Comme mon oncle Alphonse chez grand-papa? s'étonna Henri.

Victor fut encore plus fier de sa responsabilité. Puisqu'il s'acquitterait de la même tâche que son oncle préféré, il en devenait grand du coup.

— Puis moi, poursuivit Henri, je vais faire quoi?

— T'es encore trop petit, conclut hâtivement Victor.

Charles sourit dans sa moustache. Imelda percevait l'imprécision de la tâche. Elle ne savait comment clarifier la situation sans avoir l'air de reprendre son mari.

— Pour le bois à fendre..., commença-t-elle.

L'homme sourcilla: la remarque était pertinente, presque trop.

— C'est à moi de faire ça. Touche pas à la hache.

La phrase avait été lancée presque sèchement; ni Imelda ni Victor ne surent à qui elle s'adressait.

— Je pourrais faire les petits éclats pour allumer le feu! s'enhardit l'enfant.

Imelda s'attendrit devant tant de bonne volonté; chez son père, ses frères cadets s'étaient souvent défilés et elle avait dû fréquemment assumer cette tâche à leur place. Mais ils étaient quand même plus âgés que le petit Victor.

— Je peux faire ça, Victor. Chez mon père...

— J'ai dit que je m'occuperais de la hache, pour les bûches comme pour le petit bois, trancha l'homme. Il y a un chef de famille ici-dedans.

Imelda se sentit traitée comme une enfant, elle qui pourtant s'acquittait de cette tâche depuis une douzaine d'années au moins. Elle se rembrunit et servit le repas en silence, humiliée aussi pour son père que son mari venait d'amoindrir aux yeux des enfants. Elle se sentit douloureusement seule dans cette maison, rabrouée par cet homme qu'elle connaissait si peu.

Le quotidien se roda, semaine après semaine. Les garçons, si heureux qu'ils fussent de vivre enfin chez leur père, ne virent pas leur routine se modifier de fond en comble. Ils allaient toujours à l'école, sauf que c'était maintenant Imelda qui surveillait leurs devoirs.

— Elle en connaît plus que grand-maman, chuchota Henri, un soir.

— Mais moins que mon oncle Alphonse, rétorqua Victor, à qui manquait la présence de son jeune oncle, qui avait toujours été comme un grand frère pour lui et qui, fidèle à son idéal, avait demandé son entrée chez les frères du Sacré-Cœur pour continuer ses études et devenir enseignant.

— Grand-maman, elle me laissait manger autant de biscuits que je voulais, bouda un jour Henri, à qui Imelda refusait une cinquième galette à la mélasse.

156

— C'est pour que tu sois pas malade qu'elle fait ça, l'excusa Victor.

«Elle». Ils ne savaient pas encore comment nommer la femme de leur père. Si le mot «maman» était venu spontanément aux lèvres de Marie-Louise, il ne sortait pas facilement de la bouche de Victor et pas du tout de celle d'Henri. Charles finit par s'en apercevoir et il chercha un moyen de clarifier la situation. En rentrant pour souper, un soir, il alla jeter un coup d'œil dans la boîte à bois, à droite du poêle.

— Ouais, ta mère a du bois en masse, dit-il à Victor.

Imelda lui en fut reconnaissante. Victor comprit le double message; Henri enregistra celui qui le concernait. Mais le père poursuivit, en se lavant les mains:

— Mais du bois, ça se rentre pas n'importe comment. Tu feras attention, la prochaine fois.

Victor déchanta. Il venait d'être humilié devant les autres, sans même savoir pourquoi; pourtant, il avait tellement rempli la boîte à bois que le couvercle en restait entrouvert. Imelda en fut peinée et en voulut à son mari de blâmer ainsi le petit. «Au lieu de lui faire des reproches, pourquoi il lui montre pas comment faire?» Le repas commença. La soupe s'avala en silence. Imelda cherchait à consoler le garçon sans contredire son mari. Elle servit le plat principal et utilisa la petite.

— Quand tu vas être grande, Marie-Louise, toi aussi tu vas faire à manger. Je vais te montrer comment chauffer le poêle.

— On a juste à mettre le bois! s'exclama la petite en riant.

— Ben non, protesta Victor. D'abord, ça prend des éclats.

— Ensuite, des petits morceaux de bois, ajouta Henri. Grand-maman faisait toujours ça.

Imelda respira de soulagement. Son plan fonctionnait.

— Des petits morceaux tout ronds ou fendus? demanda-t-elle.

Les petits se regardèrent.

— Fendus! trouva Victor.

— Pourquoi? s'étonna la petite.

— Parce que l'écorce, ça prend plus de temps à brûler, lui expliqua son frère aîné avec fierté. Puis ça fume, des fois.

Charles les regardait, les écoutait. Il était soulagé que sa femme converse si facilement avec les enfants; pour sa part, il ne trouvait jamais les mots malgré sa bonne volonté. Imelda parla ensuite d'ajouter des morceaux plus gros, le côté fendu placé directement dans le feu, avec l'écorce sur le dessus pour susciter une forte chaleur plus rapidement, sans fumée.

— Puis les «busses», dit la petite. Les grosses, grosses «busses»?

— C'est pour les bons feux bien partis, puis pour la nuit, aussi, parce que ça brûle plus longtemps, conclut Imelda.

— Puis ça en prend moins aussi, comprit Victor, qui identifiait plus clairement, maintenant, les différents morceaux à choisir.

Le père écoutait sans le faire voir, les regardait en mangeant sans rien dire. «J'ai toujours su ça, moi, me semble, comment remplir une boîte à bois.» Il chercha des souvenirs d'enfance mais rien ne lui vint à l'esprit. «En tout cas, j'ai dû l'apprendre jeune. Ils ont été trop gâtés chez les Gingras, avec trois grands gars dans la maison; il était temps qu'ils aient un père.» L'ingratitude de sa réflexion l'effleura à peine. La petite demanda, avec son grand sourire où manquait une première dent de lait:

— Moi, je mets bien la table, hein, maman?

— T'es bien trop petite, se moqua Henri. T'as même pas toutes tes dents.

L'enfant se rembrunit.

— Maman, c'est vrai que c'est moi qui mets la table?

Les quelques assiettes et ustensiles qu'elle disposait furent valorisés par Imelda.

— Oui, Marie-Louise. Tu fais ça comme il faut. La fourchette à gauche, le couteau à droite. Ma tante Olivine serait fière de toi.

— C'est qui, elle? demanda curieusement la petite.

— C'est ma tante, la sœur de ma mère. Elle est ménagère dans un presbytère. C'est elle qui m'a montré ces bonnes manières-là.

Charles en retira de la fierté; ses enfants étaient entre bonnes mains. «C'est ça qui compte», se redit-il.

— Toi, Henri, dit-il tout à coup, t'es le seul à rien faire, si je comprends bien?

Henri se trémoussa; il réalisa, et trop tard, qu'il avait attiré l'attention sur lui.

— J'aide Victor, répondit-il rapidement.

L'aîné lui décocha un regard furieux devant ce mensonge. Il lui était assez pénible de rentrer autant de bois tout seul, matin, midi et soir, et parfois même avant de se coucher, qu'il devait au moins s'en voir attribuer tout le mérite. Charles ne fut pas dupe.

— C'est ben correct de même. Puisque tu sais comment faire, à l'avenir, tu le feras tout seul, comme un grand.

Le père finit sa soupe sans rien ajouter, pince-sans-rire. Henri était mécontent de la tâche, qui était exigeante, à ce qu'il avait pu constater en voyant Victor l'exécuter. Ce dernier était furieux et humilié de se faire déposséder de sa responsabilité d'aîné. Le père attendit la fin du repas pour lui dire:

— Toi, Victor, à partir de demain matin, tu vas venir avec moi au moulin pour partir la fournaise.

Les battements de son cœur d'enfant s'accélérèrent de fierté. Le père ajouta, de son ton sévère:

— Faut être rendus à cinq heures et demi pour que les scies partent à sept heures quand mes hommes arrivent.

Imelda fronça les sourcils. Victor allait avoir neuf ans sous peu, mais il était encore trop jeune pour fourbir une fournaise pendant au moins une heure, avant même de déjeuner; il arriverait à l'école déjà fatigué. Elle ouvrit la bouche pour intervenir, mais se ravisa. Elle ne ferait pas changer d'avis à son mari; s'il l'avait dit, tout était déjà décidé. Elle avait vite compris sa manière. Elle avait conclu aussi qu'il n'insisterait pas pour héberger son beau-père.

Imelda pensait à lui plusieurs fois par jour, s'inquiétant malgré elle, mais se déculpabilisant au souvenir de son caractère hargneux, qui l'avait d'ailleurs empêché de venir vivre tout de suite avec eux.

— J'ai pas vendu ma maison, avait-il d'abord prétexté.

— Avez-vous fait savoir qu'elle était à vendre? s'était irrité son gendre.

— L'automne est trop chaud pour m'enfermer dans un village, avait fini par répondre le vieux.

Aux premiers froids de novembre, il avait trouvé autre chose:

— C'est pas quand les grands froids commencent à prendre que je vais abandonner mon bien aux quatre vents. Je suis pas un sans-cœur.

«Ben, restez-y donc!» avait maugréé Charles en lui-même. Et il n'avait plus reparlé d'héberger son beau-père. Imelda s'inquiétait pourtant de le savoir seul sur sa petite ferme au seuil de l'hiver. Impuissante à régler la situation, elle finit par se rappeler la phrase que son père lui avait rabâchée des centaines de fois et la lui appliqua: «Il est assez grand pour savoir quoi faire.» Gratien Lachapelle avait perçu le changement d'attitude du couple et il avait très mal accepté que les nouveaux mariés se soient pliés si facilement à ses humeurs. Il s'était senti abandonné et ne s'était pas privé de s'en plaindre à ses autres enfants, avec mauvaise foi.

— Elle est bien contente de s'être débarrassée de moi. Ben, elle va voir que j'ai pas besoin d'elle, batince!

Mais il avait pris goût, sans se méfier, à vivre à son rythme, trouvant quand même difficile de ne plus avoir quelqu'un près de lui sur qui passer sa mauvaise humeur coutumière et à qui commander. Par une voisine serviable, il avait fait écrire à son plus jeune qui bûchait aux chantiers; celui-ci lui avait répondu qu'il descendrait aux fêtes.

Les fêtes se préparaient aussi à Saint-François-de-Hovey. Victor, à titre d'aîné, tenait à remercier la seconde épouse de son père de leur permettre de vivre tous ensemble. Comme il accompagnait son père tous les matins à la scierie pour chauffer la fournaise, il lui vint à l'idée, à voir tout ce bois, de fabriquer un objet pour sa nouvelle mère. Au bout de quelques jours, il trouva ce qui lui serait utile.

Entre les tas de copeaux ou d'écorce à jeter dans le feu, Victor scrutait le bois qui traînait sur le plancher. Il n'y avait pas grand-chose d'utilisable; tout était scié à bon escient et les restes étaient récupérés à maints usages. Le jeune garçon finit tout de même par dénicher quelques bouts de planches; comme il ne connaissait pas les essences d'arbres, il prit soin d'assortir tous les morceaux selon leur couleur et les méandres de leurs fibres. Il lui restait maintenant à faire le plan du petit meuble et à clouer le tout en cachette, même de son père puisqu'il s'agirait d'un cadeau.

L'enfant mesura soigneusement les morceaux. Il les scia à l'égoïne, patiemment, se reprochant le moindre écart dans la ligne de coupe. Gervais résolut de l'aider sans amoindrir son mérite. Il apporta discrètement les morceaux chez lui, un soir, et refit les coupes, les ajusta les unes aux autres. Le lendemain matin, Victor, qui arrivait le premier à la scierie, chercha ses matériaux avec anxiété. Leur disparition le perturba toute la journée et il ne comprit rien à l'école. Dès son retour à la scierie, il les aperçut, étonné, derrière la fournaise. Gervais lui glissa discrètement un mensonge:

— Tu les avais laissés traîner; j'ai pensé que t'aimais mieux que je les cache.

Victor lui lança un regard reconnaissant accompagné d'un tel sourire que Gervais eut mauvaise conscience de lui avoir causé tant d'inquiétude, même pour une bonne cause. En revanche, il lui montra à clouer droit et à retirer les clous mal enfoncés.

Charles avait donné un certain montant d'argent à Imelda pour les cadeaux des enfants et il avait demandé à Émérentienne, au magasin général, de choisir un cadeau pour sa femme.

— C'est pas nécessaire de m'acheter quelque chose avec mon argent, avait-il dit à Imelda. À l'âge que j'ai, les cadeaux, c'est pas important.

«Ça veut dire que ça devrait pas l'être pour moi non plus? s'était-elle demandé. Moi je pense qu'on est jamais trop vieux pour savoir que quelqu'un pense à nous autres.» Elle s'était chassé cette déception du cœur et avait décidé de faire à son idée.

D'une semaine à l'autre, Imelda se sentait de plus en plus la maîtresse de cette maison et s'acquittait de ses tâches avec dextérité, comme elle le faisait autrefois chez son père. Elle n'avait guère le loisir de rêvasser longtemps: les querelles des enfants ou leurs fous rires, les repas, les vêtements à laver, la maison à entretenir, la maisonnée à organiser, tout cela mobilisait entièrement son cœur et son corps.

Au lit, elle s'attendait d'une fois à l'autre à ressentir quelque chose elle aussi, mais elle avait l'impression que son mari se ruait sur elle sans ménagement dans l'obscurité de la chambre, son attitude contrastant singulièrement avec son éloignement prude devant les enfants. Heureusement, son devoir conjugal ne lui était pas demandé chaque soir. «Il a été veuf longtemps; ça va lui passer», espéra-t-elle.

De son côté, Charles était heureux d'avoir dans sa maison une épouse qui lui préparait des repas solides de femme habituée à nourrir une famille. Il admirait aussi, sans en faire d'éclat, le doigté avec lequel elle avait pris la maisonnée en main, organisant avec efficacité le déroulement du quotidien. Dans l'intimité de leur chambre, il s'attendait d'une fois à l'autre à être accueilli et caressé, mais l'acceptation soumise dont il était l'objet suscitait chez lui une hâte d'en finir qui brusquait le coït, forçait sa femme non préparée et éloignait celle-ci davantage du plaisir à venir. Il ne venait pas à l'esprit de l'homme de ralentir ses ébats ni même de les distancer et encore moins de s'en abstenir; il en avait été privé trop longtemps. Maintenant, il était marié; il y avait droit. Croyant la situation temporaire, il se résignait à jouir seul et s'endormait rapidement, une fois son sexe retiré de celui de sa femme. Et surtout il se refusait, désormais, malgré sa solitude dans le plaisir, de comparer Imelda avec Mathilde ou avec Germaine Vanasse.

À quelque temps de là, un matin, Imelda se leva brusquement et vomit dans le vase à eau. Charles reconnut ces symptômes qui se répétaient pour la troisième fois. Elle tremblait de tout son corps, désemparée. «J'ai jamais été malade de ma vie; qu'est-ce que j'ai, donc? Il va penser que je suis pas en santé, que...» Elle vomit de nouveau puis s'assit sur le bord du lit, face au mur, pour cacher son malaise, honteuse de ses faiblesses devant cet homme qui la regardait sans en avoir l'air, se sentant rabaissée par ces nausées inexplicables.

— Je... je sais pas ce que j'ai, balbutia-t-elle.

Son mari la regarda, fronçant les sourcils devant tant de désarroi.

— Si c'est ce que je pense...

Il se tut brusquement et serra les dents, ravalant le «t'en mourras pas» qu'il allait dire sans réfléchir.

— Si c'est ce que je pense, se reprit-il, c'est ben normal. On ira voir le docteur cette semaine.

Elle le regarda, incrédule. Elle se croyait en train de mourir et il la regardait sans la moindre compassion, quasiment déçu. «Déçu que je sois pas forte?» pensa-t-elle. Charles se soulagea dans le pot de chambre et s'habilla.

— Les maladies de femme, ça commence de même, dit-il simplement. Mais ça se replace après quelques mois. Si c'est ça, ben sûr...

Imelda, épuisée, dut s'allonger quelques instants pour ne pas s'évanouir tellement ses forces l'abandonnaient. Ce ne fut qu'au bout d'un moment qu'elle comprit ce qu'il avait dit. «Des maladies de femme?

Moi?» Elle en ressentit un tel choc qu'elle resta quelques instants immobile. «J'aurais commencé à...» Elle effleura son ventre plat de ses mains tremblantes. Des larmes émues brouillèrent son regard. Elle chercha l'appui de son mari, ou son approbation, ou une complicité, peut-être. Mais il finissait de s'habiller en silence, dos à elle. Elle comprit que cette grande joie, si elle était réelle, elle ne pourrait la partager avec lui. «Je connais personne dans le village», réalisa-t-elle. Esseulée même dans sa grande joie, la future mère se tourna vers le mur et ferma les yeux.

Charles ne s'attendait pas à un autre enfant, comme si Imelda n'était là que pour ses trois enfants, et non pour en créer d'autres. «Reviens-en», se reprocha-t-il; t'as tout fait pour ça.» Un demi-sourire flotta sur ses lèvres et une fierté monta en lui, malgré lui. «Je suis capable d'en faire ben d'autres, à part ça.»

— Reste couchée un peu; ça va te passer. Je vais seulement me faire un thé avant d'aller au moulin avec Victor.

Il sortit sans rien ajouter, alla réveiller son aîné dans la chambre du fond et descendit à la cuisine sans attendre. Il n'aurait pas à redire à Victor de se lever; l'enfant était matinal et fiable. Ce matin, son père aurait presque souhaité qu'il se rendorme; il avait besoin de se retrouver seul pour réfléchir à son aise, ne fût-ce que quelques minutes. Pour lui, ce serait quand même un quatrième enfant; l'effet de nouveauté n'y était plus. Pour Imelda, qui, il y avait six mois à peine, se voyait célibataire pour le reste de ses jours, c'était beaucoup de changements en deux petites saisons. Se faire remarquer par un homme, l'épouser, devenir enceinte, tout cela constituait un grand bouleversement psychologique et physique. Une autre nausée la secoua et elle se précipita vers le vase.

Charles étonna son fils une fois de plus en faisant lui-même son thé. Mais il eut du mal, cette fois: les aliments et la vaisselle n'étaient plus rangés aux mêmes endroits. «Ouais, les affaires ont changé», comprit-il, et il fut rassuré de se retrouver rapidement à la scierie, sécurisé par l'ordre qu'il y avait établi lui-même et auquel personne ne dérogeait.

Il se surprit à examiner son univers de travail avec un regard différent. Cette scierie, il avait de plus en plus l'impression d'en assumer la gestion tout seul. «Le père Vanasse en reperd pas mal depuis l'année passée.» Au fond de lui, il s'était toujours considéré comme le seul patron, et son associé le lui avait rappelé dès le début, en 1897, en insistant fréquemment sur le possessif: «notre» moulin à scie. «C'est sûr que j'aurais pas pu partir mon affaire tout seul, mais à c't'heure, c'est peut-être plus pareil.»

Cette quatrième paternité accentua son sens des responsabilités. Si sa famille augmentait, il se devait d'assurer la subsistance de chacun de ses membres; donc, il lui fallait gagner davantage. Victor crut que l'air soucieux de son père et son soupir de lassitude lui étaient adressés. L'enfant, qui pourtant s'acquittait avec cœur de son travail, en conclut que ce n'était pas assez. Il en fut peiné et essaya de faire mieux, quand il donnait déjà plus que sa mesure d'enfant de neuf ans.

Le père scruta la bâtisse, les billots, les planches, et il se sentit vieux tout à coup, ce qui le secoua. «Vieux? J'ai juste... juste trente-trois ans!» Il réalisa qu'il avait hésité à propos de son âge. «Non, je suis pas vieux, c'est seulement...» Sa main glissa machinalement sur une planche et ses doigts reconnurent les fibres serrées du merisier. «Ouais, c'est comme ça que je me sens: plein!» Plein comme une planche de bois franc aux fibres serrées et dures. Il se redressa, se sentant lui aussi dur et fort, capable de résister à tout, comme si rien désormais ne pouvait plus jamais l'anéantir puisqu'il avait subi le pire. L'image de son père Anselme s'infiltra dans son esprit, et le fils le revit, un peu courbé, hargneux ou renfrogné. Charles se redressa le dos encore plus, releva la tête plus fièrement. «Ouais, son père, ma job d'homme, c'est celle que j'ai choisie. Puis ça fait mon affaire; ben plus que je l'aurais imaginé dans le temps», admit-il malgré lui.

Quand il revint à la scierie après être allé déjeuner et qu'il vit arriver Anthime Vanasse, l'image de son père le hanta de nouveau et il en ressentit un remords diffus. «Je vous en veux plus, le père; même que...» Il n'osa formuler qu'il en avait presque pitié. «La vie a peut-être pas été facile pour lui non plus. La terre de roches, j'en ai pas voulu, mais lui, il en voulait peut-être pas plus que moi.» L'image de sa mère s'imposa à son tour, froide et distante, et il imagina concrètement, pour la première fois de sa vie, son père cherchant en vain sur sa femme un plaisir partagé. Et il se vit lui-même se satisfaire avec Imelda, avec son corps inerte. Ses traits se durcirent et il se remit à la tâche, presque avec rage. «Mais moi, c'est pas pareil. Ce sera pas pareil! Je suis capable d'être ragoûtant pour une femme; elles pourraient le dire, toutes les deux.» Toutes les deux — les absentes. Mais pour la femme présente, il ne savait dans combien de temps cela se produirait. La grossesse possible d'Imelda grugea son optimisme. «Maudit! Arrangée de même en plus...»

Un cri déchira l'espace. Charles se précipita vers les hommes qui travaillaient à la grande scie. Il vit un de ses employés, Couture, s'en écarter en titubant, du sang giclant de sa main droite qu'il soutenait de la gauche. Hébété, Vanasse était incapable de réagir. Gervais ferma vivement les valves qui amenaient la pression à la scie, laquelle râla encore un temps avant de se taire pendant que les hommes entouraient l'accidenté, aussi impuissants que lui. Couture, muet sous le choc, regardait sa main saigner. Charles eut un haut-le-cœur, mais c'était lui le patron, il lui fallait agir. Il entoura de son mouchoir propre la main blessée, la serrant le plus qu'il pouvait. Le tissu s'imbiba instantanément de sang et dégoutta. Il saisit alors un chiffon qui traînait et enserra encore plus fortement la main, traînant l'homme avec lui.

— On va chez le docteur. Continuez vos affaires, vous autres.

Le vieux Vanasse était trop secoué pour faire exécuter les ordres. L'un des employés eut la présence d'esprit d'aller chercher de l'eau qu'il lança sur la scie pour la nettoyer du sang humain, et trois doigts blancs se détachèrent du liquide rouge. Les hommes, pourtant forts et solides, se détournèrent. Le bran de scie absorba le sang et l'eau. L'un des hommes fit redémarrer la scie. Charles avait eu le temps de voir Vanasse blêmir et il lui cracha sourdement à voix basse, en passant près de lui:

— Un boss, ça chambranle pas devant ses hommes.

Il attela le cheval de promenade avec une telle hâte qu'il lui coinça l'oreille gauche sous la bride et l'animal renâcla de douleur. L'homme s'irrita, ajusta la courroie au-dessus de l'oreille, et la bête mâchouilla le mors brusquement poussé dans sa gueule, faisant sourdre une coulée de bave. Couture, qui ne pouvait s'aider de sa main droite et dont les jambes le soutenaient à peine, ne parvenait pas à se hisser dans la voiture; Charles l'y poussa quasiment, nerveux lui aussi.

— Hue! cria-t-il en faisant claquer les rênes sur le dos du cheval qui partit en trombe sous la douleur.

L'air frais de décembre aida l'estropié à retrouver un peu ses esprits. Ils se rendirent en vain au bureau du médecin; celui-ci avait été appelé pour un accouchement. Charles s'énerva et exigea de savoir où le médecin se trouvait exactement. Il s'y rendit en vitesse, effrayé par le sang qui continuait à couler et par la pâleur croissante de son engagé. Quand ils furent entrés dans la maison, le docteur Gaudreau ne put que poser un garrot temporaire avant de retourner aider l'enfant qui se décidait à naître. La mère expulsa son sixième enfant, qui poussa son premier cri; il y eut un choc lourd dans la cuisine: le blessé venait de tourner de l'œil.

Un peu plus tard, Charles soutint le malade pendant que le médecin défaisait le bandage hâtif: trois doigts avaient effectivement été sciés. Albert Gaudreau secoua la tête, étancha le sang, enroula un pansement en moins de deux, donna une piqûre au malade.

— Venez vous-en à mon bureau; j'ai pas ce qu'il faut, ici, pour finir le bandage à mon goût.

Couture n'avait même pas osé regarder.

— Je vas pas rester infirme, docteur?

Le patron et le médecin, qui se connaissaient depuis l'incident du cheval emballé, en janvier 1894, échangèrent un bref regard de pitié.

— T'as assez de morceaux pour te débrouiller, Couture. T'es chanceux, malgré tout. Débrouillard comme t'es, tu vas impressionner le monde dans pas grand temps.

L'homme se releva, honteux de sa faiblesse devant son patron.

— Je vas pouvoir travailler? quémanda-t-il autant au médecin qu'au patron.

Charles ressentit encore plus le poids de ses responsabilités.

— Un bon travaillant comme toi, ça se trouve pas au coin des rues. Mais pour aujourd'hui, on va laisser faire.

Dans la chambre des parents, le nouveau-né pleurait, s'agitait. Couture, les larmes aux yeux, demanda la faveur de le voir. Le médecin, intrigué, le lui apporta une fois lavé et emmailloté. De sa main valide, large et poilue, l'homme saisit maladroitement les doigts minuscules qui s'agitaient, se pliaient et se dépliaient, déjà vigoureux. Une larme d'homme tomba sur la menotte.

— Prenez-en bien soin, murmura-t-il d'une voix étouffée.

Charles rentra dîner au début de l'après-midi. Imelda avait été informée de l'accident par Vanasse et elle avait gardé le repas de son mari au chaud. Les garçons étaient repartis pour l'école, Marie-Louise faisait une sieste. Imelda, seule à table avec son mari pour la première fois depuis la formation de leur famille, cherchait des paroles de réconfort. Elle choisit plutôt de le laisser parler. Il avala d'abord sa soupe puis il raconta enfin l'accident, sommairement, exprimant aussi son inquiétude au sujet de son employé.

— Je sais pas comment il va pouvoir travailler comme du monde avec trois doigts en moins.

Elle frissonna, mais se préoccupa davantage du travailleur que du travail.

— Il y a peut-être bien des petites jobs qu'il pourrait faire, suggéra-t-elle.

Il fronça les sourcils en repoussant son assiette vide.

— T'imagines-tu que je paye mes hommes pour des jobines?

La femme se reprocha son intervention. Que connaissait-elle à un commerce et à des employés, sinon de se sentir du côté de ceux qui exécutent des ordres sans rien décider?

— Ça dépend aussi de ce que M. Vanasse va dire.

— Vanasse? s'irrita son mari. Qu'est-ce qu'il vient faire là-dedans?

Imelda le regarda avec étonnement.

— C'est ton associé.

— Associé? Un associé, ça doit prendre sa part du trouble. Lui, un peu plus puis il tournait de l'œil, à matin.

Imelda ne vit que la colère de Charles, n'entendit que ses mots de hargne lui tomber dessus injustement. Elle lui servit son assiette et retourna finir de laver la vaisselle. «Ici, personne viendra me rabrouer.» Charles regretta son esseulement. Il aurait aimé parler un peu plus pour s'éclaircir les idées. C'était le premier accident à survenir à la scierie. Il ne lui était jamais venu à l'esprit qu'il s'en produirait. Des pensées d'insécurité accaparèrent son esprit. Tout à coup, il eut peur de perdre tout ce qu'il avait si durement gagné, billot par billot, heure par heure. Il leva les yeux vers la femme qui travaillait près de l'évier, à l'autre bout de la cuisine, et lui tournait le dos. Il ne sut comment réclamer sa présence près de lui. Il passa lentement sa main dans sa tignasse où quelques fils d'argent luisaient. Il soupira puis termina son repas. Le dîner, appétissant et soutenant, l'avait revigoré. Il se redressa et repartit sans rien ajouter. Ni l'un ni l'autre n'avait reparlé du bébé à naître.

Imelda revint lentement vers la porte et regarda son mari s'éloigner de la maison; elle admira une fois de plus la démarche décidée de l'homme. Quand il n'était plus là, elle se sentait libre d'être secrètement fière de lui. Être aimée de cet homme lui conférait une importance qu'elle n'avait encore jamais connue.

Le prix à payer lui traversa l'esprit et son bas-ventre se crispa un bref moment, mais la femme rejeta ces pensées d'un mouvement de la main, comme pour replacer une mèche rebelle. «Les femmes mariées sont toutes comme moi, puis elles en meurent pas.» La pensée que cela avait pourtant été le cas de la première épouse de son mari la bouleversa et elle retourna résolument à sa tâche.

Marie-Louise se leva de bonne humeur après sa sieste et sa mère y trouva de la joie. Il n'y avait qu'avec elle que la femme se détendait vraiment dans sa nouvelle maison. L'enfant aussi s'habituait à son nouveau foyer, encore intimidée par son père mais de plus en plus affectueuse avec sa mère. Imelda pensa tout à coup que la petite n'en avait peut-être plus pour longtemps à être la benjamine choyée.

Charles était bien loin de ces pensées. Il en voulait rageusement à son associé d'avoir démontré si peu de sang-froid lors de l'accident. Et cela ravivait une ambition qui le tenaillait depuis le début de son association avec Anthime Vanasse: racheter les trente pour cent de celui-ci pour devenir seul et unique maître de ce qu'il avait toujours considéré comme «sa» scierie.

Vouloir racheter la part de Vanasse équivalait, pour Charles, à racheter sa liberté: sa liberté de décision et sa liberté d'exercer l'autorité. Il se dit que convaincre Anthime ne devrait pas être si malaisé. «C'est une question de bon sens.» Son associé avait près de soixante ans, il ne pouvait plus soulever de lourds billots, il n'avait pas suffisamment de réflexes pour réagir à la scie circulaire, avec laquelle il avait toujours refusé de travailler. «En plus de ça, il manque de faire la toile pour trois gouttes de sang.»

Ce dernier argument, il ne pourrait l'énoncer: l'accident avait littéralement rougi toute la scie. «N'empêche qu'il faut du nerf pour mener des hommes», reprocha-t-il. Les deux associés avaient d'ailleurs toujours différé sur cette question. La rigueur de Charles envers les employés avait suscité de nombreux mécontentements parmi ceux-ci et Vanasse avait dû dénouer des tensions à maintes reprises. Ignorant tout cela, le premier ne se gênait pas pour dire que son vieil associé manquait de fermeté et laissait tout faire.

— Je t'ai montré ton métier, Manseau, lui avait un jour crié Vanasse en colère. L'as-tu oublié? As-tu oublié aussi que t'étais ben d'équerre avec ma manière quand je passais par-dessus tes erreurs, dans le temps? Hein?

— Tout le monde en fait, des erreurs!

— Ben, nos hommes aussi, caoltar!

Tout à son monologue intérieur, Charles s'aperçut de l'absence de son associé à la fin de la journée de l'accident de Couture.

— Où il est? demanda-t-il avec irritation à Gervais.

— Il est parti tout à l'heure. Son cœur lui faisait des misères. Il est plus jeune jeune, le père Vanasse, l'excusa l'employé qui le respectait.

«Je le sais», ronchonna Charles qui en déduisit qu'il était peut-être temps de régler l'affaire.

Ce soir-là, après le souper, il décida de se rendre chez Anthime. C'était de l'autre côté du pont couvert et un peu trop loin pour y aller à pied. Son fils Victor sortit dans le froid glacial de la soirée de décembre; il attela le cheval à la voiture, soufflant régulièrement dans ses mains afin de leur conserver assez de souplesse pour installer la bride raidie sans malmener la tête sensible du cheval.

— Faut-tu que je l'attende pour dételer? demanda le garçon à sa mère.

— Je le sais pas, répondit-elle. Demande-lui.

— Il est déjà parti.

Imelda soupira. «Il s'imagine toujours qu'on est censé savoir ce qu'il veut.» Dans le doute, Victor fit ses leçons et ses devoirs, et il attendit le retour de son père même s'il tombait de sommeil après sa longue journée débutée à cinq heures.

Chez les Vanasse, la discussion s'amorça sur un ton inattendu. Hémérise leur servit du thé et son mari alla droit au but.

— Si t'étais pas venu, dit Anthime à son associé, je t'aurais fait venir. On n'est pas à l'aise, au moulin, pour parler d'affaires.

«Ici non plus», pensa Charles en voyant Hémérise s'asseoir dans la berçante. Elle déplia son tricot, compta les mailles du dernier rang, déroula quelques longueurs de sa balle de laine, et le cliquetis régulier des broches s'installa.

— L'accident de Couture, poursuivit Vanasse, j'ai pas aimé ça. J'ai pas aimé ça pantoute, si tu veux le savoir.

— C'est quand même pas de ma faute! se braqua l'autre.

— C'est sûr, mais c'est normal, à mon âge, de prendre ça mal. Puis si je prends ça mal, j'ai le droit de le montrer!

Venu en justicier, Charles ne s'attendait pas à se faire rabrouer comme un petit garçon et devant la femme de son associé en plus.

— Je l'ai toujours su que t'aimais pas ça m'avoir dans les jambes, poursuivit celui-ci.

— J'ai jamais dit ça!

— Tu l'as jamais dit, mais tu l'as toujours pensé. Mais si tu te rappelles bien, moi je te l'avais dit, dans le temps, que je trouvais rien à redire dans le fait que tu chercherais à tout bosser. Je le l'avais dit que tu le méritais, le moulin, t'en souviens-tu?

Hémérise toussota. Son mari, irrité, lui fit un signe impatient de la main.

— Je sais ce que je dis. Mes fils en voulaient pas, du moulin; on se fera pas d'accroires, personne.

Charles commençait à penser que son projet se réaliserait plus vite que prévu.

— Oui, ç'a toujours été clair, père Vanasse.

Anthime ferma alors les yeux quelques instants puis toisa ensuite son associé avec un regard si perçant que Charles ne put être sûr si c'était la haine ou la douleur qui y primait.

— Mais à c't'heure, mon coaltar de Manseau, j'ai un petit-fils de mon garçon le plus vieux. Tu t'en souviens de mon plus vieux, Armand?

Le cœur de Charles battit au ralenti durant quelques secondes.

— Mes gars en voulaient pas, du moulin, c'est vrai. Mais ce petit-là, c'est peut-être à lui que ma part devrait revenir, hein? Qu'est-ce que t'en penses?

Les pensées de Charles galopaient en tous sens. Il les ramena à la raison.

— Un enfant de... de quelques années... Y pensez-vous, père Vanasse? réussit-il à dire d'un ton presque sec.

— On sait jamais, insinua le vieux. Il a peut-être ça dans le sang, le moulin...

Charles refusa, une fois pour toutes, de se croire responsable de cette naissance. Il se leva brusquement.

— Vous jouez à quoi, père Vanasse?

Le vieux sentit que le coup avait porté; il descendit de ses ergots.

— Je veux juste te dire que c'est pas encore le temps pour moi de te laisser tout bosser. Puis que je veux plus me faire rabrouer devant les hommes, au moulin.

Les illusions de Charles s'envolèrent.

— Si on s'entend là-dessus, c'est bien correct de même, conclut Anthime. À c't'heure, si ça te dérange pas, je vas aller me coucher; la journée m'a fatigué sans bon sens.

Charles retourna chez lui lentement, en proie à des souvenirs de Germaine et à des inquiétudes quant à l'héritage de Vanasse. Il dételа lui-même, par habitude, s'étant débrouillé tout seul pendant tant d'années. Il prit le temps de brosser longuement le cheval, qui l'apprécia, réchauffé par le massage expérimenté de son maître et heureux de ce contact si rare avec lui depuis que les enfants étaient chargés de son entretien. Les pensées de l'homme étaient pourtant très éloignées de la bête fidèle. Il s'acquitta ensuite de sa tournée habituelle à la scierie et rentra enfin. Il aperçut Victor endormi sur sa page de lecture, à la grande table.

— Va donc te coucher, le réprimanda-t-il. On se lève de bonne heure, le matin.

L'enfant ensommeillé ne se fit pas prier, mais il jeta un regard déçu à son père. Imelda attendit que le garçon fût monté, puis elle expliqua discrètement:

— Il était resté pour dételer.

Le père se sentit fautif; il lui sembla que tout le monde n'avait que des reproches à lui adresser.

— Je lui avais rien demandé, trancha-t-il en montant se coucher à son tour.

Quelques semaines plus tard, la grossesse d'Imelda fut confirmée et, sans être déjà dans la maisonnée, l'enfant à venir fit dorénavant partie de la femme, de son corps et de ses pensées. Son corps servait aussi à son mari, que la grossesse de son épouse refroidit un certain temps mais qui, une fois la femme débarrassée des semaines de nausée, se sentit d'autant plus à l'aise de prendre son dû qu'il pouvait le faire sans craindre une conséquence puisque celle-ci était déjà là.

Quelques jours avant Noël, Imelda eut la surprise de voir débarquer son frère Damase et sa sœur Gertrude, qui vivaient à Montréal. Ils arrivaient chez leur aînée avec leurs bagages pour les fêtes, comme ils le faisaient auparavant chez leur père. Imelda ne sut que dire ni comment réagir, embarrassée par ce sans-gêne de sa famille dans la maison de son mari. Charles fronça les sourcils. «Si ces deux-là restaient trop loin pour venir à nos noces en septembre, ce doit être aussi loin aujourd'hui.»

— C'est fin de votre part d'être arrêtés en passant avant d'aller chez votre père, précisa-t-il clairement. Vous lui direz bien, demain, qu'on l'attend pour le jour de l'An, sans faute.

Imelda, humiliée par sa famille et par son mari, rougit. Sa sœur et son frère restèrent figés, comprenant que leur sœur aînée, désormais, n'était plus à leur service.

— On va faire la commission, dit sèchement Damase, mortifié.

— On... on était juste arrêtés en passant, renchérit la sœurette, mal à l'aise.

— Vous allez au moins rester à souper et à coucher, dit fermement Imelda en se pinçant les lèvres pour cacher son dépit devant l'affront fait à sa famille.

Pendant le repas, l'atmosphère se réchauffa autour de la cuisine odorante d'Imelda.

— Ouais, t'es ben installée, la grande sœur, jugea Damase en examinant le rez-de-chaussée.

— Elle le mérite! coupa Charles.

Les enfants firent diversion, curieux de ces nouveaux oncle et tante qui venaient de Montréal, cette grande ville que personne autour d'eux n'avait jamais vue.

— Même que, renchérit l'oncle Damase, on peut aller dans une salle, puis là, voir du monde sur le mur.

— C'est pas des vraies personnes, précisa Gertrude.

— Ben oui, voyons donc! C'est des vraies personnes qui jouent dans l'histoire, comme dans une pièce à l'école, sauf que... que....

Les mots lui manquaient.

— Ils sont là ou ils sont pas là? s'impatienta son beau-frère.

— Ils sont pas vraiment là, tempéra Gertrude. C'est comme des photos. Oui, c'est ça, poursuivit-elle, soulagée. C'est comme des photos, mais ça bouge. Ça s'appelle du cinéma.

Les enfants la dévoraient des yeux. Elle sourit de leur admiration évidente et ne put s'empêcher de s'étonner de les trouver gentils malgré un père aussi bougon. Le lendemain, quand ils arrivèrent chez leur père, les voyageurs firent la commission. Quand le cadet, descendu des chantiers, débarqua à son tour chez son père, il annonça qu'il reviendrait s'installer sur la ferme paternelle au printemps, s'étant trouvé une fiancée au village.

Se rengorgeant maintenant de pouvoir rejeter carrément l'offre de son nouveau gendre, Gratien Lachapelle accepta l'invitation et se rendit tout seul à Saint-François-de-Hovey la veille du jour de l'An, pour bien montrer à M. Manseau qu'il pouvait se débrouiller sans lui. Il avait ainsi laissé ses enfants venus le visiter. Imelda l'accueillit avec joie, mais fut vite déçue de retrouver son caractère aussi impossible qu'auparavant. Elle l'installa dans l'une des deux chambres du haut non encore occupées et laissa son mari lui faire la conversation, constatant à regret qu'ils avaient beaucoup de points communs.

Dans la nuit du 31 décembre, Imelda suspendit des bas de Noël au pied des lits des enfants. Elle avait trouvé de petits présents, non dispendieux, et y avait ajouté des pommes et des oranges. Elle avait rêvé tant de fois de causer cette surprise à des enfants qui seraient les siens.

Le matin du jour de l'An, quand les enfants eurent trouvé leurs étrennes et couru embrasser leur mère puis remercier poliment leur père, celui-ci remit une boîte à Imelda. Elle en sortit une jolie blouse à volants et sut instantanément que ce n'était pas le choix de son mari. Le vêtement était d'une couleur qu'il n'aimait pas, pêche, et la blouse ample conviendrait aussi pour les mois avancés de la grossesse. «Charles aurait pas pensé à ça.» Néanmoins, elle apprécia sincèrement le vêtement et fut reconnaissante à son mari de cette dépense pour elle.

Elle avait à peine eu le temps de le remercier que les enfants s'excitèrent, heureux de dévoiler enfin la surprise si longtemps cachée. Victor, radieux, rentra du hangar à bois en tenant fièrement un tabouret de soixante centimètres de hauteur, heureux comme s'il lui donnait tout un mobilier.

— C'est pour votre panier à linge, maman. Comme ça, vous aurez pas besoin de vous pencher à chaque morceau pour étendre.

Le cœur d'Imelda se serra. Le meuble malhabile avait été cloué trois fois plutôt qu'une, raboté de façon très inégale et frotté avec insistance pour donner un beau fini luisant au chêne.

— Un beau banc de même, Victor, j'en ai jamais eu dans ma vie, murmura-t-elle, la voix émue. C'est bien fin de ta part. Bien, bien fin, lui redit-elle.

Victor et elle se regardèrent et se réconfortèrent l'un de l'autre. L'enfant était payé de toutes ses peines et la femme était comblée de ce seul meuble pour toutes les années où elle avait tant espéré des enfants issus d'elle, autour d'elle. Charles fut jaloux de tant d'appréciation pour un meuble si imparfait. Il mit son irritation sur le fait que son fils s'était servi de matériaux sans le lui demander. Victor, tout fier de son cadeau, lui dit joyeusement:

— Je l'ai fait juste avec des bouts qui servaient pas, papa.

Le père choisit d'interpréter ces mots comme un blâme.

— Il y a jamais rien qui sert pas, dans mon moulin. Mais si ça fait plaisir à ta mère, c'est bien correct de même. En tout cas, c'est tout un chef-d'œuvre: il y a autant de clous là-dedans que pour toute une armoire.

Il se mit à rire, mais cela sonnait faux et il se rendit compte trop tard de tous les sous-entendus qui se cachaient dans sa phrase. Il raillait aussi parce qu'il ne s'attendait pas, devant la joie des autres à découvrir leur cadeau, à se sentir abandonné parce qu'il était le seul à ne pas avoir reçu d'étrennes.

— En tout cas, ta mère est bien chanceuse: elle a eu deux cadeaux, elle.

Imelda fit signe à Marie-Louise. La petite, toute à sa joie de serrer sa première poupée contre son cœur, en avait oublié la consigne. Elle courut chercher un paquet et l'apporta à son père.

— Ça doit être froid au moulin, dit Imelda gentiment.

Pris de court, il déballa des chaussettes de bonne laine, aux rangs serrés pour garder le plus de chaleur possible. «Comment elle peut savoir ça que je gèle des pieds plus qu'ailleurs?» Plus ému qu'il ne s'y attendait de recevoir un cadeau, il craignit de paraître puéril aux yeux de sa famille et ne dit rien, ne trouvant aucun mot adéquat. Imelda attendit quelques instants, puis elle se détourna, déçue. Elle regarda son père, qui ne semblait pas apprécier davantage la paire de mitaines épaisses qu'elle lui avait aussi tricotées, sachant par expérience qu'il en usait une paire par hiver et que, cet automne, personne ne lui en avait confectionné.

À l'heure du dîner, Imelda sortit pour la première fois de son trousseau une immense nappe brodée, qu'elle conservait pour les grandes circonstances. Le chef de famille, heureux, promena son regard sur la table de fête. Décidément, Imelda Lachapelle était très habile de ses mains et elle savait prendre soin d'une famille nombreuse. Il la regarda et lui sourit. Il avait bien choisi. Dans son contentement et dans son soulagement d'apprendre que son beau-père ne viendrait pas vivre avec eux, il se laissa même aller à vanter les talents de cuisinière de son épouse. «À moi, il dit jamais rien», constata-t-elle, déçue.

— Une fille bien vaillante que vous avez là, monsieur Lachapelle! ajouta-t-il.

— M'est avis que vous devez pas vous en priver non plus, lui répondit le vieux, presque arrogant maintenant qu'une bru allait prendre soin de lui l'hiver prochain.

— Vous en auriez pas fait autant? répliqua le gendre, d'un ton gaillard.

— En tout cas, elle manque de rien d'après ce que je peux voir, dit le beau-père en jetant les yeux autour de lui.

La vie continua. Monsieur et Mme Charles Manseau furent rapidement considérés comme un couple où tout allait bien; la preuve: un premier enfant allait couronner leur union et sceller cette nouvelle famille.

CHAPITRE 7

De RETOUR de la grand-messe en ce dimanche midi de juillet, Charles rentrait après avoir dételé le cheval. Le pied sur la première marche du perron, il se retourna en entendant les pas d'un cheval et le crissement des roues d'une voiture sur le chemin de terre. En plissant les yeux sous le soleil, il distingua deux couples dans la voiture d'été. Il reconnut son frère Philippe et s'en réjouit, content aussi de constater que Louise, le visage caché par une voilette, prenait du mieux et pouvait même voyager. Il marcha vers eux, par la gauche, pour accueillir son frère et retint le cheval par la bride quand celui-ci s'arrêta dans la cour. Le regard de Charles croisa alors celui du deuxième visiteur, assis sur le siège arrière, et il l'identifia instantanément, par-delà les années et l'embonpoint naissant.

— Octave! s'exclama-t-il, stupéfait. C'est bien toi, ça?

L'autre éclata de rire, dissipant le dernier doute de son cousin.

— En personne, mon Charles! Direct des États!

Ils s'esclaffèrent, heureux de ces retrouvailles après une quinzaine d'années, mais la pudeur les empêcha de s'étreindre. Ils se donnèrent une solide poignée de main et ne purent retenir une ou deux vigoureuses tapes dans le dos.

Pendant ce temps, Philippe avait mis pied à terre et, ayant contourné la voiture, il tendait la main à la femme qui l'accompagnait pour l'aider à descendre. Charles était perplexe; Philippe manquait de naturel et cette femme, aux gestes vifs sinon brusques, ne pouvait certainement pas être Louise, sa belle-sœur si pondérée.

Dès qu'elle eut mis pied à terre à son tour, la visiteuse enleva prestement son long cache-poussière beige et le secoua loin d'elle, obligeant Charles, venu à sa rencontre, à reculer. Elle replia ensuite le manteau à l'envers pour y emprisonner le reste de poussière des chemins. Elle releva alors fièrement la tête et Charles, incrédule, la reconnut enfin sous la voilette de son large chapeau de paille blanc. Sa surprise fut telle qu'il en resta muet d'étonnement.

— *My God!* s'écria la femme en lissant sa longue jupe, je suis pas un *ghost!*

Charles fronça les sourcils, décontenancé. C'était bien sa sœur Hélène, mais s'exprimant avec des mots qui lui échappaient et un accent qui créa instantanément une distance encore plus grande que les années d'absence. En route, elle s'était réjouie à l'idée de surprendre son frère aîné, mais elle ne savait plus maintenant comment interpréter ce silence prolongé. Philippe soupira: son frère n'avait jamais aimé les surprises; Hélène aurait dû s'en rappeler. La visiteuse préféra croire que c'était son terme anglais qui avait confondu son frère.

— Je suis pas un... fantôme, se reprit-elle. Reviens-en!

Charles sourit malgré lui; sa sœur était toujours aussi primesautière.

184

— Habillée en blanc de même, dit-il enfin, ç'aurait pu être vrai.

Le frère et la sœur, qui ne s'étaient pas revus depuis le départ du premier de la ferme paternelle, se toisaient à seize ans de distance. Ils s'examinaient et les regards se raccrochèrent d'abord aux vêtements, ces premiers révélateurs de l'individu. Hélène portait bien ses trente ans. Elle était décidément la plus grande de la famille et Charles regretta encore une fois de ne pas avoir trente centimètres de plus. Elle portait toujours les cheveux très longs, mais ce n'étaient plus les longues nattes de l'adolescente d'autrefois. La femme d'aujourd'hui les avaient habilement ramenés en un chignon assez lâche, porté presque sur le dessus de la tête, laissant flotter une auréole savamment ondulée de cheveux épais, d'un brun chaud. Elle portait une robe blanche légère ajustée au corsage et à la taille; la jupe de plusieurs lés s'évasait si largement qu'il faillit lui demander si elle s'en allait danser.

À son tour, Hélène examina son frère. Son habit du dimanche était «*not too bad*», admit-elle, mais «*too fitted*». La tignasse était presque aussi fournie qu'autrefois mais déjà des fils blancs argentaient les tempes. Une montre avec une chaîne en argent parait le gilet d'une coquetterie et d'un désir de montrer l'aisance de son propriétaire. Le faux col empesé aux bouts arrondis était néanmoins détaché sous le nœud papillon. Son frère n'avait pas changé: il n'avait jamais supporté d'être coincé, de quelque manière que ce fût.

Octave était descendu de voiture à son tour et avait fait descendre une femme, une jolie brunette de dix ans plus jeune que lui.

— Ma femme Octavie. Octavia, comme on dit aux États, ajouta-t-il, faussement pédant. Octave et Octavia! s'exclama-t-il en éclatant de rire. C'est le destin, mon Charles! Le destin m'attendait aux États, je l'ai toujours dit. T'en souviens-tu?

De la cuisine, Imelda avait suivi l'arrivée des visiteurs dont trois la laissaient perplexe. Elle mit la dernière main au repas le plus important de la semaine et dépêcha Marie-Louise aux nouvelles. La petite, rongée par la curiosité, ne se fit pas prier et sortit sur-le-champ. Une fois dehors, elle fut si intimidée que, par comparaison, son père lui parut rassurant. Elle se cacha à demi derrière les grandes jambes de celui-ci.

Hélène baissa les yeux vers elle et scruta la robe à carreaux bleus et beiges, l'énorme boucle de même tissu dans les cheveux abondants de l'enfant. «Une Manseau, certain!» se dit-elle, heureuse de cette ressemblance évidente. Philippe s'impatienta. Comme autrefois, les relations tendues entre ses aînés Charles et Hélène le mettaient mal à l'aise.

— Bon, ben, je laisse mon cheval ici ou je le rentre dans la maison? demanda-t-il.

Victor se précipita.

— Je vais y aller avec vous, mon oncle.

— Ah ben! il y en a au moins un de vivant ici! se réjouit-il. Viens-t'en, mon bonhomme. À deux, ça va aller plus vite. Tu vas me dire si t'as déjà vu un cheval manger aussi vite que le mien.

L'enfant, conquis à chacune de ses rares visites par cet oncle rieur et conteur, s'empara de la bride qui pendait de la tête du cheval docile. Le père l'arrêta de son ton autoritaire pour masquer son émotion.

— Victor, conduis-toi comme du monde. Viens saluer ta tante Hélène. C'est elle qui reste aux États.

Le garçon s'approcha timidement et leva vers sa tante un regard encore plus incisif que celui de son père. Hélène en fut frappée et ne put s'empêcher de relever les yeux vers Charles, constatant presque à regret ce trait héréditaire tourmenté.

— *Hello, my boy!* Tu ressembles à ton *dad* ben gros.

Un sourire ambigu flotta sur le visage de l'enfant, qui n'avait pas compris tous les mots.

— Lui, c'est mon cousin Octave, dit son père en donnant une deuxième bourrade au visiteur. Et la dame, c'est... c'est...

— Octavia, claironna celle-ci, coquette et sûre d'elle.

Victor les salua d'un coup de tête nerveux et, ne sachant plus que faire ensuite, si peu habitué à des visiteurs, se dépêcha de rejoindre son oncle qui s'acheminait déjà vers l'écurie du cheval de promenade. Le cadet s'approcha à son tour, attendant d'être présenté.

— Henri, dit son père en mettant sa main large et forte sur la crinière noire et frisée du cadet.

— Ah ben! s'exclama Hélène, n'y décelant rien des Manseau. Celui-là, il doit ressembler à sa mère, *for sure*.

— À son grand-père Gingras, rectifia sèchement son frère. Sa mère était blonde.

Sa voix avait chevroté et il enchaîna tout de suite, pour estomper l'émotion:

— C'est vrai que tu l'as jamais vue. T'étais pas venue à nos noces.

La vieille rancune refaisait surface. La petite Marie-Louise, lasse d'être à demi cachée parce qu'elle ne voyait pas bien la dame, sortit de l'ombre de son père, se dandinant dans ses petits souliers propres.

— Marie-Louise, dit Charles. La dernière.

Imelda sortit à cet instant, s'essuyant les mains à un grand tablier enfilé sur sa robe du dimanche. Sa grossesse achevait. Alourdie, le visage étiré de fatigue, elle se sentait tellement défavorisée par rapport à cette belle-sœur de son âge, et à l'autre, la jolie inconnue à la taille fine. À cause de son ventre proéminent, elle aurait préféré retarder le plus possible les présentations, mais elle refusait de se cloîtrer au fond de sa propre cuisine, surtout avec la chaleur qu'il faisait. Elle s'attendait à un regard prude ou fuyant, comme beaucoup de gens en gratifiaient les femmes dans cet état. Mais les yeux arrondis des visiteuses distillèrent une telle pitié, voisine du mépris, que l'estomac d'Imelda se noua. Charles eut un moment de silence qui la blessa encore plus. Elle se pinça les lèvres et lui lança un regard de reproche, humiliée de son corps, de sa robe terne, de ses cheveux sans éclat depuis quelque temps.

— C'est Imelda, fit sobrement Charles.

Hélène rompit la glace et s'adressa à sa belle-sœur:

— C'est ben du courage de reprendre une maisonnée. Puis d'en commencer une autre. J'espère que mon *brother* te cause pas trop de troubles.

Elle se tourna légèrement et le large rebord de son chapeau déroba son regard à ses hôtes.

— Louise est pas avec vous autres? demanda Imelda en se redressant fièrement malgré sa sensibilité blessée.

— *No.* Pas malade, *but* pas forte non plus. Ouais, c'est long, le voyage de la ferme jusqu'ici, soupira Hélène.

— Rentrez donc manger avec nous autres, l'invita Imelda malgré sa grande lassitude depuis la veille. Vous devez avoir faim sans bon sens.

— Surtout soif, dit Hélène. La poussière, c'est ben achalant. Aux *States*...

Elle entra à la suite d'Imelda et lui glissa à voix basse.

— C'est pour ben vite?

— Ces jours-ci, a dit le docteur, répondit Imelda avec appréhension.

Et elle alla lentement lui chercher un verre d'eau.

En effet, Louise n'était pas en condition de les accompagner. Elle n'arrivait pas à se relever de la naissance de son deuxième fils, Edmond.

— Vas-y avec ta sœur, avait-elle insisté auprès de Philippe. Ça va te faire du bien de voir du monde.

«Et ça va me reposer de la voir partir une journée», aurait-elle pu compléter, lassée de tout, et encore plus de la visite inopinée et dérangeante de sa belle-sœur et de ses regards impénétrables. Heureusement, les trois autres visiteurs, incluant le jeune fils d'Octave, logeaient chez le frère aîné de ce dernier.

Philippe avait regardé ses yeux trop brillants et avait caressé ses cheveux blonds qui n'avaient plus le lustre d'autrefois. Autrefois: cinq ou six ans à peine. Philippe avait le cœur gelé depuis la naissance d'Edmond: il savait que ce n'était plus qu'une question de temps et que Louise ne vaincrait pas la grande fatigue qui la minait depuis la naissance de leur premier enfant. Maintenant, il savait qu'elle savait. Dans un sens, c'était pire qu'avant; ils s'étaient retranchés tous deux derrière un mur: un mur de peine pour l'un et un mur de peur pour l'autre.

«Vas-y, ça va te faire du bien», avait-elle insisté. Philippe n'en était pas si sûr, maintenant. L'accueil de Charles avait été correct, mais semblait un peu forcé; il connaissait trop son frère pour ne pas déceler la bravade dans le ton de sa voix, ce qui avait toujours été un signe de malaise chez lui.

Malgré sa condition, Imelda reçut les visiteurs de son mieux, même si la bonne nourriture n'eut pas l'air de plaire à sa belle-sœur. Après le copieux dîner, ils sortirent dans la cour les fauteuils en osier du salon qu'Imelda avait choisis, comme Charles le lui avait demandé lors de son arrivée chez lui. Ils s'installèrent sous un petit érable en face de la maison, loin de l'écurie et de ses odeurs, et du potager situé en plein soleil. L'automne précédent, Imelda avait demandé qu'un feuillu soit planté dans la cour.

— Ça va être bon, de la fraîche, l'été prochain, avait-elle dit, s'ennuyant du grand érable qui, à la ferme de son père, ombrageait la maison.

Charles n'en voyait pas la nécessité, n'ayant jamais pris le temps de s'asseoir dehors, même sur la galerie. Il n'avait cependant pas voulu lui refuser ce plaisir; ne voulant prendre le temps de le planter lui-même, il avait ordonné à Victor d'accéder à la demande de sa mère. L'enfant l'avait trouvée pointilleuse; elle avait pris deux heures à le choisir dans le boisé près du village.

— On le veut pour de l'ombre, Victor. Faut regarder la forme des branches comme il faut si on veut s'abriter dessous.

Aujourd'hui, l'enfant et le père avaient oublié que c'était Imelda qui avait généré cette ombre bienveillante; ils se réjouissaient simplement d'avoir planté «leur» arbre. Les trois enfants, fascinés par ces trois inconnus et surtout par leurs mots étrangers, jouaient discrètement tout près, avec leurs balles et leurs cerceaux, mais ne voulaient surtout rien perdre de la conversation inhabituelle.

Malgré sa place à l'ombre, que les autres lui avaient laissée, Imelda semblait beaucoup souffrir de la chaleur. Hélène ne ressentait aucune sympathie pour sa belle-sœur, mais souffrait malgré elle, dans sa chair de femme, par une compassion dont elle essayait de se défendre. Par ailleurs, comme autrefois, le frère et la sœur trouvaient difficilement un terrain paisible de conversation.

— *Well!* dit Hélène en s'épongeant le front. Il manque juste la petite puis on serait au complet.

Charles sourcilla.

— T'en perds des bouts. La petite, comme tu dis, a déjà deux enfants, précisa-t-il d'un ton mi-aigre.

«Comme s'il y avait juste ça à faire dans la vie, des enfants!» ronchonna-t-elle intérieurement.

— Elle écrit souvent aux Gingras, poursuivit Charles. Ça va bien pour eux autres, au Manitoba. Ils se sont installés au sud de quoi, donc, Imelda?

— De Saint-Boniface, précisa celle-ci. Dans la vallée de la rivière Rouge, à ce que Mélanie a écrit.

— Damien a une boutique de forge à lui, continua Charles. C'est quelque chose d'être son patron, à son âge.

— Tu l'as été ben plus jeune que lui, s'amusa Philippe.

Octave renchérit:

— T'avais toujours dit que tu serais ton boss; tu l'as fait.

— Puis toi, t'avais toujours dit que tu voulais avoir du temps pour...

Charles se tut, coquin. Il allait dire: «pour courir les filles». Octave éclata de rire.

— Pour courir les filles! J'ai pas changé: je l'ai fait. Mais j'ai eu raison: j'ai trouvé la plus belle!

Il embrassa Octavia sur la joue, mais celle-ci ne trouvait pas la réplique amusante et elle se raidit un peu sous le baiser. Philippe et Charles échangèrent un bref regard entendu.

— Comme ça, dit Philippe, tout est ben correct. On a tous la vie qu'on voulait. Moi, je suis installé sur la terre; elle est pas la meilleure du canton, mais elle fait mon affaire.

Octave cessa de rire.

— Penses-tu que j'aurais pas aimé la terre, moi aussi? Mais elle était à qui, tu penses? À mon frère le plus vieux. Comme notre grand-père Manseau l'a donné à son plus vieux, Louis-Philippe, mon père. Votre père Anselme l'aurait fait fructifier aussi bien que mon père, la grosse ferme des Manseau. Mais votre père, c'était pas le plus vieux. Nous autres, les plus jeunes, il nous reste quoi, hein?

— Ça fait des générations que c'est de même, essaya de tempérer Philippe.

— Justement! C'est pour ça qu'il y a plus de terres, non plus.

— De toute façon, ça produit plus comme avant, assura Charles. J'ai eu un client, l'autre jour, qui me disait que, depuis trois générations, sa terre produit quasiment rien que la moitié d'avant. Pourtant, ils cultivent toujours les mêmes affaires, aux mêmes places.

— C'est pour ça qu'on a été obligés de s'en aller, dit Octave, d'un ton très différent de celui qu'il avait depuis son arrivée. On n'a droit à rien, puis la terre produit de moins en moins. Qu'est-ce que tu voulais qu'on fasse? On n'avait pas le choix. Pas plus que tous les autres immigrés qui travaillent avec nous autres, hein, Octavia? Ça vient de partout dans le monde pour travailler en Nouvelle-Angleterre.

Octavia se sentit enfin mêlée à la conversation et en profita.

— Il y a des femmes, avec moi, que je peux pas comprendre en rien. Elles parlent ni français ni anglais.

— Elles viennent d'où? demanda Philippe avec curiosité.

192

— Des vieux pays. Il y en a qui disent qu'elles viennent des pays des *gypsies*. On n'est pas les seuls à s'être installés aux États. Le curé disait en chaire...

— Vous avez des curés? l'interrompit Imelda.

— Des curés? renchérit Octave. Ben certain! On a nos paroisses, nos *stores*, nos docteurs, nos dentistes, nos œuvres de charité, même.

— Puis notre fanfare, puis notre journal.

Ils étaient fiers et ne s'en cachaient pas.

— Ouais, marmonna Charles. Aussi bien dire: un autre pays.

Les trois visiteurs se mirent à rire.

— Tu comprends vite, précisa Octave. Ça s'appelle le Petit Canada! On reste entre nous autres, les Canadiens français. On parle jamais anglais.

Sa cousine Hélène se sentit visée.

— Mais moi, je travaille à la journée longue *for my English bosses*. C'est dur de pas finir par parler comme eux autres, *sometimes*.

Philippe sentit le malaise et relança la conversation, curieux de ce monde inconnu pour lui.

— Comme ça, vous êtes pas mal d'hommes à travailler dans ces usines-là?

— Des hommes puis des femmes. Dans le journal de Lowell, ils disaient qu'on était — ben pas juste nous autres, les Canadiens, mais tous les immigrants ensemble aux États — plus que... Combien déjà, Octavia?

— Plus que vingt-cinq millions, dit-elle en se redressant fièrement.

Charles les regarda, stupéfait. Il évaluait mal l'ampleur du nombre, habitué à compter en dizaines, parfois en centaines et rarement en milliers. Il soupçonnait intuitivement, par contre, que ce devait être énorme, beaucoup plus que la population de tout le Canada.

— Ouais, ça doit être de la bonne ouvrage sans bon sens, pour attirer du monde de même.

Octave et Octavia furent moins prompts à répondre. Les douze heures de travail par jour, dans le vacarme, dans l'humidité étouffante, avec le danger des machines, à faire les mêmes gestes à la journée longue, simples à apprendre mais répétés tant de fois par heure, par jour, par semaine, qu'ils en devenaient abrutissants, c'était un gagne-pain, oui. Mais «de la bonne ouvrage», cela aurait été malaisé à affirmer.

— C'est sûr que c'est pas comme ici, répondit laconiquement Octave.

— Moi, dit Philippe en tirant une longue bouffée de pipe, j'ai pas votre chance. Mon boss, c'est la température, puis elle est pas toujours de mon bord. En plus, une terre de roches, ça restera toujours une terre de roches.

Charles se sentit le plus avantagé des trois et crut bon de se diminuer.

— Gagner sa vie, c'est pas facile pour personne. C'est écrit dans l'Évangile: «Tu gagneras ton pain à la sueur de ton front.»

— Oui, mais on n'est pas obligés de tout endurer, dit vivement Octavia.

Les hommes la regardèrent, étonnés de son agressivité, et la femme ne se mêla plus à la conversation.

— Chez nous, à Lowell, reprit son mari, on a entendu parler d'une grève, l'année passée, à Fall River. Parce que les boss avaient de la misère à vendre leur stock dans les vieux pays au prix qu'ils voulaient, ils coupaient les payes du monde mais les faisaient travailler encore plus, ou ben ils donnaient moins d'heures d'ouvrage. Ça faisait moins de paye, comme de raison.

— Ouais, ça s'appelle perdre des deux bords, constata Philippe.

— C'est ben ça. Ça fait que le monde a arrêté de travailler. Des milliers de personnes qui arrêtent toutes ensemble, du même coup, je te dis qu'il y a plus rien qui marche. *Yes sir!*

— Les boss ont accepté ça? s'inquiéta Charles qui imaginait ses quelques employés le menacer dans sa scierie.

— Euh... non. Ils ont fermé l'usine. Six mois. Pendant six mois de temps, les trente mille ouvriers ont perdu leur job.

— Trente mille? s'exclama Charles.

— Pendant six mois? répéta Philippe, songeur. Comme les six mois d'hiver sur une ferme.

Il tira une autre bouffée de sa pipe, tranquillement.

— C'est sûr que c'est de plus en plus dur de gagner sa vie. C'est partout pareil, dans le fond.

— De toute façon, répondit Charles à Octave, dans le temps, tu y trouvais tous les défauts, à la terre. Tu disais que tu voulais gagner ta vie comme du monde puis avoir du temps pour en profiter.

— Ben là, j'en ai. Quand je sors de la *factory*, j'ai tout mon temps à moi.

— Tu sors à quelle heure?

Il y eut un flottement.

— Vers... vers sept heures le soir. Comme tout le monde.

— Ouais, il te reste plus grand temps, ironisa Charles. Tu soupes puis...

— C'est comme vous, papa, dit Henri, tout fier de participer à la conversation des hommes. Vous allez toujours au moulin après le souper.

Les convives éclatèrent de rire et Charles se trémoussa dans son fauteuil.

— Ouais, t'as un petit gars trop *smart*, toi, là! déclara Octave.

— Mon petit gars remarque tout. Quand je l'ai emmené au moulin la première fois, savez-vous ce qu'il m'a demandé? Quand est-ce qu'il allait scier avec la grande scie!

Il l'enroba d'un regard fier.

— Dans pas grand temps, mes garçons vont travailler au moulin avec moi.

Octave pensa à son fils de trois ans. «Mais moi, c'est pas pareil. J'espère que mon fils travaillera jamais avec moi à la *factory*. Il mérite mieux que ça.» Hélène se fatiguait de la conversation des hommes et elle dévisagea son frère aîné en haussant les épaules.

— À moins qu'ils fassent comme toi, qu'ils prennent le bord du chemin.

Il lui décocha un regard noir.

— On choisit sa vie. C'est ben ce que t'as fait aussi, me semble.

Il en avait toujours été ainsi entre eux, mais cette fois, adultes, ils collèrent une raison à leurs divergences de vue constantes. «Elle se pense fine parce qu'elle vit aux États», s'insurgeait-il. «Il se pense fin avec sa maison, son moulin, sa femme puis ses enfants.» Effectivement, Charles était bien pourvu avec sa grande maison. Comme s'il avait deviné ses pensées et pour faire diversion, il la désigna d'un large mouvement de la main.

— Je l'ai bâtie de mes mains, se rengorgea-t-il, avec du bois de mon moulin.

196

Il aurait dit «avec mon sang et mes tripes» qu'il ne se serait pas investi davantage. Octavia regarda pour la dixième fois depuis son arrivée cette grande maison, mais surtout l'espace qui l'entourait. De l'espace pour s'asseoir tranquillement sur la galerie, le soir, de l'espace pour faire prendre du bon air aux enfants, de l'espace pour faire entrer le soleil des quatre côtés, sans l'entrave d'une autre maison à un mètre de distance. Elle pensa à la lumière qui devait y entrer douze mois par année, à la journée longue, et elle cligna des yeux pour en chasser une buée inopportune. Hélène la regarda aussi, mais la trouva petite comparée à la résidence cossue de ses patrons. Elle ne répondit rien, privant Charles d'une admiration à laquelle il avait droit, lui semblait-il. Il lui demanda alors méchamment, pour se venger de son dédain à peine dissimulé:

— Puis toi, tu vis où? Ç'a l'air de quoi, une chambre de bonne?

Imelda les observait, décelant le non-dit derrière les bravades réciproques. Déjà fatiguée, elle ressentit une grande lassitude, morale et physique. Philippe sentit de l'orage dans l'air, comme autrefois.

— Fais donc visiter ton moulin, proposa-t-il. Tu vas voir, Octave, c'est ben arrangé. Charles s'est gréé d'une machine toute neuve.

— Me rappelle pas ça, grogna l'intéressé. Au prix qu'elle me coûte, on va scier deux mois pour rien.

— T'avais qu'à pas l'acheter, répliqua sa sœur.

— Puis perdre mon temps avec une vieille machine qu'il fallait réparer tous les quatre matins? C'est comme sur une ferme: pas de bons outils, pas de bonnes jobs. Puis, à part de ça, tant qu'à avoir un associé, autant en profiter pour partager les dépenses.

— Les profits aussi, déduisit Philippe.

— De ce temps-ci, c'est plus des dépenses que des profits, soupira Charles.

Il s'abstint de préciser qu'il avait payé l'appareil plus cher que prévu et que celui-ci ne donnait pas le rendement abondamment promis par le vendeur, qui avait trouvé le moyen d'insinuer que Charles ne l'utilisait pas correctement.

Hélène s'éventa de la main, écrasée par la chaleur qui stagnait. Comme tout cela lui était étranger, à elle qui travaillait dans une maison où régnait l'opulence mais vivait dans un grenier minuscule qui serait peut-être son lot toute sa vie. Et comme la chaleur de Boston, au bord de l'Atlantique, était différente de celle des Cantons-de-l'Est! À cette évocation, un mauvais souvenir lui griffa le cœur, un souvenir qu'elle tentait d'enfouir depuis tant d'années mais qui revenait souvent la hanter. Comme s'il avait deviné ses pensées encore une fois, Charles lui demanda, à brûle-pourpoint:

— Comme ça, les trains sont pas fiables, aux États?

— Comment ça? s'étonna-t-elle.

— T'es pas venue à mes noces; tu devais avoir une bonne raison, je suppose.

Hélène avala de travers. Quelle raison avait-elle invoquée, à ce moment-là? Elle ne s'en souvenait plus vraiment. Elle savait seulement que la belle chaleur de juillet la tourmentait aujourd'hui et que son frère ravivait sa douleur sans le savoir.

— Mes boss me laissent pas partir quand je veux, *you know*; une job, c'est une job!

Elle se renfrogna. Philippe entraîna son frère dans une discussion ennuyante pour Imelda et elle rentra boire un peu d'eau. Hélène écoutait distraitement les propos anodins d'Octavia tout en observant

198

Marie-Louise qui s'obstinait à vouloir habiller le chat. Petit à petit, elle se dissocia de la conversation des hommes sur la qualité des billots ou le rendement du foin de l'année et leurs voix s'estompèrent. Sa pensée dériva et elle se sentit reprise au piège des souvenirs avilissants qui empoisonnaient sa vie.

Dix ans auparavant, par un après-midi de juillet aussi beau que celui-ci, ses patrons, les Summers, jouaient au croquet sur la pelouse, un peu loin de la maison. La gouvernante était en congé et les serviteurs s'étaient trouvé toutes les raisons pour besogner dans les jardins, à l'ombre, tant l'après-midi était bon. La chaleur était pourtant plus grande à l'extérieur qu'à l'abri dans la grande maison de briques à trois étages, mais il faisait trop beau pour y rester enfermé.

Hélène avait profité d'un répit dans son travail pour s'isoler là-haut, dans sa chambrette de bonne, qui, heureusement, était située du côté nord et était donc plus fraîche en été que celles de ses camarades, installés du côté sud. Vus du troisième étage, les pelouses verdoyantes, les gens endimanchés, les arbres centenaires étaient si différents dans leur petitesse. Hélène aimait cet endroit privilégié qui lui donnait un sentiment illusoire de pouvoir sur le monde, les choses, sa vie. «J'ai bien fait de partir de chez nous. Je suis bien ici», se redisait-elle.

Un bruit furtif dans le petit escalier l'avait dérangée. C'était sans doute une camarade qui se réfugiait elle aussi dans sa chambre pour profiter d'un rare moment de liberté. Mais ce fut la porte de sa propre chambre qui s'ouvrit.

— *I always said that I don't want...*, avait-elle maugréé en se retournant vivement, contrariée.

Sa colère s'était muée en surprise en voyant Jimmy, le jeune frère cadet de sa patronne.

— *Why do you...*

Jimmy avait refermé la porte derrière lui et avait tourné lentement la clé dans la serrure. Il avait ensuite dévisagé la bonne d'un sourire déjà vainqueur. Le premier moment de stupéfaction passé, Hélène avait pris peur. Voyant le jeune maître s'avancer vers elle, elle s'était précipitée vers la porte verrouillée, mais la clé n'y était plus. Le jeune homme l'avait alors saisie par-derrière et avait glissé une jambe entre les siennes, pelotant sa poitrine de façon honteuse.

— *Come on, come on*, avait-il susurré, *it will be so good. I know you'll like it. Come on...*

La servante, habituée à se taire, avait protesté à voix basse, s'était débattue maladroitement, s'était échappée, mais avait tourné en rond dans sa minuscule cellule verrouillée. Elle avait supplié, menacé de crier, de hurler: pour toute réponse, Jimmy avait déboutonné vivement sa chemise en menaçant la bonne sur un ton subitement sec et autoritaire, traversé de poussées de désir qui avaient décuplé ses forces dans la même proportion que la peur avait annihilé celles de la bonne.

— *Your job, Helen, your job... Don't forget it! Your word against mine? Really...?*

Le refus inattendu de la jeune femme avait désarmé le tout jeune homme, persuadé qu'elle connaissait déjà l'amour et devait même certainement y prendre un grand plaisir. Son éducation puritaine lui interdisait pourtant ce genre de relations avant le mariage, mais avec une bonne, rien qu'une bonne, cela était, au contraire, une préparation de bon aloi. Ce jour-là, bien qu'agacé par l'effroi évident de la bonne, le jeune homme n'avait pas voulu perdre son statut de maître et encore moins la jouissance dont il avait rêvé depuis tant de nuits. Il avait baissé brusquement son pantalon et s'était jeté sur la jeune femme. Ils étaient tombés tous deux à la renverse et elle s'était heurtée durement à un coin de meuble. Jimmy, le membre juvénile déjà en érection et exigeant, avait été certain d'être vainqueur. Insensible au cri de douleur d'Hélène, il avait déchiré maladroitement les vêtements de la femme, lui écrasant la bouche de sa main pour ensuite y enfourner sa langue agitée et nerveuse. Hélène avait eu un haut-le-cœur, secouant sa tête pour s'en défaire, serrant les dents, et avait réalisé avec stupeur que les mains du jeune homme lui dénudaient les cuisses, l'explorant outrageusement.

— *No... No...*

Elle avait serré les fesses. Elle avait essayé de barricader sa bouche et son bas-ventre contre cette langue et contre cette chose qui essayait de la percer, qui lui faisait mal, si mal. Ses pensées étaient éparses, affolées. Il lui semblait qu'elle souffrait depuis des heures lorsqu'une douleur plus vive lui avait déchiré le bas-ventre et que le sexe du jeune homme l'avait pénétrée, humiliée, possédée. Fou d'excitation, il y était allé frénétiquement, secouant la jeune fille en état de choc dans les soubresauts de cette première copulation possessive, trop nouvelle et brutale pour que ce soit vraiment une jouissance pour lui, n'ayant eu conscience de rien d'autre que de la preuve de sa virilité et de sa force qu'il avait imaginée supérieure parce que plus brutale. Hélène avait brusquement vomi, éclaboussant le visage de Jimmy, et l'étreinte dérisoire s'était achevée aussi brusquement qu'elle avait commencé. Hélène avait vomi encore et encore, trop ébranlée pour même songer à se saisir d'un récipient où rejeter son écœurement. Jimmy s'était poussé de côté, dégoûté par ce liquide visqueux et nauséabond qui lui collait au visage comme son sperme avait englué le bas-ventre pillé d'Hélène.

— *Shit! Shit!* avait répété Jimmy en s'essuyant avec le couvre-lit.

Il était hagard, épuisé, bouleversé, son membre jeune et vigoureux encore en érection, témoignant de l'ironique virilité qu'il ne contrôlait pas. Il s'était relevé en trébuchant et, dans sa hâte, il s'était heurté à son tour contre un meuble, avait fébrilement retrouvé la clé et s'était enfui comme un voleur, abandonnant la servante recroquevillée sur le plancher, comme absente d'elle-même, se rejetant elle-même, dégoûtée, le sexe meurtri et dégoulinant, les vêtements déchirés, le corsage sali. Elle avait eu encore des nausées, mais n'avait plus rien eu à vomir et les spasmes inutiles lui avaient fait encore plus mal. Dans l'odeur fétide du vomi et celle, lourde, du sperme, elle avait repris ses esprits. Elle s'était traînée jusqu'à la porte, qu'elle avait refermée et verrouillée en s'étirant un bras en tremblant. Puis elle s'était de nouveau recroquevillée sur elle-même et avait éclaté en sanglots. Le temps avait passé. Elle avait finalement émergé de sa torpeur et retrouvé l'horreur de la réalité, une réalité qui ne serait plus jamais celle d'auparavant, celle d'une heure plus tôt et qui lui semblait éloignée d'un siècle. Dehors, l'air était bon et chaud, les rires des enfants heureux s'égrenaient à l'ombre rafraîchissante des grands chênes du parc.

Imelda poussa soudain un petit cri et blêmit autant de douleur que de honte en posant instinctivement ses deux mains sur ses cuisses. Un liquide chaud coulait entre ses jambes. «Mon Dieu, je perds la tête!» s'énerva-t-elle, croyant avoir uriné malgré elle. Elle était si humiliée devant ces étrangers qu'elle n'osait se lever, mais le liquide continuait, dégoulinait sur la chaise d'osier et sur l'herbe.

— C'est pour aujourd'hui! comprit Hélène. Viens, dit-elle avec autorité en se levant brusquement et en prenant le bras de sa belle-sœur. J'ai jamais eu de *baby*, mais j'en ai aidé *many* d'autres.

Ne comprenant pas ce qui se passait, Imelda se laissa emmener, effrayée tout à coup de ce qui s'en venait et qu'elle ne connaissait pas mais dont elle avait entendu parler en termes si douloureux. Elle serra bien fort le bras d'Hélène et lui jeta un regard affolé. Celle-ci lui dit alors, sur un ton plus doux:

— C'est pas si grave que ça. Tu vas passer au travers, *don't worry*.

Imelda la regarda d'un air suppliant, si vulnérable tout à coup que sa belle-sœur se sentit responsable d'elle.

— As-tu une *friend* ici, au village? Une.... amie?

Imelda fit signe que non, désemparée. Hélène se décida.

— O.K. Je vais rester pour t'aider. Tu seras pas *alone*.

Charles avait déjà assisté à trois naissances, Philippe, à deux, et Hélène, à cinq. Octave et Octavia avaient un fils. La future mère était ironiquement la seule des six adultes présents à ne pas savoir comment un accouchement se déroulait.

— Bon, ben... on va y aller, nous autres, proposa Philippe, mal à l'aise.

Les visiteurs, troublés par la naissance toute proche, préféraient partir, mais sans avoir l'air de se sauver. Marie-Louise se précipita vers sa mère qui venait de rentrer lentement dans la maison.

— Qu'est-ce qu'elle a, maman? Je veux voir maman, larmoya-t-elle.

— Non! Surtout pas toi! trancha instantanément le père, regrettant aussitôt la rudesse de sa réplique.

La petite le regarda, effrayée, et se mit à pleurer.

— Je peux laisser les enfants chez les Gingras, proposa Philippe; je devrais me souvenir du chemin.

— Laisse faire, refusa Charles. Je vais aller chercher le docteur Gaudreau en même temps.

— Je te le dirai quand ce sera prêt, lui dit Hélène en suivant Imelda vers la chambre du fond au rez-de-chaussée, réservée pour les événements comme celui-ci.

Des heures et des heures plus tard, le corps tordu de souffrances, Imelda sursauta de voir penché au-dessus d'elle le visage d'une femme inconnue qui ressemblait à Charles et qui ne souriait pas, elle non plus. Elle cligna des yeux, confuse, et reconnut finalement sa belle-sœur Hélène. Une autre souffrance lui tordit le ventre. «J'ai mal. J'ai mal. Je voudrais tellement quelqu'un qui m'aime proche de moi... Personne m'aime. Je suis toute seule. Je l'ai toujours été.» Elle referma les yeux, s'enfermant dans son esseulement.

Le médecin était venu. Il avait constaté que tout se présentait bien mais il avait prédit que ce serait long.

— Je reviendrai dans la soirée, avait-il dit en encourageant Imelda d'un regard attentif.

Restée près d'elle, Hélène examinait sa belle-sœur, sensible à sa souffrance. Dans une accalmie, sa pensée retourna au souvenir qui la hantait aujourd'hui. Depuis ce cauchemar d'autrefois, tous les hommes étaient devenus des Jimmy à ses yeux. Après le drame, elle s'était lavée et relavée pendant des jours, détestant son bas-ventre qui n'avait pas su se défendre, se méprisant de sa peur paralysante. «Il y aura plus jamais un homme qui portera la main sur moi. *Never!*» s'était-elle juré.

Jimmy avait encore essayé de la peloter dans un coin, voulant se persuader que le refus de la bonne n'était qu'une feinte, et aussi pour se prouver sa virilité puisque Hélène lui en avait refusé le constat admiratif auquel naïvement il s'était attendu. Quand il l'avait retouchée, elle avait délibérément laissé tomber la théière brûlante qu'elle tenait à la main.

— *Are you crazy?* lui avait lancé Jimmy rageusement.

Mme Summers était arrivée sur les entrefaites et elle avait été ennuyée de voir son frère taquiner la bonne; elle l'avait prié de ne plus déranger le service, croyant qu'il avait simplement fait sursauter la jeune fille. Celle-ci avait dû rembourser la théière de fine porcelaine de Limoges à même ses gages, déjà pas très élevés. «*Money, it's just money*, avait triomphé Hélène. S'il faut tout casser, je casserai tout!» Elle n'en avait plus eu besoin; Jimmy ne l'avait plus importunée, ne comprenant quand même pas que ses faveurs puissent être dénigrées à ce point, mais admettant que cette bonne stupide ne changerait pas d'idée.

Effrayée des conséquences possibles de l'agression, Hélène avait glané des informations ici et là, et, malgré la régularité de son cycle menstruel, elle avait craint une grossesse pendant des mois, tant elle ignorait le fonctionnement de son propre corps. La souffrance que sa belle-sœur endurait maintenant devant elle, Hélène ne l'avait pas connue et ne la connaîtrait jamais, morte à la sexualité à cause d'une initiation forcée et brutale.

Une larme tomba sur la main d'Imelda, qui ouvrit les yeux. Malgré sa souffrance et sa fatigue, elle eut de la compassion pour cette femme élégante qui, comme Charles, n'exprimait rien et n'en souffrait que davantage, enfermée dans son silence. Elle lui prit la main, et les deux femmes, si opposées, encore inconnues l'une de l'autre ce matin, eurent un intense et bref éclair de sympathie mutuelle. Hélène se dégagea et lui épongea le front toujours en sueur.

Imelda reprit son souffle et chercha un détail auquel se raccrocher pour oublier sa souffrance pendant ce bref répit. Elle scruta, sans s'en rendre compte, la si jolie robe blanche de sa belle-sœur, superbe comme elle n'en avait jamais vu, même dans les catalogues, qui, de toute façon, étaient en noir et blanc, ce qui ne donnait pas une idée juste des vêtements qui s'y trouvaient illustrés. Hélène fut mortifiée de ce regard d'envie. Elle aurait pu se taire; mais elle sentit le besoin de revaloriser la femme qui souffrait devant elle, gênée de se montrer ainsi dans sa vulnérabilité. Avec un demi-sourire complice, elle se pencha vers sa belle-sœur et lui dit simplement:

— Ma bourgeoise me donne ses robes, *sometimes*, quand elle est fatiguée de les porter.

Imelda fut touchée de sa franchise, qui ne devait pas être facile.

— Elle te va bien. On dirait qu'elle a été faite pour toi.

Elle abaissa les yeux vers son ventre en se disant qu'aucune robe ne pourrait la mettre en valeur aujourd'hui, de toute façon. Plus tard, dans un autre moment de désarroi et de douleur dans ce combat entre la nouvelle vie qui s'en venait et la sienne qui en payait le prix, Imelda redemanda son mari. Même sa froideur ou son indifférence était préférable à cette peur solitaire au creux du lit. Hélène retourna à la cuisine. Elle était furieuse contre son frère: elle avait déjà insisté à plusieurs reprises pour qu'il aille dans la chambre, là où était sa place, mais il avait d'abord différé, puis tergiversé et reporté à l'heure suivante.

— T'es donc ben sûr qu'elle va souffrir encore *a long time*? Ça peut aller vite, *sometimes*.

Charles lui jeta un regard rapide, agacé par ces mots anglais qu'il ne comprenait pas. Ses émotions contradictoires se jetèrent sur cette proie facile.

— Parle donc comme du monde! T'es pas aux États, icite!

Sa sœur le prit pour ce que c'était, une insulte, et elle lui lança, aussi brutalement:

— *No*, on n'est pas aux *States*. On est dans ta maison, puis c'est *your wife* qui est dans les douleurs, puis toi, t'as même pas le cœur d'y aller. T'es aussi sans cœur que dans le temps, lui décocha-t-elle avec dégoût.

Il claqua la porte et marcha dehors. Il se sentait seul, piégé. Hélène n'était ici que depuis quelques heures et il ressentait déjà l'atmosphère lourde qui régnait autrefois à la ferme. Mais le malaise qui lui étreignait la gorge ne pouvait être dû seulement à l'affrontement constant avec sa sœur. Il entra à la scierie, y retrouvant un peu de sécurité. Le sentiment gluant se fit moins oppressant, mais il était tenace et l'homme ne pouvait s'en défaire à son gré. Il tourna en rond, essayant vainement de s'intéresser aux travaux à amorcer le lendemain, lundi. Peine perdue. Sa pensée revenait sans cesse à une chambre, à un lit dans lequel une femme souffrait, souffrait injustement, souffrait trop, au-delà de ses forces, allait...

— Pourquoi tu m'as fait ça? s'écria-t-il, se laissant tomber sur un billot et cachant son visage dans ses mains. Mathilde..., balbutia-t-il, pourquoi tu m'as fait ça?

Il fut assailli par une vague de peine, la peine qu'il n'avait jamais acceptée et qui lui empoisonnait le cœur. Il aurait voulu pleurer comme un enfant abandonné, plus abandonné que la petite Marie-Louise qui n'avait jamais connu sa mère. «Faudrait que je lui parle de sa mère. Ça se peut pas qu'elle la connaisse jamais, qu'elle sache jamais comment elle était, comment elle riait, comment elle avait hâte qu'elle vienne au monde. Elle voulait tellement avoir une fille...» L'homme se ressaisit d'un coup, se rendant compte de ses pensées, refusant encore d'assumer ce qu'il ressentait.

— On revient pas en arrière, dit-il en s'essuyant les yeux, honteux de sa faiblesse, mais trop bouleversé pour retourner à la maison.

Il se fit croire qu'il retardait son retour à cause de sa sœur et de ses reproches, refusant d'admettre l'évidence tapie au fond de lui: Mathilde était encore là dans son cœur, et cela ne laissait pas de place pour Imelda.

— C'est pas fin pour elle, elle fait son possible, puis elle peut pas savoir.

Il ne se décida à rentrer que quelques heures plus tard. La naissance n'était pas encore survenue. Imelda avait eu un peu de répit et somnolait depuis quelques minutes, épuisée. Soulagé et déçu à la fois que ce ne fût pas fini, Charles se versa un verre de rhum et en offrit un à Hélène, stupéfaite.

— Ça te fera pas de tort, t'as l'air de vivre ça toi-même, lui dit-il.

Hélène le regarda attentivement de ses yeux perçants. Charles eut peur de ce qu'elle pourrait lire dans son visage et il décida de bluffer.

— Là-bas, aux États, es-tu toute seule? Une belle fille comme toi, bien faite, puis, insinua-t-il d'un rire nerveux, aussi intelligente que moi, ça doit se faire remarquer!

Hélène but quelques gorgées qui lui donnèrent des couleurs. Elle jeta un coup d'œil vers la chambre du fond, épiant la moindre plainte qui aurait pu en jaillir.

— Prends pas ça à cœur de même; c'est pas toi, grogna Charles pour se donner bonne conscience de manifester si peu de compassion lui-même.

— Tant qu'à rester, je fais de mon *best*.

Elle s'épongea le front de son mouchoir de dentelle, replaça quelques mèches dans son chignon. Son estomac gargouilla et elle réalisa qu'elle n'avait rien mangé depuis le dîner. Charles non plus et son estomac s'en ressentait aussi.

— Il doit en rester de ce midi. Imelda en fait toujours plus.

Hélène ne cherchait qu'une occasion de s'afficher solidaire de sa belle-sœur, une femme comme elle.

— C'est un reproche? Au moins, t'en manques pas! Puis tu dois pas te priver du reste non plus, lui dit-elle sèchement en se levant.

— Puis toi? On le sait pas personne, ce que tu fais aux États. As-tu eu des amoureux? des fiancés? Jamais je croirai qu'à ton âge...

Elle se retourna brusquement avec tant de haine dans le regard que son frère se tut.

— À trente ans, justement, *I'm not so crazy* pour devenir la servante d'un homme.

— Tu l'es ben, servante, chez tes boss.

— Justement, ils me payent, *my bosses*. Puis je suis considérée, puis je vais en voyage avec eux autres.

— Ils te prennent ta jeunesse.

— Puis toi, qu'est-ce que tu fais d'autre avec elle? ricana-t-elle en désignant la chambre du fond.

— Je l'ai pas forcée, protesta Charles, mortifié.

— Ça se peut, mais c'est quand même toi qui as le gros bout du bâton, *right*?

Charles ne savait plus que répondre à ces affirmations trop justes. Il fit dévier la conversation.

— Oui, puis un bâton pas pire, à part de ça. Il y a bien des femmes qui trouvaient ça, en tout cas.

Il se rengorgeait avec un besoin impérieux de redorer son blason auprès de sa sœur, même s'il savait d'avance qu'il ne la convaincrait pas. Il avait un désir sincère de faire la trêve avec elle, d'essayer de savoir ce qu'elle était devenue, prenant conscience de leur âge à tous deux, de la vie qui passait, peut-être. Des plaintes étouffées leur parvinrent. Hélène alla aussitôt à la chambre et revint précipitamment vers son frère qui détourna le regard.

— *Go on*, fais chauffer de l'eau, *my God*! lui lança-t-elle avec reproche. Puis va chercher le docteur; c'est le temps!

Ce fut un garçon et Imelda sut qu'elle se laisserait enfin aller à aimer quelqu'un totalement, pour la première fois de sa vie. Ce petit être tout chiffonné, c'était elle qui l'avait fait et elle comptait avec béatitude ses dix doigts, ses dix orteils, palpait ses petites oreilles et se laissait téter par les petites lèvres gourmandes qui la soulageaient du lait qui lui gonflait les seins.

— Quel nom on va lui donner? souffla-t-elle d'une voix éteinte à son mari quand il entra enfin dans la chambre après le départ du docteur Gaudreau.

Il n'osa soutenir son regard et alla vers l'enfant. Il le regarda, étonné lui-même d'avoir l'impression qu'il s'agissait là beaucoup plus du fils d'Imelda Lachapelle que de celui de Charles Manseau. Il avait mauvaise conscience de son absence et il voulut se racheter en lui donnant le choix du prénom.

— Ce sera comme tu voudras. C'est toi, la mère.

Il ne fit pas allusion à son absence pendant toutes ces heures difficiles. Imelda, meurtrie, comprit qu'elle ne pourrait pas compter sur son mari, quels que soient ses besoins de réconfort. Une illusion de plus s'était dissoute en elle. Et quand le petit, quelques jours plus tard, ouvrit les yeux et les laissa pénétrer par le regard aimant de sa mère, Imelda frémit de tendresse pour son premier-né. «Dans toute cette maison, ça, au moins, c'est à moi.»

Contrairement à ce qu'il en laissait voir, Charles se sentait redevable, ne fût-ce que pour ce fils en santé, qui était aussi le sien. Quelques semaines plus tard, il ne trouva rien de mieux, pour régler cette dette du cœur, que d'emmener Imelda au magasin général, un mardi soir après le souper.

— T'as besoin d'une robe neuve. Telle que je connais Émérentienne, elle doit t'en avoir gardé une.

Sa manière était maladroite, mais Imelda en déduisit qu'il lui portait tout de même un certain intérêt et elle accepta d'aller acheter avec lui sa première robe toute faite de sa vie. La patronne amena sa cliente près des vêtements féminins et lui en suggéra une toute simple, mais plus colorée que ses vêtements habituels.

— Prends-en donc deux, proposa Charles.

— Deux? protesta Imelda, étonnée de tant de générosité de sa part. Je vais en prendre juste une puis m'en coudre une autre.

Émérentienne regarda la jeune mère et la trouva pâle.

— Choisissez-en quelques-unes puis passez donc en arrière. Vous les essaierez dans notre chambre.

Après l'essayage, Émérentienne alla jeter un coup d'œil au magasin; les hommes semblaient en grande conversation et elle suivit son idée. Le petit

Dieudonné, qui irait bientôt à l'école, comme Marie-Louise, était déjà couché. Émérentienne offrit du thé et des petits gâteaux à sa cliente, qui en fut très réconfortée moralement.

— Un petit, dit Émérentienne, c'est bien des surprises la première fois. Vous aurez pas autant de temps pour coudre qu'avant. Puis ça va vous presser pour rien. Croyez-en mon expérience, un enfant, ça change bien des choses dans la vie d'une femme.

Elle se tut. Avec quels mots aurait-elle pu lui confier le désarroi qui avait été le sien à la naissance de Dieudonné? Ce petit être dont elle s'attendait à être comblée ne faisait que boire, crier, dormir, évacuer, et à une telle fréquence qu'elle avait l'impression que les heures de ses jours et de ses nuits n'étaient plus réglées par la grosse horloge du salon mais par ce petit étranger tyrannique. Émérentienne, institutrice pendant une trentaine d'années, avait été habituée à se faire obéir des enfants et non à en être l'esclave vingt-quatre heures par jour.

Même son mari n'avait pu l'aider. Au contraire, il avait accentué son désarroi sans s'en rendre compte et jamais elle ne lui en avait fait part, se croyant une mauvaise mère de subir tant de désillusions. «Qu'est-ce qu'on fait?» lui avait-il demandé cent fois par jour, désarmé devant les besoins de ce petit être sans défense. «Est-ce que je le sais, moi?» aurait voulu lui crier la femme dans la cinquantaine, aussi désemparée que lui. Une colère sourde, inhabituelle, s'était installée en elle. «Il est en pleine santé, lui, il n'a rien payé dans son corps, et il n'est même pas capable de m'aider ni de prendre soin du petit ni de lui-même.» Elle avait senti monter en elle le sentiment confus et affolant d'être prise au piège — un piège qui ne l'atteignait qu'elle — injustement, un piège qu'elle n'avait pas prévu. «C'est mal fait, bien mal fait, tout ça!»

Émérentienne secoua la tête et garda ses pensées pour elle. Dans la petite cuisine, les deux femmes se regardèrent, se comprenant confusément sans insister. Imelda sentit en elle un élan de reconnaissance pour cette femme étrangère qui lui ouvrait sa porte et lui témoignait de la compassion sans rien lui demander. Elle accepta cette connivence d'emblée; elle en avait tellement besoin.

Charles avait une raison précise d'accompagner Imelda au magasin. Comme auparavant, tout un chacun passait dans l'établissement à un moment ou à un autre, et Boudrias connaissait toutes les nouvelles. Pour l'instant, un projet particulier rendait Charles soucieux.

— Comme ça, avança-t-il après un certain temps à parler de tout et de rien, il paraîtrait qu'il y aurait peut-être un autre moulin au village dans pas grand temps?

Il décrocha un râteau et feignit de vérifier la résistance du manche. Le marchand le regarda par-dessus ses petites lunettes rondes de presbyte. Il s'amusa de le voir quémander des informations de façon si désinvolte quand il devait, au contraire, s'en inquiéter beaucoup pour venir ainsi aux nouvelles.

— Ouais, il y en a qui disent ça. Je me demandais justement si c'était toi qui t'en bâtissais un autre, question d'être le seul boss dans ton affaire.

Charles rongea son frein. «Envoyez, retournez le fer dans la plaie. Je le serai un jour, le seul *boss* dans mon moulin.»

— Pourquoi? rétorqua-t-il avec sarcasme. Chercheriez-vous à investir dans un bon commerce?

Ils se toisèrent. Se sourirent au-dedans. Ronchonnèrent au-dehors.

— Tu le sais depuis longtemps que mon commerce, c'est bien assez pour mes besoins. Tu t'en souviens pas, Charles?

213

L'allusion à la créance des Gagnon refaisait surface. Charles ne nia pas que, dans la réclamation de cette dette pour le compte de son ancien patron, Maurice Boudrias, il avait ainsi négocié sa première coupe de bois, déduisant des profits à se diviser entre eux tous les frais que lui avait occasionnés son exploitation. Maurice Boudrias ne ramena pas sur le tapis non plus que cette attitude, à la limite de l'honnêteté, son jeune commis l'avait adoptée à la suite d'une manœuvre malhonnête de sa part, alors qu'il avait profité sans scrupules de son inexpérience. Charles préféra se rappeler que la récupération de cette créance, fort bien conçue pour son profit, avait été indirectement à l'origine de son commerce. Pour un peu, il en aurait même été reconnaissant à Boudrias.

— Bien certain; c'est bien pour ça que je continue à voir à mes affaires. J'avais appris pas mal de choses, avec cette créance-là.

L'allusion au comportement retors de Boudrias déconcerta le marchand, qui cessa de jouer au plus fin. Il avait suffisamment fait languir son client et il lui donna enfin l'information qu'il attendait.

— À ce que j'ai entendu, se reprit-il prudemment, le gars aurait pas encore choisi sa place. Peut-être ici, peut-être dans le bout de Richmond. De toute façon, moi je pense que deux moulins à scie dans le village, ce serait trop.

— Comme deux magasins généraux, approuva Charles, heureux de trouver un allié.

Il possédait maintenant les informations dont il avait besoin, mais elles ne le rassuraient qu'à demi. Il traversa à la cuisine, et n'y trouva que peu de souvenirs d'autrefois, du temps qu'il avait habité chez les Boudrias, à titre de commis, après sa pneumonie. Imelda n'avait pas osé acheter les deux robes; il insista et elle accepta.

Elle repartit réconfortée par la présence, même lointaine et peu expansive, de Mme Boudrias, sa seule alliée dans le village. Elle avait d'abord cru en avoir une en la personne de Mme Gingras, le soir de ses noces, mais elle l'avait très peu revue, parce que Charles avait presque cessé de les voir depuis qu'il avait repris ses enfants. Elle se dit, en revenant, que son esseulement serait peut-être moins absolu maintenant. Loin de soupçonner toutes ces pensées, Charles la regarda à la dérobée déballer ses deux achats; elle s'activait avec sérénité, entrain. Il crut que ce contentement de sa femme était dû aux deux robes neuves et il se déclara acquitté de son absence dans les moments difficiles de l'accouchement.

Le lendemain matin, il trouva que la nouvelle robe de semaine allait bien à Imelda, et, le dimanche suivant, il approuva en silence le choix de la seconde robe, plus coquette. Il ne put s'empêcher de penser que les femmes attachaient décidément une grande importance aux toilettes et il trouva cette attitude futile. «Nous autres, les hommes, on a d'autres choses à faire que penser à des affaires pas importantes de même.»

CHAPITRE 8

QUAND Charles l'apprit, il eut mal. Mal en dedans de lui — mal pour Philippe. Mais il ne sut comment accueillir cette douleur.

— Quand veux-tu qu'on aille chez tes parents? demanda tristement Imelda.

Charles finit son thé.

— Qu'est-ce qu'on va aller faire là? Il va déjà y avoir plein de monde, on va embarrasser pour rien.

Imelda ravala l'exclamation spontanée qui lui était venue.

— C'est ton frère, dit-elle simplement d'un ton qui se voulait neutre.

Elle n'osa formuler sa pensée: «Il a besoin de toi!» Elle était bouleversée, incapable de comprendre une telle attitude. «Il a du cœur, pourtant. Pourquoi il fait toujours semblant de rien ressentir?» Elle voulait insister, mais elle savait qu'il le prendrait mal. Les attitudes contradictoires de son mari déroutaient la femme aux manières simples et franches. Elle chercha une raison pour le justifier et n'en trouva qu'une, qui, dans les circonstances, n'expliquait rien. «C'est sa famille à lui.» S'il ne voulait se rendre chez les Manseau que la veille des funérailles de sa belle-

217

sœur Louise, c'était à lui de décider. Et elle fit taire sa mémoire qui lui rappelait qu'aux fêtes qui avaient suivi leur mariage c'était lui qui avait décidé de ne pas recevoir son frère et sa sœur à elle. Le silence de Charles se prolongeant, elle alla bercer le petit Wilfrid.

Son fils avait sept mois déjà; il n'était pas un enfant pleurnichard et elle le catinait à son aise, seule avec lui de nombreuses heures puisque Marie-Louise était entrée à l'école en septembre. Elle berça le bébé et eut une pensée de tendresse pour les deux petits orphelins que Louise laissait.

Deux jours plus tard, Charles retarda le moment de leur départ sans en avoir prévenu Imelda à l'avance. Elle en fut contrariée, car elle était déjà endimanchée et s'était fatiguée inutilement à expédier tant de besognes à la course.

— Faut que je passe à la forge pour faire vérifier un patin de la *sleigh*. On peut pas risquer d'avoir des problèmes en chemin.

Elle s'irrita encore plus. Tout cela ne lui semblait qu'un prétexte et elle s'en chagrina pour son beau-frère Philippe qui devait attendre le réconfort de son frère.

Pendant la réparation à la forge, Charles s'arrêta un peu pour regarder le soufflet. Alors qu'Éphrem en avait toujours utilisé un qu'il actionnait avec le pied, son fils Clophas avait installé un soufflet manuel. Charles vit celui-ci empoigner fermement la corne de bœuf lisse et inusable qui lui servait de manche et doser le feu plus aisément. Le système lui apparut nettement plus efficace et il regretta de ne pas l'avoir eu dans ses années de travail à la forge, même s'il s'occupait surtout d'y ferrer les chevaux. Il observa l'enclume quand Clophas alla y marteler un fer. Là encore, le fils avait adapté les outils à sa taille. Contre le mur de droite, sous l'établi, des barillets de fers à cheval usinés témoignaient qu'Éphrem ne s'éreintait plus à confectionner lui-même les fers à partir de tiges de fer. «On n'arrête pas le progrès», se réjouit-il, se rappelant qu'il avait, de son côté, modernisé la scierie de Vanasse. Quand le patin du traîneau fut prêt, il n'eut plus le choix: il devait maintenant se rendre aux funérailles de sa belle-sœur, emportée par une faiblesse chronique qu'elle avait traînée durant près de deux ans sans pouvoir la vaincre.

Quand ils arrivèrent à la ferme des Manseau, en cette fin de janvier 1907, et qu'ils entendirent Philippe, Imelda regarda furtivement son mari qui serra les poings de colère. Près du cercueil de Louise, exposée dans le petit salon habituellement fermé, le jeune veuf pleurait sans retenue, effondré. «Devant le monde, maudit!» ragea son aîné, humilié. Sa mère vint à sa rencontre, aussi froide et imperturbable que lui, et il se réjouit de la voir ainsi se maîtriser. «Il y en a au moins une qui sait se tenir», constata-t-il. Son père était dans un coin, silencieux, au milieu d'hommes de son âge aussi renfrognés que lui.

Les cousins et les cousines n'osaient encore s'approcher des arrivants. Imelda comprit et elle alla d'abord s'agenouiller près de la défunte, cette belle-sœur qu'elle n'avait rencontrée qu'à son mariage, qu'elle avait trouvée plus jolie qu'elle, mais dont le sourire discret n'illuminait plus, maintenant, le visage délicat. Secrètement, Imelda apprécia son propre corps, ce serviteur modeste peut-être, mais vivant. Elle se signa, se releva et donna la main à Philippe en lui murmurant quelques mots d'usage, ajoutant qu'elle aurait voulu en trouver d'autres. Sa sincérité alla au cœur du jeune veuf et il l'embrassa sur la joue, gardant un bref instant sa tête contre la sienne, y puisant un peu de sa force tranquille. Charles s'approcha, se signa près du cercueil qu'il ne voulait pas voir et entraîna son frère dans la première chambre du haut, à gauche. Philippe ne voulut pas y entrer: c'était la sienne, celle dans laquelle Louise ne coucherait jamais plus. Il pénétra dans la suivante, celle de ses fils, et s'assit lourdement sur le bord du lit dont la paillasse craqua sous son poids. Charles ne pouvait plus se taire plus longtemps et il rabroua sèchement son cadet à voix basse.

— Retiens-toi, maudit! M'as-tu vu brailler de même, moi?

Philippe secoua la tête en s'essuyant les yeux avec un grand mouchoir propre que Louise avait toujours repassé avec tant de soin, et ce seul souvenir lui ramena d'autres larmes.

— T'aurais peut-être dû, Charles, dit-il pathétiquement. T'aurais peut-être dû.

— J'aurais dû? fulmina Charles d'une voix rauque en se contenant difficilement. Reprends-toi! Tu te vois pas l'air? À quoi ça m'aurait servi de brailler comme une femme?

Philippe releva lentement la tête et lui dit, d'un ton las:

— Tu serais peut-être moins dur aujourd'hui!

Charles en resta muet. Philippe commença à se ressaisir, rassuré malgré tout par la présence de son aîné dont il admirait la force de caractère. Cette présence lui faisait un peu de bien. Il en avait bien besoin, ayant eu les nerfs à vif ces derniers jours, et ayant vécu dans l'anxiété durant les deux longues années de maladie de sa femme. Maintenant, c'était fini — c'était fait; mais, au lieu d'être soulagé que Louise fût enfin délivrée, Philippe fut anéanti par la peine qu'il refoulait depuis si longtemps. Il recommença à pleurer à chaudes larmes, comme un enfant, sans honte. Il ne lui restait plus maintenant que cela, la peine.

— Charles..., balbutia-t-il en levant son visage ravagé vers son frère qui lui paraissait si grand du seul fait d'être debout devant lui, si solide sur ses deux jambes, vainqueur de sa peine d'autrefois qu'il avait surmontée, harnachée. Charles..., Charles..., balbutiait Philippe, ne sachant comment formuler sa détresse.

L'aîné recula, le visage durci devant tant de détresse affichée sans pudeur. Plutôt qu'être uni à son frère par la compassion ou la pitié, il en fut séparé par la honte et la colère. Il sortit brusquement, car il étouffait dans cette chambre.

Dès qu'il redescendit, les cousins, les tantes, un oncle l'entourèrent; ils le voyaient si peu souvent. Imelda avait déjà été présentée par sa belle-mère à tout un chacun et le petit Wilfrid, malgré son absence, allégeait les conversations funèbres. Berthe réussit à prendre Imelda à part.

— Comment ça se fait que vous arrivez juste maintenant? Vous auriez dû être ici depuis deux jours!

La bru, injustement accusée, ne savait que répondre pour excuser une conduite qu'elle avait réprouvée elle aussi. Elle dit simplement:

— Charles avait décidé ça de même, madame Manseau.

La vieille se raidit.

— T'aurais dû lui faire entendre raison. C'est à nous autres, les femmes, de voir à ça. Les hommes pensent pas toujours à ces affaires-là.

«Les hommes! fut tentée de répliquer sa bru. C'est pas les hommes, c'est votre fils Charles avec votre fils Philippe.» Sa belle-mère, raidie dans son carcan de convenances, exigeait implicitement un aveu de tort, c'est-à-dire une preuve de son autorité. Imelda détourna les yeux.

— Charles est là, justement. Vous pourrez lui en parler.

Elle s'éloigna, déjà étouffée par cette femme qui ne parlait que pour distribuer des reproches, et elle rejoignit la parenté de son mari, esseulée parmi tous ces inconnus, regrettant son petit garçon qui occupait si fort son cœur et ses bras que son absence la laissait comme vide d'amour. «J'aurais dû suivre mon idée et l'amener au lieu de le confier à Mme Gingras avec les trois autres.» Mais elle se ravisa. «Voyons donc! Un petit de même à un enterrement, c'est bien trop encombrant.» Elle se rabattit sur la seule occupation possible: aider à nourrir tous ceux et celles qui passeraient la nuit à veiller la dépouille de la jeune Mme Philippe Manseau. De loin, son regard revenait souvent sur Philippe, que Charles semblait éviter. «Je dois me tromper, se reprocha-t-elle. Quand on n'a rien qu'un frère, on s'en occupe dans des moments durs de même.» Pourtant, Charles quittait le salon lorsque Philippe revenait près du cercueil, et la cuisine quand son frère venait y grignoter une bouchée. «Ils n'ont pas pu se chicaner un jour pareil!» Imelda refusa d'admettre l'évidence: l'aîné fuyait le cadet au lieu de l'aider. Elle continua à chercher des raisons au comportement de son mari, comme elle devait le faire quotidiennement pour nier sa froideur, Charles étant aussi distant après un an et demi de vie matrimoniale que le jour de sa demande en mariage.

La semaine qui suivit les funérailles de Louise, Imelda, effleurée par la mort invisible, eut besoin, non d'être utilisée, mais de se réfugier dans les bras de son homme bien vivant, effrayée par la mort de sa belle-sœur qui laissait deux enfants orphelins. Orphelins de mère comme l'étaient les trois enfants de Charles et comme le serait le sien si elle partait aussi, comme tant d'autres femmes. Malgré ses efforts, elle n'arrivait pas à chasser cette idée de la mort, et, une nuit, n'en pouvant plus de ces pensées affolantes, elle se colla instinctivement contre le corps solide de son mari, avec un besoin viscéral d'être réconfortée.

L'homme, qui niait sa propre angoisse de la mort, cette mort qui l'avait dépossédé et qu'il n'avait jamais acceptée, crut que sa femme s'offrait à lui. Son membre durcit aussitôt et il se retourna, nouant ses bras autour de la femme qui s'abandonna et laissa couler tout doucement sur sa joue ses larmes de tristesse. Les émotions d'Imelda étaient si retenues que l'homme ne perçut que de vagues sons qu'il interpréta à sa convenance comme des soupirs amoureux. Toute sa hantise de la mort se canalisa sur la sexualité immédiate. Il remonta vivement sa chemise de nuit, puis retroussa celle de sa femme. Elle eut à peine le temps d'émerger de sa détresse que déjà son mari lui écartait les cuisses et se frayait un chemin en elle.

Trompée dans sa quête de tendresse, désemparée devant le silence de son mari qui s'agitait en elle, le souffle déjà précipité, Imelda n'eut plus que des larmes amères. Sa solitude insupportable la submergea d'un coup et elle se raccrocha au corps d'homme, presque par désespoir. Puisque le corps était le seul contact possible avec lui, ces gestes lui apparurent, ce soir, plus acceptables que cette douleur au cœur, ce vide qui ne se comblait pas, nuit après nuit, mois après mois. Sa solitude étouffante lui fit nouer ses bras autour du corps de l'homme qui jouissait seul pendant qu'elle dérivait dans une profonde détresse.

Charles s'endormit triomphant, croyant avoir colmaté sa peur inavouée de la mort, assuré que désormais son épouse l'accueillerait comme il l'avait tant souhaité. Imelda, plus seule que jamais, finit par s'endormir comme une petite fille abandonnée en se raccrochant à la pensée de ses enfants, les quatre enfants qui dépendaient d'elle. Cette semaine-là, exceptionnellement, Charles prit sa femme chaque soir, presque compulsivement, dérouté parce qu'elle ne le redemandait plus comme l'autre nuit.

Charles avait aussi d'autres inquiétudes, qui étaient remontées à la surface et s'obstinaient en lui. Il semblait en vouloir particulièrement à son associé et il commença à lui tenir rigueur de la moindre peccadille.

Un soir d'été, Imelda, fatiguée par une deuxième grossesse déjà à mi-chemin, souhaita éclaircir la situation. Il avait sans doute quelque chose à lui reprocher, quelque chose dont elle ne se serait même pas aperçue.

— Qu'est-ce qu'il y a au juste, Charles?

Elle se tut. Il laissa tomber sa bottine gauche.

— C'est des affaires de moulin. Ça va se tasser.

Il finit de se déshabiller. Elle fut soulagée de savoir qu'elle n'était pas en cause, mais elle ignorait encore ce qui le rendait si anxieux. Il se coucha, souffla la lampe. Il tabassa son oreiller de plumes pour la troisième fois, ne semblant pas pouvoir y caler sa tête confortablement. Il avait de nouveau le comportement insomniaque de l'automne précédent, quand il avait craint qu'une deuxième scierie ne s'installe au village.

— Je peux peut-être faire quelque chose? demanda-t-elle.

— T'en as déjà assez ici-dedans.

Elle soupira. «Oui, j'en ai peut-être assez ici-dedans», songea-t-elle en effleurant son ventre de sa main.

Au bout de dix minutes, alors qu'Imelda allait s'assoupir, il se décida.

— Ça prend bien la peine de passer un contrat devant un notaire pour se faire arranger de même!

224

Elle repoussa son sommeil avec difficulté et se tourna à demi vers lui. Malgré l'obscurité, elle le vit allongé sur le dos, les bras croisés sous la nuque. Elle le devina les yeux grands ouverts dans la nuit. Elle ne dit rien; il poursuivrait quand il l'aurait décidé.

— S'il fallait que cet enfant de chienne vienne me bosser dans mon moulin, je sais pas ce que je ferais.

Elle comprenait de moins en moins. De quel contrat parlait-il? Et qui donc pourrait lui commander dans sa scierie, lui qui régentait même son associé plus âgé que lui?

— Quel contrat? se risqua-t-elle à demander.

— Mon association avec Vanasse.

— Il est bien correct, M. Vanasse, se permit-elle d'affirmer.

— Lui, oui. Mais son flanc-mou d'Armand, par exemple!

— Qu'est-ce qu'il vient faire dans ton moulin?

Charles s'emporta:

— Rien à c't'heure. Mais si son père meurt, je veux pas l'avoir dans les jambes.

Imelda ne connaissait pas cet individu et ne put évaluer la crainte de son mari.

— Il est arrangé comment, le contrat?

— Si l'un des deux meurt, l'autre peut racheter sa part.

— T'auras juste à l'acheter, s'étonna Imelda.

— L'acheter? On n'a pas fixé de prix, dans le temps. C'est ça, le problème! Le fils de Vanasse, t'imagines-tu qu'il va me faire un cadeau? Ben voyons donc! Il va vouloir m'égorger, c'est certain!

Imelda soupira. Elle ne savait rien des affaires, ignorait tout de ce fils Vanasse, mais elle connaissait son mari. «Au lieu de se faire des misères avec ça, pourquoi il tire pas l'affaire au clair?»

— Monsieur le notaire, lui, qu'est-ce qu'il en pense?

— Il a pas juste ça à faire, s'inquiéter de mes affaires.

— Ça se peut, répliqua-t-elle, mortifiée. Mais il n'est pas notaire pour rien. Puis il brasse assez souvent de tes affaires, justement, pour te donner un conseil de temps en temps.

— J'ai pas besoin des conseils des autres.

«Arrange-toi donc, d'abord!» eut-elle envie de lui dire, blessée par cette humeur malveillante qu'il retournait contre elle.

— C'est vrai que t'es capable de mener tes affaires tout seul, dit-elle sobrement. Bonne nuit, Charles.

La suggestion d'Imelda était pertinente et elle fit son chemin. La semaine suivante, Charles se décida à consulter le notaire Lanthier. Une fois dans le bureau, assis dans la chaise aux bras et aux pattes sculptées de feuilles d'acanthe et au rembourrage gris-vert, il tourna plutôt son interrogation comme un blâme pour du travail mal fait. L'homme de loi le corrigea posément:

— De mémoire, monsieur Manseau, vous étiez si pressé de vous associer, il me semble, que vous aviez refusé de préciser cette clause.

Après quelques phrases acerbes de l'un et quelques phrases diplomatiques de l'autre, ils convinrent qu'il était préférable de régler la question avec Anthime Vanasse lui-même plutôt qu'avec son héritier le moment venu.

— Je t'ai dit, l'automne passé, se renfrogna Vanasse, que j'étais encore ton associé, Charles Manseau, que ça te plaise ou non.

— Là, oui, père Vanasse, mais si un jour vous êtes plus là...

— Ben, j'y serai plus puis tu t'arrangeras avec tes troubles!

Malgré quelques tentatives, plus agressives d'une fois à l'autre, Charles dut reconnaître qu'il était préférable de ne pas se mettre son associé à dos carrément. Il cessa de revenir sur le sujet, rongeant son frein avec hargne.

En octobre, Imelda accoucha pour la deuxième fois. Ce fut une petite fille au front buté comme celui de son grand-père Lachapelle. Quand elle la reçut dans ses bras, la mère attendrie lui effleura doucement la tête; l'enfant plissa les yeux et le nez, comme pour repousser cette première caresse. Imelda en fut peinée et regarda longuement le visage du bébé. «Ma fille, ma première fille...», pensa-t-elle avec un sentiment ambigu. «J'espère que la vie va être facile pour toi...» Mais elle en doutait malgré elle. La vie pouvait-elle être facile pour une fille?

Charles entra dans la chambre pour voir le nouveau-né. Il n'avait pas davantage assisté à cette naissance qu'à celle de Wilfrid, plus d'un an auparavant. Choisissant d'oublier la déception que lui avait causée son absence, Imelda apprécia que Charles vienne enfin, après les heures plus brèves mais douloureuses pendant lesquelles seules Émérentienne Boudrias et Mme Beaupré, la sage-femme, l'avaient assistée.

— C'est une fille, dit Émérentienne, épuisée, en tentant en vain de lisser ses cheveux grisonnants. Je vais aller nous faire un bon thé, dit-elle gentiment à Imelda en ramassant les linges souillés.

Mme Beaupré tendit la petite à Charles, qui la regarda avec attention sans toutefois la prendre. Il devança Émérentienne:

— Imelda aime son thé fort; je vais m'en occuper avant d'aller chercher les enfants chez les Gingras. Ils vont être contents d'avoir une petite sœur.

Lavée et peignée par Mme Boudrias, Imelda eut le temps de dormir un peu avant que la chambre soit envahie par les trois aînés excités.

— Où elle est, maman? chuchota Marie-Louise. Où elle est, ma petite sœur?

Victor découvrit le bébé le premier, couché tout près de la mère qui le prit dans ses bras pour le leur montrer. Henri n'en revenait pas davantage cette fois-ci que l'an dernier, à la vue de son frère Wilfrid.

— Je peux prendre sa petite main...? demanda-t-il d'une voix émue.

Le gamin de huit ans enveloppa la menotte fripée dans sa main et il trouva celle-ci démesurée. Il se crut presque un géant à côté du nouveau-né. Imelda était attendrie de cette communion du garçon à ce grand événement. Elle lui répondit, essayant de cacher sa lassitude:

— Tes doigts devaient être aussi petits que ça quand t'es venu au monde.

Henri fronça les sourcils; non, cela n'était pas possible. Imelda devina son incrédulité.

— Demande à ton père; il va te le dire, lui.

Charles se sentit ému de la générosité d'Imelda qui acceptait si simplement que ce morceau de leur vie n'appartienne qu'à eux.

— C'est ben certain, dit-il avec un mouvement de tête. Ça me fait drôle à moi aussi.

Et sa main d'homme enveloppa à son tour celle d'Henri, la couvrant comme d'un manteau invincible, et l'enfant leva des yeux dévoués vers son père. Imelda eut tellement envie de cette main qu'elle aurait souhaité sentir si souvent contre sa joue ou sur ses cheveux qu'elle posa doucement la sienne sur celle de l'homme, sans s'y appuyer pour ne pas créer de poids sur le bébé. Mais cela en faisait trop et les trois mains libérèrent la menotte fragile de la petite qui poussait de petits cris perçants.

— Comment on va l'appeler? demanda Victor.

Imelda regarda Charles, espérant qu'il émette un désir, qu'il participe à la joie de la naissance de leur deuxième enfant, pour compenser son absence précédente, peut-être. Mais il ne disait rien. Elle répondit simplement à l'aîné:

— Tu dois être assez grand pour le choisir toi-même.

Victor pensa instantanément à une camarade de classe, la petite Blondeau, et il rougit.

— Gemma!

La mère fronça les sourcils; elle ne connaissait personne de ce nom. Le père, étonné lui aussi, haussa simplement les épaules et regarda Imelda. «Il ne s'intéresse pas plus à celle-là qu'au premier», fut-elle forcée de constater sans l'admettre.

— Puisque t'as choisi le nom, dit-elle presque tristement, t'es assez grand pour être son parrain, si tu veux. Mon père m'a dit qu'il se trouvait trop vieux pour avoir une filleule.

Victor fut profondément ému de la confiance de sa nouvelle mère et se promit d'être le protecteur de sa petite sœur.

En novembre, Imelda écrivit aux parents de Charles pour leur annoncer la naissance de Gemma. Elle offrit à Charles d'ajouter un mot lui-même.

— Qu'est-ce que je pourrais leur dire? Nos vies se ressemblent pas, à c't'heure.

— C'est tes parents quand même.

Charles remit une bûche dans le poêle, taciturne.

— On n'a pas la même manière de vivre.

— Comme mon oncle Damien au Manitoba? demanda Victor avec la logique de ses onze ans.

Le père fut contrarié mais ne dit rien. La mère voulut rectifier: «On le sait pas, si c'est pas pareil; on n'est jamais allés les voir.» Mais elle se tut parce que les enfants, en train de faire leurs devoirs scolaires, avaient levé les yeux et suivaient leur conversation.

Dans sa lettre, la femme se retint une fois de plus de dire ce qu'elle pensait. Elle écrivit seulement que les affaires de Charles allaient bien, même si elle savait que c'était faux. Elle n'avait pas à dire aux parents de son mari que, pour la première fois de leur vie, les Vanasse se préparaient à passer les fêtes chez leurs deux fils, aux États-Unis, et que cela rendait son associé malade d'inquiétude. «Peut-être que M. Vanasse veut régler ses affaires de son vivant?» songea-t-elle, sans pouvoir deviner si ce serait bon ou mauvais pour son mari.

Charles la regarda écrire et se méfia en la voyant aligner d'autres phrases au lieu de simplement signer. Sous le prétexte de vérifier le contenu de la boîte à bois, ce qui fit sourciller Henri dont c'était la responsabilité, il passa près de la table et zieuta la lettre un instant. Imelda en fut contrariée. «S'il n'avait rien à dire il y a deux minutes, en quoi ça l'intéresse maintenant?» Quand elle eut terminé et signé, il ne put s'empêcher de lui dire:

— Si tu parles de mes affaires, tu me la liras avant.

Imelda se redressa le dos. Elle était peinée et humiliée. Peinée de son manque de confiance, humiliée de faire vérifier sa lettre devant les enfants dont elle vérifiait elle-même les leçons et les devoirs. Elle respira profondément et lut lentement la lettre à voix haute, sans en passer un mot, et contenant difficilement son dépit. Quand elle l'eut pliée et cachetée, il dit, en se berçant à peine, près du poêle:

— T'aurais pu leur dire aussi que je vais probablement changer la grande scie, au moulin.

Elle le regarda, doublement contrariée. «C'est bien le temps de le dire; je viens de la cacheter.» D'ailleurs, elle n'aurait pu transmettre une information qu'elle ignorait. Elle s'irrita de ce reproche subtil et injustifié; elle fut aussi agacée qu'il lui apprenne ainsi cette nouvelle sans lui en dire plus. Victor leva les yeux, intrigué, et, dans le mouvement de sa main, une goutte d'encre tomba de sa plume dans son cahier de calcul. Henri le poussa du coude et Victor épongea vivement le gâchis avec le buvard, lui qui aimait beaucoup l'école et s'appliquait avec tant de soin à ses travaux scolaires.

— La grosse scie ronde, papa? s'exclama-t-il, tout excité. Pourquoi? Elle est brisée?

— La grande scie de trente pouces, elle fonctionne comme il faut, c'est certain. Mais quand elle frappe un nœud, ça arrive qu'elle perd une dent. Ça fait une moins belle ouvrage. Puis si elle perd trop de dents, faut la changer. Ça coûte cher.

Imelda l'écoutait tout en corrigeant un mot sur l'ardoise de Marie-Louise. Son mari parlait si rarement de ses affaires qu'elle ne savait même pas avec précision ce que signifiait le problème dont il les entretenait. Pouvait-il scier correctement? Avait-il eu des reproches de ses clients? Si les dents se brisaient, devait-il changer la scie fréquemment? Combien cela coûtait-il? Elle s'étonnait une fois de plus d'être aussi loin de Charles Manseau alors qu'elle vivait dans la même maison que lui et partageait son lit.

— Qu'est-ce que vous allez faire, papa? interrogea Henri qui était content d'être distrait des mots à copier au plomb dans son cahier de troisième année, n'étant pas encore autorisé à écrire à l'encre comme les élèves de quatrième.

Charles était fier de la fascination que la grande scie exerçait sur le petit Henri. Il annonça enfin sa nouvelle, s'adressant à lui comme si les autres n'existaient plus.

— Ils viennent d'inventer quelque chose de pas mal intelligent.

Il s'interrompit et promena son regard sur ses trois enfants et sa femme tous autour de la table familiale, la longue table de cuisine qu'il avait faite de ses mains, dans sa scierie, et qui les rassemblait pour les repas, et les travaux scolaires. Les enfants avaient mis leurs devoirs de côté. De toute évidence, ils voulaient connaître la suite. Tous, sauf Imelda qui prit le temps d'écrire le dernier mot du devoir de Marie-Louise, faisant grincer la craie sur l'ardoise. Elle refusait de lui accorder toute son attention alors qu'il venait de l'asticoter à propos de la lettre.

— À c't'heure, ma nouvelle scie va avoir... des dents *rapportées*.

Assis l'un en face de l'autre, les deux garçons se regardèrent, perplexes. Leur père s'en amusa et dévoila enfin l'énigme.

— Quand une dent va casser, on aura seulement à remettre une dent neuve. C'est tout.

La petite Marie-Louise fronça les sourcils. Elle ne put s'empêcher, par comparaison, de frotter son index sur les deux dernières dents qui lui avaient poussé récemment. Il lui sembla très étrange que la scie, comme sa mâchoire à elle, puisse générer ainsi de nouvelles dents.

— Ça va tenir comment? s'inquiéta Victor.

Charles se sentit fier de son aîné, un petit homme qui avait l'intelligence des mécanismes.

— On enlève la visse qui retient la dent brisée, on sort la dent. On glisse la nouvelle dent dans la coche, on la visse. Puis ça marche. Je te montrerai quand je l'aurai installée.

— Moi aussi, je veux la voir, la dent magique! protesta Marie-Louise.

— Les filles, ça n'a pas d'affaire dans un moulin, railla Henri.

La petite pleurnicha.

— Moi aussi, je veux les voir, les dents qui repoussent toutes seules.

Charles se leva, mit son manteau et enfila ses bottes pour aller faire sa tournée habituelle à la scierie avant de se coucher.

— Je les ai pas encore, s'amusa-t-il. Mais ça viendra; le printemps prochain, je pense bien. Une belle invention de même, ça mérite d'être pris en considération. Ça va me sauver pas mal d'argent puis faire sortir du bois mieux coupé.

Intéressée par l'invention, Imelda se souvint tout à coup d'un commentaire de Charles à ce sujet.

— Il me semblait que M. Vanasse n'était pas d'accord...

Charles fut contrarié de la remarque, pourtant fort juste, comme si sa femme amoindrissait son désir légitime de progrès aux yeux de ses enfants, et il lui décocha un regard irrité.

— C'est pas avec son trente pour cent qu'il va m'empêcher d'aller de l'avant.

«Et c'est pas en le contrariant à tout bout de champ comme tu fais, que tu vas le mettre de ton côté non plus! Surtout ces temps-ci, quand il se prépare à voir ses fils pour discuter de leur héritage!» pensa-t-elle.

Il sortit et le vent de novembre poussa dans la maison un courant d'air froid et une odeur de pluie abondante. Les enfants se tortillèrent les pieds. Dès que la porte fut refermée, les garçons commentèrent la trouvaille de leur père, la petite bâilla et la femme soupira. «Quand on a un associé, on le traite pas comme un engagé», protesta-t-elle en suivant le trajet de son mari en pensée. Elle secoua la tête, refusant cette déception qui osait faire surface de plus en plus souvent. «C'est à croire qu'il est gêné de me parler devant le monde, en plein jour. La seule attention que j'ai de lui, c'est quand on est tout seuls, à la noirceur, en dessous des couvertes.» Elle se redressa brusquement et se délia le haut du dos pour se délester d'un poids invisible.

— Bon, c'est assez tard. Ramassez vos affaires, les enfants.

Marie-Louise dormait déjà debout et sa mère monta la coucher. Les garçons lambinèrent, se chamaillèrent un peu, mais se précipitèrent dans l'escalier dès qu'ils entendirent le pas de leur père sur la galerie; il n'aimait pas les voir traîner avant de se coucher.

L'année 1908 commença mal. Anthime Vanasse était revenu des États-Unis avec un air absent et il parla à peine à Charles de tout le mois de janvier. Ce dernier se rongeait d'inquiétude. «Qu'est-ce qu'ils ont mijoté là-bas, toute la *gang* ensemble?» Ce fut la persistance de la mauvaise humeur de son associé qui commença pourtant à le rassurer.

— Qu'est-ce qui vous arrive, père Vanasse? Avez-vous ramené une maladie des États? On dirait que vous filez un mauvais coton depuis quelque temps.

Anthime le toisa puis continua son travail sans rien dire. Charles n'eut pas besoin de revenir à la charge. Ce fut Anthime lui-même qui aborda le sujet au début de février.

— Tu passeras à la maison, à soir. On a des affaires à discuter.

Charles poussa un soupir de soulagement. Quelle que soit la proposition, il y en aurait enfin une. «Ça commençait à être le temps.» Hémérise ne tricota pas, ce soir-là. Elle traversa chez sa voisine quand Charles arriva, pour se faire lire une lettre reçue de sa fille, installée dans le Bas-du-Fleuve. «On va être mieux entre hommes», se réjouit le visiteur. Il reluqua toutefois en vain la théière sur le poêle à bois: Anthime ne pensa jamais à lui offrir un bon thé chaud; il se serait senti démuni devant cette tâche simple mais inconnue pour lui.

— Je suis encore au moulin, Manseau, dit-il enfin, puis pour un bon bout de temps à part de ça.

Son interlocuteur serra les dents.

— C'était pas nécessaire de me faire venir ici pour me dire ça, dit-il en se levant.

— Assieds-toi donc! s'irrita le vieux. J'ai même pas commencé à dire ce que j'ai à te dire!

Charles revit tout à coup le vieux Vanasse dans son ancienne scierie près de la chute, lui donnant des petits blocs dont il prétendait avoir besoin pour son jeune fils Victor, alors âgé de trois mois. Il se remémora, incrédule, les événements qui avaient suivi sa visite et qui, en une douzaine d'années seulement, avaient tant changé son gagne-pain. Il avait eu pitié, ce jour-là, du père abandonné par ses fils. La souffrance qu'il voyait aujourd'hui dans les yeux du vieil homme était pire, si cela était possible.

— Déposséder tes fils, dit sourdement Vanasse, je te souhaite jamais d'avoir à faire ça, Charles...

Il l'avait appelé par son prénom. En l'absence de sa femme, il n'avait plus à crâner.

— Qu'est-ce que vous voulez dire? risqua l'autre.

— Ma part du moulin, ils l'auront pas; ça les intéresse même pas. Leur vie est pas pareille pantoute, là-bas.

— Ça veut pas dire que vous les dépossédez. Votre... héritage sera en argent, c'est tout.

— De l'argent, mon garçon, soupira-t-il amèrement, ça remplacera jamais un bien.

Charles respira. Enfin, c'était fait; du moins, c'était en bonne voie de l'être. Il avait cependant négligé la culpabilité du père vis-à-vis de sa descendance.

— Non, Charles, l'argent, ça remplacera jamais un bien solide en dessous des pieds, répéta Vanasse.

Il toisa son associé. Dans ses yeux, la brume de tout à l'heure avait disparu. À la place luisait le regard incisif de celui qui ne céderait rien, mais qui vendrait sa part, et chèrement. Les discussions commencèrent, âpres. Pour Anthime Vanasse, ce serait le dernier gain qu'il recevrait de toute sa vie. Et il faudrait qu'il l'étire jusqu'à sa mort et celle de sa femme Hémérise. Quand il le comprit, Charles en eut froid dans le dos: lui aussi, un jour, il n'aurait plus de bien en dessous de ses pieds. Et cela décupla sa détermination de posséder la scierie à lui tout seul et de la faire fructifier à son gré, le plus tôt possible, pour faire vivre sa famille et assurer ses vieux jours, même si ceux-ci lui semblaient lointains. «En attendant, je fais mieux de garder mon argent en banque au lieu d'acheter la nouvelle scie, au cas où...»

Dès le lendemain matin, la transaction à peine amorcée, Charles se conduisit, sans l'avoir prémédité, comme le maître de la scierie. Il décida unilatéralement de reporter l'acquisition de la scie à dents remplaçables. Vanasse fut profondément blessé d'être évincé de cette décision et cela accentua sa réticence à céder sa part.

— Papa, demanda Victor en revenant de l'école un midi, M. Vanasse travaille plus avec vous?

Imelda, soucieuse, regarda son mari à la dérobée. La question l'avait pris de court puisqu'il venait de se passer la main dans les cheveux.

— Vanasse...

Il vit le regard de désapprobation de sa femme.

— Vanasse est au moulin, comme il a toujours été au moulin. Avec moi.

— Oui, mais..., insista Henri, il y en a à l'école qui disent que...

— Les racontars, coupa son père, je perds pas mon temps avec ça.

Les garçons comprirent qu'ils ne devaient pas revenir sur le sujet. Imelda résolut de faire le contraire.

— As-tu réglé ton affaire avec monsieur Vanasse? lui demanda-t-elle ce soir-là.

Il prit le temps de se déshabiller.

— C'est en chemin, répondit-il.

Il souffla la lampe. Imelda ne put s'empêcher d'insister.

— Ça doit être bien dur à prendre de penser qu'on peut plus rien faire parce qu'on est rendu trop vieux.

— C'est la même affaire pour tout le monde, grogna-t-il.

— Pour nous autres aussi, un jour...

— On n'est pas encore là.

Il se tourna vers le mur et s'efforça de s'endormir malgré la pensée de son père qui lui revenait trop fréquemment à son goût depuis le début des discussions avec le vieux Vanasse. «Ma famille à moi est pas élevée; j'ai plus d'obligations que Vanasse.»

Pourtant souhaitées par les deux parties, les négociations s'envenimèrent. Charles voulait la cessation immédiate de leur association, mais la répartition sur dix ans du montant qu'il offrait en compensation. Anthime Vanasse, en plus d'exiger une somme plus importante que celle qui lui était offerte, la réclamait en un seul versement. De plus, il insistait pour continuer à travailler à la scierie, à titre d'employé. Charles refusait d'envisager de payer à celui qui deviendrait son ex-associé le même salaire qu'aux ouvriers. «Il fournit moins de travail que les autres», jugeait l'un. «Ma part, je la veux d'un coup. L'avenir, on le connaît pas personne», s'obstinait l'autre.

Entre-temps, la rumeur voulant qu'une autre scierie soit installée à Saint-François-de-Hovey se confirma. Doublement menacé, Charles craignit que Vanasse ne vende sa part à son futur concurrent, qui n'en serait que trop heureux et lui offrirait un meilleur prix. Bon gré mal gré, Charles augmenta la mise, proposa d'en verser la moitié à la signature du contrat et le reste en cinq versements annuels. De son côté, Vanasse cesserait de travailler complètement; la perspective d'être l'employé de celui qu'il avait autrefois engagé l'avait finalement décidé à prendre sa retraite. Ils s'entendirent à l'été. Charles racheta la part de son associé avec ses économies, celles des créances du temps de son travail de commis chez Maurice Boudrias. «Ce bien-là, je pensais jamais le gruger, puis encore moins d'un seul coup!» soupira-t-il, regrettant déjà la sécurité financière qui l'avait rassuré durant toutes ces années.

Quand Anthime quitta la scierie pour la dernière fois, il ne dit pas au revoir aux employés: il en était incapable. Pour lui, sa vie venait quasiment de se terminer.

— À c't'heure, murmura-t-il sombrement à sa femme, il me reste juste à attendre la mort.

— Voyons donc! le gronda Hémérise. Ça fait des mois que t'as de la misère à finir tes journées au moulin. T'as bien gagné de prendre du bon temps, vieux fou!

Elle le regarda à la dérobée en dressant la table du souper. Comment pourrait-il accepter d'être enfermé dans l'espace étroit d'une maison, lui qui avait connu des scieries vastes et ouvertes aux deux extrémités, toute sa vie? «Moi, songea-t-elle, j'ai vu partir mes enfants un par un; même à ça, je me suis jamais habituée.» Elle ne l'envia pas. Mais elle soupira pour elle. Quelles journées lui ferait-il maintenant qu'ils les passeraient entièrement ensemble?

Après la signature, chez le notaire Lanthier, de la dissolution de leur association, Charles rentra chez lui pour enlever ses habits propres et endosser ses vêtements de travail. Il traversa ensuite à la scierie d'un pas impatient, la regarda avec une grande satisfaction et y pénétra lentement.

Ses mains fortes caressèrent le cadre de la porte. Ses yeux suivirent les mouvements rapides des grandes courroies qui traversaient le plafond de la pièce de la fournaise, rejoignant la machinerie qui se trouvait au-dessus. Ses oreilles se délectèrent du sifflement strident de la grande scie qui mordait dans un billot. Il huma la bonne odeur des copeaux et fut pris d'un vertige de contentement. Victor s'était empressé de revenir de l'école et il accourut fébrilement vers son père. Il n'eut pas besoin de demander si la transaction avait été conclue: l'air heureux de son père lui en donna la certitude.

— À c't'heure, dit l'enfant avec excitation, c'est le moulin des Manseau!

Absorbé par ses réflexions, son père murmura:

— Oui, mon garçon. Tout ce qu'il y a ici-dedans, c'est à Charles Manseau.

Le regard de Victor s'attrista et le garçon sortit sans bruit de la scierie, y laissant son père dans son extase solitaire.

Dès le départ définitif de Vanasse, Charles commença à garder Victor avec lui pour la journée de temps à autre. L'enfant en était informé le matin, sans préavis, ce qui le désolait. Il aimait l'étude autant que son oncle Alphonse, maintenant parvenu au scholasticat, et il réussissait bien, lui aussi. Il avait rêvé de terminer les deux ans de l'école modèle. Étudier plus longtemps, se rendre jusqu'à la fin de l'académie: cela était réservé aux fils de notaires ou de médecins, et il n'y avait même pas songé. À seconder son père à la scierie de plus en plus fréquemment, parfois pour de longues semaines, Victor prit du retard dans les matières scolaires et ses notes s'en ressentirent. Son père décréta finalement:

— Tant qu'à tout faire à moitié, autant venir travailler au moulin pour de bon.

À regret, le garçon de onze ans ne remit plus les pieds dans une classe, et ce fut Henri qui rapporta ses maigres effets à la maison. Il avait vécu son dernier jour de classe la veille sans le savoir et il en garda un désir inassouvi d'apprendre ainsi qu'une rancune, pour la première fois sans équivoque, contre à son père.

À la scierie, celui-ci lui confia l'inscription des comptes à payer et à recevoir; il y en avait de plus en plus et Charles éprouvait maintenant de la difficulté à tout calculer mentalement; noter des nombres ici et là sur des bouts de papier ne suffisait plus. L'enfant était encore jeune mais minutieux. Bien sûr, Imelda aurait pu se charger des calculs à effectuer pour le commerce, car elle avait fait sa quatrième année, mais le chef de famille prétexta qu'elle avait suffisamment de travail avec la maisonnée. Imelda l'interpréta comme un manque de confiance et en fut très blessée.

Victor fut aussi chargé, entièrement, de l'écurie de la scierie: nourrir et soigner quotidiennement les deux chevaux de trait, ainsi qu'entretenir le bâtiment. Henri fut chargé de l'écurie utilisée par le cheval de promenade. Celui-ci servait moins souvent mais devait être traité aux petits soins. Le garçon avait soupiré en recevant sa tâche: il savait que son père ne tolérerait aucun laisser-aller dans l'astiquage des attelages et de la voiture, que c'était long à effectuer et, surtout, toujours à recommencer.

— Un cheval puis une voiture, ça parle pour ou contre nous autres. Frotte, mon garçon!

Malgré tout, Henri enviait son frère Victor. Comme il lui tardait de cesser devoirs et leçons pour participer à son tour, comme un homme, à la vie de la scierie! Mais pour l'instant corder des bardeaux de temps à autre, était une tâche dérisoire à ses yeux, bien loin de la besogne virile de scier d'énormes billots de douze ou de dix-huit pieds, son rêve depuis des années.

Si Charles n'avait rien à reprocher à ses fils, il n'était pas aussi satisfait de certains de ses ouvriers.

— Faut tout leur montrer, faut les surveiller à cœur de jour, se plaignit-il un matin en prenant son thé.

— Ils travaillent moins bien qu'avant? s'étonna Imelda.

— Non, mais avant, c'était Vanasse qui s'occupait de ça.

«Puis je pensais pas que c'était de l'ouvrage de même», ronchonna-t-il intérieurement, réalisant un peu tard l'aide appréciable que son associé avait apportée à l'entreprise.

Au début de l'année 1909, les Manseau reçurent une lettre de Mélanie. Imelda la lut rapidement en silence, selon son habitude, comme si les lettres pouvaient apporter de mauvaises nouvelles qu'elle devrait ensuite annoncer avec ménagement. Elle sursauta, incrédule.

— Mon doux! Ça se peut quasiment pas!

Absorbée par la nouvelle, elle relut la lettre et constata seulement ensuite que, malgré son exclamation, Charles n'avait posé aucune question. Il s'était lavé les mains et s'était assis à table pour le dîner, sans rien dire. Elle attendit. S'intéressait-il ou non à ce qu'elle venait de lire? À sa sœur de l'Ouest? À sa nièce Hermance dont Mélanie parlait avec inquiétude? Elle ne savait que penser, bouleversée par la lettre, partagée entre l'espoir que son mari manifesterait un souci légitime pour sa sœur et sa hâte de prendre les devants et de lui transmettre les nouvelles, pour nier son indifférence, peut-être. Ce fut Marie-Louise qui dénoua la tension.

— Ma petite cousine, elle est à l'école, elle aussi? interrogea-t-elle, fière de ses connaissances nouvelles, toujours fascinée par ses mystérieux cousins dont sa grand-mère Amanda parlait avec tant d'affection et de regret.

— Oui, soupira sa mère; elle est en deuxième année. Mais elle doit rester à l'école plus longtemps que vous autres, tous les jours.

— Pourquoi? compatit Henri.

— Parce que là-bas...

Elle ne savait comment le dire et il ne lui venait pas à l'esprit de simplement lire à haute voix la lettre de Mélanie. Elle se croyait responsable de préparer sa famille, d'atténuer le souci qu'elle croyait, malgré tout, que Charles en ressentirait. Elle replia la lettre et la glissa dans une poche de son grand tablier. Elle rejoignit les autres déjà attablés, se recueillit plus longuement, pour Mélanie et sa famille. Elle prononça le bénédicité avec respect et y ajouta:

— Et bénissez aussi tous ceux qui croient en Vous, mon Dieu, et bénissez les enfants pour qu'ils aient le droit d'entendre parler de Vous.

Charles fut intrigué de son air grave et de cet ajout inusité à la formule récitée trois fois par jour avec peu de variantes.

— Votre mère se sent pieuse aujourd'hui.

Il souriait et elle ne put déceler s'il s'agissait d'humour ou de moquerie. Elle préféra l'oublier; quelle importance cela avait-il par rapport à ce qui se passait là-bas? Elle servit la soupe, puis Charles trancha le pain et entama avec appétit ce repas revigorant après les cinq longues heures de travail de l'avant-midi, dans la scierie jamais assez chaude en hiver. Les enfants soufflaient sur les cuillerées brûlantes et Marie-Louise s'amusait de la buée qui brouillait sa vue. Imelda se décida.

— Ta sœur, votre tante Mélanie, rappela-t-elle aux enfants, dit qu'au Manitoba...

«On va enfin finir par le savoir», soupira Charles, agacé de ce qui lui semblait tant de manières depuis l'ouverture du courrier.

—... il faut rester à l'école après la classe pour avoir des cours de religion.

La tablée ne sembla pas réaliser toute la signification de la nouvelle.

— Ça veut dire, précisa-t-elle, que la loi de là-bas défend d'enseigner la religion dans la classe.

Charles fut contrarié. De quoi les lois se mêlaient-elles? Mais, pas plus pratiquant qu'il ne le fallait, il ne s'en fit pas outre mesure.

— Pendant ou après, qu'est-ce que ça change?

Imelda en fut indignée.

— Qu'est-ce que ça change? Mais... ça veut dire que, dans le fond, ils en ont presque pas le droit. Pas le droit d'être élevés dans leur religion! Ça n'a pas de bon sens! Un droit de même, on peut pas enlever ça au monde.

Vue sous cet angle, la question rejoignait le principe de liberté qui l'habitait si intensément.

— T'as dû mal lire. On est dans un pays libre. Un droit de même, faudrait être ben croche pour ôter ça au monde. Au propre monde de notre propre pays.

Victor devint perplexe et la logique de ses douze ans lui fit faire une déduction.

— Vous avez dit, une fois, que mon oncle Damien avait pas la même vie que nous autres. C'est ça que vous vouliez dire, papa?

Son père lui jeta un regard coupant.

— J'ai dit qu'on n'avait pas la même manière de vivre. J'ai pas dit qu'on n'avait pas les mêmes droits. Notre pays, c'est notre pays d'un bout à l'autre. Un pays libre. Égal pour tout le monde.

Victor ne répondit rien, le cerveau trop occupé à démêler les réponses de son père. Malgré toute sa bonne volonté, il lui semblait que son père se contredisait, mais, à ses yeux d'enfant, cela ne pouvait pas être possible. Et si son père se fâchait en plus, cela devait certainement être lui, Victor, qui était dans l'erreur. Il s'en voulut de ne pas comprendre et se déprécia parce que son père le lui avait fait voir.

Imelda ne savait comment poursuivre la conversation maintenant que Charles l'avait tranchée avant même qu'elle ne commence vraiment. Elle n'arrivait pas à se dissocier de l'inquiétude douloureuse dont la lettre était imprégnée, du chagrin sous-jacent aux phrases trop bien rédigées pour être spontanées.

— De toute façon, renchérit le père en repoussant son assiette vide, si c'était si effrayant que ça, là-bas, ils y seraient pas allés, me semble. Personne les a forcés.

Imelda mesura ses paroles pour garder la discussion ouverte le plus longtemps possible. L'enjeu était sérieux et les enfants devaient savoir.

— Dans un sens, c'est même une amélioration. Avant, ils pouvaient même pas parler de religion dans les écoles. Jamais.

Charles leva les yeux au ciel, incrédule. Imelda, humiliée, se força à poursuivre.

— Depuis l'année passée, ils peuvent au moins avoir des cours de religion, mais seulement après l'école.

— Ah! moi, soupira Henri, après l'école, je comprends plus rien; ça rentre plus.

— C'est pour ça que c'est grave, renchérit lentement sa mère. C'est des droits qui finissent par ne plus donner grand-chose.

Charles commençait à s'interroger lui aussi; mais il refusait de réviser ses positions.

— Quand on n'a pas de droits à ce point-là, on fait pas exprès de s'exiler dans des places de même.

— Ils le savaient peut-être pas.

— Quand on décide d'aller s'installer ailleurs, on s'informe, me semble.

— Des questions d'école, on s'en pose peut-être pas tant qu'on n'a pas des enfants assez grands pour aller à l'école, répliqua Imelda.

— Ben, c'est ça que ça donne, de pas prévoir ses affaires, trancha-t-il.

Il se servit lui-même une assiettée où baignaient autant de larges morceaux de lard que de fèves brunes odorantes, grognant intérieurement parce que, à son dire, sa femme s'occupait des affaires d'ailleurs et négligeait son devoir de servir à table. Imelda se leva et alla brasser le reste de la chaudron-née, inutilement, pour fuir et tourner le dos à son mari qui faisait preuve de tant de mauvaise foi. «Comme si on pouvait tout prévoir. La vie, c'est une journée après l'autre, pas dix ans d'avance.»

Charles retourna à son travail, l'estomac plein et l'esprit agité par la colère et le doute. La religion ne comptait guère pour lui, mais, à la pensée que quel-qu'un ou une loi lui en interdirait l'exercice, son sang ne faisait qu'un tour. «On est dans un pays libre ou on l'est pas, maudit! Elle a dû mal lire. Les femmes, ça comprend ces affaires-là de travers puis ça se laisse monter la tête.» Les femmes. Imelda et Mélanie dont la lettre avait déclenché la polémique. «Si c'était Damien qui avait écrit la lettre, je dis pas, mais...» Deux ouvriers rentrèrent et reprirent leur travail. Chacun avait sa tâche, chacun l'exécutait à la ma-nière dont Charles l'avait décidé. «C'est comme dans un pays: faut un boss. Sans un boss, les affaires peu-vent pas marcher.»

Il réalisa, en voyant arriver Gervais et les der-niers hommes, que ceux-ci étaient rémunérés pour leurs services, et qu'ils n'avaient aucun contrôle sur la gestion de la scierie. Sa comparaison entre le pays et son commerce devint boiteuse. À moins que, là-bas, sa sœur et son beau-frère ne soient traités comme des employés qui n'avaient rien à dire sur leur sort. Il était de plus en plus irrité de toutes ces pensées qui faisaient leur nid en lui. Gervais vint vers lui, soucieux.

— Monsieur Manseau, il paraîtrait qu'on va perdre le sciage de la grange des Côté.

— Comment ça? explosa Charles.

L'ouvrier haussa les épaules, anxieux de transmettre la mauvaise nouvelle à son patron.

— Ben, les Kingsey, de Coaticook, c'est fait. Ils vont se construire un moulin de l'autre côté du pont.

Charles serra les dents.

— Puis? On a nos clients; ils s'en chercheront.

— Les Kingsey ont dit que le premier contrat, ils le feraient à moitié prix. Edgar Côté a sauté sur l'occasion, même s'il va devoir retarder sa grange.

Charles empoigna un billot pour s'activer et le lança sur la pile, faisant débouler quelques morceaux.

— En plus, renchérit un autre employé, admiratif malgré lui, il paraît qu'ils vont avoir une scie avec des dents *rapportées*! Je serais ben curieux de voir ça, une belle invention de même!

CHAPITRE 9

— CE MAUDIT moulin-là, il avait bien d'affaire à venir se construire ici!

Charles lança son chapeau de fourrure sur la berçante et déboutonna son lourd manteau d'hiver. Imelda sut que la réunion des commissaires d'école n'avait pas été en faveur de son mari. Elle s'abstint, malgré sa hâte d'en connaître les résultats, de le questionner. Quand il était de cette humeur, il valait mieux attendre que le temps passe. Victor n'eut pas sa patience. Puisqu'il travaillait à la scierie comme un homme, et qu'il était le fils du patron en plus, il attendait des explications, ou, du moins, un minimum d'informations: son père avait-il, oui ou non, obtenu le contrat tant convoité?

— Puis, le père, on l'a ou on l'a pas?

Le «on» irrita le chef de famille. «Jusqu'à preuve du contraire, je suis le seul boss dans cette affaire-là!» Il ne daigna pas répondre et passa à la salle de toilettes, installée dans la petite pièce attenante au salon. Quand il tira sur la chasse d'eau, il apprécia ce confort. «Les bécosses, ça avait fait son temps.» L'installation de l'électricité ainsi que d'un cabinet d'aisances, l'année précédente, lui avait donné un confort qu'il appréciait quotidiennement et cela assouplit un peu son humeur. Il revint à la cuisine, s'attabla et mangea sa soupe.

— On va l'avoir, papa? insista Henri.

Il haussa les épaules.

— Ce maudit monde-là, on sait jamais ce que ça pense. Parce que c'est élu commissaire d'école, ça se prend pour le roi d'Angleterre.

— C'est qui, déjà, le président? demanda Imelda en nettoyant la bouche de son troisième enfant, la petite Antoinette.

— Côté. Edgar Côté.

— Celui qui avait été le premier client des Kingsey, papa? se souvint Henri.

— T'as une bonne mémoire, mon garçon, s'étonna Charles une fois de plus. Mais les Kingsey aussi s'en souviennent. Ils lui avaient fait le sciage de toute sa grange à moitié prix. À c't'heure, ils veulent le contrat de la nouvelle école.

— On était là avant! protesta Henri.

Son frère Victor le regarda de haut; décidément, son cadet ne comprenait rien aux affaires.

— Mais les Kingsey, ils ont baissé leurs prix, eux autres.

— On n'a qu'à faire pareil! suggéra le cadet.

— Votre père sait comment mener ses affaires, les arrêta Imelda.

— Oui, puis des affaires, c'est pas un jeu à qui va faire les jobs pour rien! C'est bien beau baisser, mais faut arriver dans nos chiffres aussi.

L'affaire traîna une partie de l'hiver. Charles dut user de diplomatie, insister, presque menacer pour faire valoir son offre. Les commissaires étaient divisés et n'arrivaient pas à se rallier à une solution acceptable pour tout le monde. Le curé revint à la charge:

— Les filles de la Charité du Sacré-Cœur ne peuvent plus attendre. Elles ont accepté d'ouvrir un couvent et une école à Saint-François-de-Hovey, elles ne reviennent pas là-dessus. Mais l'école doit être construite ce printemps; c'est noir sur blanc dans l'entente, sinon les religieuses ouvriront une maison ailleurs.

À la réunion des commissaires de la fin février 1911, le contrat fut enfin octroyé.

— M. Manseau aura soixante pour cent des billots à scier et M. Kingsey quarante pour cent, annonça Edgar Côté à la fin de la réunion houleuse.

Il soupira et ajouta que les Kingsey étaient doublement défavorisés parce que leur commerce ne se doublait pas de l'exploitation de coupes de bois.

— Les deux commerces auront le choix de fournir les billots, aux dimensions décrites sur ce papier-là, au prix qui est marqué là-dessus. Vous avez dix jours pour nous dire votre décision.

Tout compte fait, Charles s'avoua satisfait. Au début, il comptait sur le contrat en entier. Ensuite, il avait craint de n'en recevoir qu'un tiers. En fin de compte, il s'en tirait avec soixante pour cent, presque le double de ce qu'obtenait son concurrent, et, en plus, il fournirait le bois de sa part du contrat. Cela, il le devait à Éphrem Gingras, qui avait tonné, de sa voix forte:

— Ça va faire! Manseau, il était là avant l'autre, puis s'il a des coupes de bois, tant mieux pour lui puis tant mieux pour nous autres. Tout compté, ça nous coûtera moins cher.

Au magasin général, Émérentienne Boudrias était furieuse que le contrat eût été divisé.

— T'aurais dû y aller puis protester, reprocha-t-elle à son mari. Faut se tenir, entre commerçants.

— T'avais qu'à le faire toi-même. C'est toi, l'ancienne maîtresse d'école.

— Ça n'a rien à voir avec ça. Je te parle de concurrents qui divisent un commerce!

— Le village a quasiment doublé, c'est sûr, commenta Boudrias, mais deux moulins à scie, je l'ai toujours dit, c'est trop. Mais qu'est-ce que tu veux? On peut rien faire là-dedans.

— Mais notre magasin à nous, renchérit Émérentienne, faut l'agrandir ou bien on va avoir un concurrent qui va nous prendre nos clients, comme pour Charles.

— Penses-tu! protesta Boudrias. Ce qu'il y avait à se construire, c'est déjà fait. Une boucherie, une boulangerie, une cordonnerie. Mais il y a seulement une forge, comme un seul magasin général, comme un seul bureau de notaire.

Un mois plus tard, Henri et Marie-Louise rentrèrent de l'école en riant et en se bousculant. Le froid de mars leur gelait les joues. Il ne restait plus que quelques semaines avant le printemps et l'hiver semblait en profiter.

Henri avait terminé les cinq années de l'école Primaire et il était maintenant en première de l'école Modèle. Le jeune adolescent poussait à vue d'œil, ses poignets dépassaient des manches de chemise toujours trop courtes, au désespoir d'Imelda qui n'avait pas souvent le temps de coudre. Marie-Louise, en cinquième année, était déjà une grande fille de onze ans, très raisonnable.

Les deux enfants se hâtaient, affamés, et ils entrèrent dans la maison chaude avec soulagement. Ils virent que leur collation était déjà prête et se regardèrent, déçus. Cela signifiait que leur père les attendait immédiatement pour une heure ou deux de travail à la scierie, à corder des bardeaux.

Imelda regarda avec compassion la petite qui cachait sa déception de son mieux. Elle qui avait si hâte de raconter à Wilfrid, le bambin de cinq ans, ce qu'elle avait fait dans sa journée, de montrer à Gemma, la petite de trois ans et demi, un bout de la nouvelle chanson que la maîtresse d'école leur avait apprise ce matin, et de faire marcher un peu la petite Antoinette, le bébé d'un an et demi, poupée choyée par les trois aînés.

La mère respira difficilement. Sa quatrième grossesse achevait. «Ce sera un bébé du début du printemps, pensa-t-elle, attendrie. Et j'aurai moins chaud cet été», se dit-elle en se rappelant les trois autres naissances, l'une en juillet, les deux autres en octobre. Mais, pour le moment, c'était mars, un mars froid, et Imelda se désolait de penser que la petite Marie-Louise se ferait encore geler dans la scierie glaciale.

— Habillez-vous comme il faut, recommanda-t-elle.

— Il y en a tant que ça, des maudits bardeaux? grogna Henri.

— Parle pas de même. C'est le gagne-pain de ton père. L'ouvrage, faut respecter ça.

Marie-Louise prit le temps d'aller embrasser et dodicher les trois petits; c'était sa source d'énergie.

— Tarde pas trop, Marie-Louise, lui dit sa mère à contrecœur. Ton père aime pas ça, attendre.

La fillette leva les yeux vers sa mère. «Vous non plus, maman, mais vous, vous le dites pas.»

— Puis vous, maman, vous aurez pas besoin de moi pour le souper?

Imelda se redressa. À trente-cinq ans, elle était en pleine possession de sa force physique; elle assumait toute sa besogne et le payait de son corps aussi, avec cette autre grossesse qui, une fois de plus, l'hypothéquait pour neuf mois.

— Ton père a besoin de toi au moulin.

Marie-Louise se résigna. D'ailleurs, pour obtenir ne serait-ce qu'une parcelle d'attention de ce père si distant dont les regards fugaces ou les paroles rares et brèves ne la rassasiaient jamais, elle était prête à faire n'importe quoi, même si cela lui coûtait beaucoup, comme cet après-midi. Elle mit ses vêtements de semaine, s'emmitoufla et suivit son frère à la scierie. Elle détestait se retrouver ainsi, seule fille avec ses frères, son père et les employés, ceux-ci ne quittant le travail qu'à dix-neuf heures.

Victor fut dispensé de son travail régulier pour venir les aider, tant il y avait de morceaux à empiler. Dans l'air glacial et humide du vaste espace d'en bas, ils eurent vite les doigts gelés sous leurs mitaines. En dépit de leur jeunesse, leurs dos protestaient sous ce travail harassant, où ils devaient sans cesse se pencher et se relever, avec trop peu de mouvements amples pour se réchauffer. Leur père ne s'en apercevait pas. Il ne voyait que les piles de billots empilés dans sa cour à bois pour la construction de la nouvelle école, des billots qui venaient de ses coupes de bois. Il lui tardait de commencer à les débiter et à empiler les planches et madriers qui seraient bientôt sciés et comptés.

Plus frileuse que ses frères, Marie-Louise était aussi fière qu'eux et refusait de se plaindre, mais Victor la vit pleurer de froid et de fatigue et il en eut pitié. Il lui réchauffa les mains dans les siennes en les frictionnant vivement et lui souffla:

— Va-t'en à la maison. Je vais faire ton ouvrage.

La petite renifla, fit un demi-sourire triste.

— Papa serait pas content; il en reste gros à faire, chuchota-t-elle en regardant le tas de bois encore si énorme malgré tout leur travail que d'autres larmes vacillèrent dans ses yeux.

— Laisse faire, je te dis. Dépêche-toi!

Charles descendait pour vérifier la pression de la vapeur quand il aperçut Marie-Louise qui sortait presque en courant. Il se redressait déjà pour l'interpeller quand Victor s'interposa courageusement.

— C'est rien qu'une fille, papa; elle est pas forte comme nous autres.

L'argument n'eut pas l'air de convaincre son père et Victor, à regret, alla jusqu'au bout de sa décision généreuse.

— Je vais faire sa part, papa, inquiétez-vous pas.

Le jeune de quatorze ans, presque aussi grand que son père, décontenança celui-ci.

— C'est toi qui bosses, à c't'heure?

Victor en eut brusquement assez de la hargne de son père. Ses yeux se durcirent d'une rage qu'il voila péniblement.

— Elle est encore une petite fille, papa; nous autres, on est des hommes.

C'était vrai. Il venait de quitter la dernière illusion de son enfance et, sans le savoir, il avait toisé son père d'homme à homme pour la première fois. Celui-ci en fut presque effrayé et se réfugia dans un ton bourru.

— Ben, montre-le, d'abord!

Il lui tourna le dos et saisit la valve de contrôle de la pression, mais ses mains n'arrivaient pas à tourner à la bonne mesure. Il avait au cœur l'affront de son aîné: c'était celui qu'il avait tant de fois infligé à son père Anselme. Un peu plus loin, dans la lueur jaunâtre du fanal, Victor crispa ses mains de rage sur les bardeaux pour ne pas les lui jeter à la tête. Henri craignit qu'une partie du surplus de travail lui retombe dessus et maugréa, à voix basse à son aîné:

— Avant de faire ton généreux, parle-moi-z'en donc, la prochaine fois.

Le père décréta brusquement:

— C'est assez! On continuera après le souper. Henri, tu peux t'en aller.

Victor resta et finit sa journée d'homme, comme les autres employés. Le repas du soir fut avalé en silence — un silence lourd. Charles leva les yeux sur Marie-Louise, qui appréhendait ce moment.

— Tu resteras ici pour aider ta mère. Elle a pas toutes ses aises de ce temps-ci.

Imelda apprécia l'attention. Marie-Louise desservit avec une telle célérité que Victor lui glissa tout bas:

— Fais-en pas trop du coup: tu vas avoir le temps de revenir au moulin...

La fillette se figea en une telle expression de détresse que Victor éclata de rire malgré lui.

— Tant mieux si t'es en forme de même, commenta son père. On a de l'ouvrage à faire, nous autres, les hommes!

Imelda ne saisit pas le sens caché de la phrase, mais comprit qu'un incident s'était produit avant le souper et relia la phrase ambiguë au fait que la petite avait les yeux rouges quand elle était rentrée de la scierie.

— Vous venez aussi, papa? s'étonna Henri.

— Faut ben. L'ouvrage, faut que ça se fasse.

Dans la scierie, Charles se planta entre ses deux fils et les toisa de son regard pénétrant.

— C'est pas tout de dire qu'on est des hommes, faut le prouver!

Il se pencha près du tas, ramassa quelques bardeaux et les lança à Henri, si surpris qu'il ne sut en attraper qu'un seul qu'il relança à Victor qui le déposa maladroitement sur la cordée à moitié montée. Les fils n'eurent pas le temps de répliquer quoi que ce soit: leur père les fournissait à une telle allure qu'ils avaient besoin de toute leur attention pour le suivre. Ils travaillaient tous trois avec fébrilité; une sorte de rage s'était emparée d'eux et c'était à qui impressionnerait les deux autres. Victor, pressé de montrer son habileté, prit un rythme un peu trop accéléré au début, puis se calma. Méthodiquement, comme le lui avait montré Gervais six ans auparavant, mais plus rapidement maintenant à cause de son expérience, il empila des cordées si droites qu'elles semblaient avoir poussé là.

Charles, avec sa motivation de patron et surtout son désir de père d'en montrer à ses garçons, donnait son maximum. Henri, entre eux, se retrouvait dans sa position habituelle, celle du milieu, plus confortable mais moins importante. Au bout d'une demi-heure Charles voulut se relever pour évaluer le travail à faire et il grimaça de douleur, le dos barré. Il se repencha, mine de rien, et se releva lentement, plus soucieux de ne rien laisser voir qu'inquiet de la douleur sournoise qui lui vrillait les reins. Victor corda les derniers morceaux, imperturbable. Il avait vu la grimace de douleur et il en triomphait quasiment.

— Bon, on va changer de place, dit Charles en feignant de blaguer. Henri commence à s'ennuyer dans le milieu, me semble.

Soulagé de travailler autrement, Henri voulut corder mais son père lui désigna sa place près du tas de bois bien entamé et remplaça Victor pour aligner les bardeaux lui-même. Comme le tas de bois avait beaucoup reculé, Henri devait lancer les bardeaux plus loin, ce qui demandait plus d'adresse. Charles avait de plus en plus mal au dos et il profita des quelques maladresses dues à la nouvelle répartition des tâches pour décocher quelques reproches cinglants. Ils découragèrent Henri et fouettèrent Victor.

La compétition recommença, encore plus éprouvante que tout à l'heure: le poids de la journée se faisait sentir pour tout le monde. Le poids de la journée, et le poids de l'âge pour Charles, le poids de sa vie. Sa vie passée à prouver aux autres qu'il valait plus que son père, qu'il était un homme. Les bardeaux volaient d'Henri à Victor, de Victor à son père. Le poids de la vie pesait lourd aussi pour Victor, qui voulait prouver à son père qu'il était capable de le seconder, et, s'il était rejeté, capable de le défier. Pas encore de le vaincre, mais au moins de le défier. Les bardeaux volaient encore. Henri en avait l'écœurement dans les yeux. «Jeune comme il est, il récupérera en une nuit», l'envia son père. Les bardeaux volaient toujours. Victor, avec la force et la souplesse de ses quatorze ans, tenait le coup avec plus d'endurance que les autres. Les bardeaux continuaient à voler. La cadence ralentissait à peine quand Charles finissait une cordée pour en commencer une autre. «Il pourra pas se tenir droit demain matin», songea Victor en l'espérant quasiment, mais prenant quand même sur lui de ralentir quand son père n'arrivait plus à les suivre. «Les» suivre, parce qu'Henri et Victor, sans s'être consultés, le fournissaient sans trêve, leur rage suppléant à la force physique qui menaçait de les lâcher. Ils atteignirent enfin les derniers morceaux du dernier tas de bardeaux. Charles se concentrait tellement sur les mains et les bardeaux pour garder la cadence qu'il n'avait pas vu, plus loin dans la pénombre, diminuer le dernier tas. Henri se redressa enfin, victorieux, et lança les trois derniers bouts de bois. Victor, un sourire vainqueur illuminant son visage mince, les reçut avec un clin d'œil de connivence, les retint un instant, et les passa lentement à son père.

— Envoye! On n'est pas là pour niaiser! On en a encore pour un bout de temps!

Victor redressa ses épaules endolories et le toisa. Il fut tenté de le planter là sans rien dire, mais il se ravisa et dit simplement:

— On a fini, le père.

Et il tourna les talons. Charles, épuisé, saisit la bravade déguisée et s'entêta à avoir le dernier mot.

— Puis? C'est pas fini! Va chercher les fanaux!

Victor serra les dents pour ne pas répliquer: «Vous avez jamais voulu qu'on y touche, à vos maudits fanaux: allez-y donc vous-même.» Mais il ne discutait jamais avec son père et il était trop fatigué pour commencer ce soir. Les doigts raidis de froid et le dos courbaturé, il eut de la difficulté à saisir, au-dessus de sa tête, l'anneau métallique qui, lui, était trop chaud. Évitant soigneusement de se brûler ou de l'échapper, il ramena le fanal à sa hauteur et souffla la flamme qui vacilla, se coucha et se redressa, indomptée. Il souffla plus fort et la flamme s'éteignit pour de bon. Il raccrocha le fanal à sa place avec une douleur cuisante à l'épaule. Il décrocha le deuxième fanal et l'apporta à son père pour qu'ils puissent se guider tous les trois jusqu'à la sortie. Charles étendit rudement la main pour saisir l'anse, mais les doigts de Victor l'enserraient déjà et il ne pouvait lâcher le fanal sans l'échapper.

— Mets-le à terre, d'abord! Envoye, maudit! On n'est pas là pour la nuit!

L'un des deux fit-il un faux mouvement ou se précipita-t-il indûment? Est-ce Henri qui, pressé de rentrer au chaud, avait laissé s'engouffrer un coup de vent? Le globe à peine soulevé, la flamme se déporta et fit pétiller instantanément des copeaux secs, se nourrissant de tout ce qui était sur son passage.

— De l'eau! De l'eau! Grouillez-vous, maudit!

Charles piétinait les copeaux de ses bottines aux épaisses semelles. Victor se précipita sur le baril toujours rempli d'eau par précaution, mais l'eau avait gelé. Il saisit un seau vide et courut au robinet près de la bouilloire. Il ouvrit vivement le robinet. L'eau coulait si lentement qu'il aurait voulu la tirer à deux mains pour remplir le seau sans délai.

— L'eau, maudit! Grouille-toi! hurla son père.

Victor, impuissant, secoua le robinet qui conserva son même débit exaspérant. Près des flammèches, Henri était trop affolé pour réagir.

— La pelle! lui cria son père.

Le jeune garçon tourna sur lui-même, trop angoissé pour voir devant lui la pelle métallique qui, près de la fournaise, servait à l'alimenter en copeaux.

— Ciboire! Ouvre-toi les yeux!

Charles bondit, repoussa vivement son fils qui chancela et faillit tomber à la renverse. Le père attrapa la pelle qu'il abattit à grands coups sur les flammèches. Victor accourut enfin avec le demi-seau d'eau, qu'il lança, et la fumée noire opaque sauta au visage de son père, penché au-dessus des copeaux.

— Ciboire! cria-t-il de nouveau en toussant.

Les deux frères reculèrent pour le laisser passer, à demi aveuglé par la fumée. Puis, avec leurs pieds, la pelle et un autre seau d'eau, les trois hommes vinrent à bout des traîtres méandres de flammèches qui couraient sous les copeaux. Le silence retomba dans le vaste espace. Les yeux de Charles, douloureusement irrités par la fumée, scrutaient le sol; il en approcha le fanal avec précaution, incapable toutefois de se pencher beaucoup tellement son dos raidi refusait d'obéir. Un silence de mort accompagna ses derniers regards scrutateurs sur les copeaux et le bran de scie que son pied s'obstinait à fouiller prudemment. Il finit par relever la tête, les traits tirés.

— Bon, c'est assez! Tu feras attention la prochaine fois, reprocha-t-il injustement.

Victor se crispa et sortit à grandes enjambées pour ne pas jeter le fanal allumé dans la scierie tant il refoulait sa colère. Henri, les nerfs à fleur de peau, oublia toute prudence.

— C'est pas lui, papa, c'est... c'est...

— C'est qui d'abord? Moi, peut-être ben? rugit l'homme qui combattait l'angoisse à sa manière.

Henri avala de travers.

— Non, non, c'est pas vous, c'est... c'est personne.

— Ben tais-toi donc, d'abord!

Imelda n'arrivait pas à s'endormir. Peut-être parce que Charles s'était couché en arrivant, sans décolérer, et que, rompu de fatigue, il ronflait déjà, et fort, trop fort. Elle regarda longuement le visage étiré de son mari, que même le sommeil n'arriverait pas à détendre, cette nuit. Elle souffrait de cette lutte qui s'installait, de plus en plus âpre, entre son fils aîné et lui. «La vie est déjà assez dure de même, me semble... Pourquoi il s'en rajoute tout le temps?» Elle détourna lentement son regard, ferma les yeux un long moment. Elle les entrouvrit, essaya de trouver une position confortable pour dormir, mal à son aise avec sa grossesse avancée, et referma les yeux. Mais elle les rouvrit brusquement, le froid au cœur. Par la fenêtre, à travers les rideaux, des lueurs rouges dansaient sur la courtepointe. La gorge nouée, Imelda saisit le bras de Charles avec tant de violence qu'il se réveilla net.

— Charles! LE FEU!

Il sauta du lit, saisit ses vêtements et ses bottines qu'il enfila sans trop s'en apercevoir, et dévala l'escalier en hurlant à ses enfants:

— Debout! Debout! Le feu!

Il prit son manteau, sortit et s'arrêta au pied du perron. Devant lui, la scierie était un brasier, une torche démente sous le firmament clouté d'étoiles. Charles n'avait plus de vie, plus d'air, plus de souffle. Plus rien. Il restait là, figé, sans voir les voisins qui accouraient, sans voir ses deux fils qui sortaient à leur tour: Henri qui respirait bruyamment, avec des sons qui ressemblaient à des plaintes étouffées, et qui allait en tous sens, grelottant sous le manteau enfilé à la hâte, et Victor, les yeux fixes dans un visage dangereusement pâle, le désespoir déjà installé au cœur devant les reproches injustifiés à venir.

— Victor! cria Imelda.

L'adolescent refoula ses larmes et se tourna vers la femme. Il courut vers elle pour se justifier de vivre.

— Les petits, Victor, les petits! ordonna-t-elle d'une voix étonnamment calme. Va les mener chez ta grand-mère Gingras.

Marie-Louise se colla contre sa mère et tripota le bout du châle ample que celle-ci avait jeté à la hâte sur sa longue chemise de nuit. Des hennissements de terreur déchirèrent l'air glacial de la nuit. Imelda se retint à un poteau de la galerie pour se soutenir. Charles se précipita vers la petite écurie attenante à la scierie et pénétra dans la fumée épaisse. Il repéra à tâtons l'animal le plus près de la porte.

— *Wo! Wo!* cria-t-il au cheval épouvanté.

Il le détacha de la stalle et le retint fermement par le licou pour le guider vers l'extérieur. Dès que l'animal fut dehors, Charles lâcha prise. Il sentit le cheval redresser la tête, les naseaux dilatés dans le vent; la bête partit brusquement au galop, et l'homme, qui ne voyait plus rien dans la fumée, le suivit au son, espérant que l'animal avait su instinctivement de quel côté se diriger. Il émergea enfin de la zone enfumée et leva les yeux vers la scierie: les flammes se couchaient maintenant du côté de la rivière. Le vent épargnait sa maison. «Merci, mon Dieu», balbutia-t-il. Il se retournait pour aller chercher le second cheval de trait quand le toit de l'écurie s'effondra. Le hurlement étouffé de l'animal lui tordit le ventre. Il était trop tard pour le deuxième cheval.

Sur la galerie, droite dans l'angoisse, Imelda, après des minutes qui lui avaient paru interminables, comprit enfin ce qui se passait par des remarques des voisins qui se criaient les nouvelles les uns aux autres. Il y eut un dernier gémissement de l'animal, puis ce fut le silence. Marie-Louise en avait le ventre torturé comme si mille mains voulaient se l'arracher par morceaux. Tout contre elle, Imelda la sentit prise d'un tremblement de terreur; par pitié pour l'enfant, elle se ressaisit malgré sa peur de femme et d'épouse.

— Viens m'aider à habiller les petits, lui ordonna-t-elle pour la ramener au calme. Vite!

Marie-Louise n'eut plus le temps de penser à sa peur. Elle se précipita à l'étage, réveilla et habilla Wilfrid qui ne comprenait pas ce qui lui arrivait. Devant les lueurs rougeâtres à la fenêtre, il crut qu'il rêvait.

— Malou, Malou, c'est beau, hein? dit-il innocemment à sa grande sœur qui lui cacha le visage contre elle.

— Non, non, le réprimanda-t-elle en tremblant, c'est pas beau, c'est pas beau...

À sa suite, Imelda était remontée, péniblement, et avait réveillé et habillé le plus vite qu'elle avait pu la petite Gemma et le bébé Antoinette. Marie-Louise descendit les deux plus grands en les tenant par la main. Imelda la suivit lentement, incapable de voir le bout de ses souliers à cause de son gros ventre et craignant de marcher sur le bas de sa chemise de nuit et de trébucher dans l'escalier, enceinte, avec la petite dans ses bras.

Victor avait attelé à la hâte le cheval de promenade, qui se trouvait dans l'écurie près de la maison. Il installa rapidement Wilfrid sur la banquette avant, y plaça ensuite Gemma.

— Marie-Louise, vas-y avec eux autres, décida Imelda.

La fillette monta à son tour et prit le bébé que lui tendait sa mère.

— Hue! cria Victor.

Responsable de sa cargaison humaine, il puisa sa force dans le réconfort des deux petits blottis entre lui et sa sœur qui portait le troisième contre elle. Il fit galoper le cheval effrayé par le feu vers le village, comme s'il était un fuyard. Imelda eut un grand frisson et rentra en refermant la porte derrière elle, s'y adossant, épuisée. Maintenant que les petits étaient hors de danger, l'affolement commença à s'emparer d'elle. Elle serra les dents et se redressa péniblement. «C'est pas le temps, Imelda! s'ordonna-t-elle. On a besoin de toi ici!» Elle respira profondément et monta à sa chambre. Elle grelottait dans sa chemise de nuit et il n'était pas convenable de se montrer ainsi devant les voisins. Elle s'habilla rapidement et redescendit.

Comme elle, Charles s'était ressaisi, donnait des ordres, faisait jeter des seaux d'eau sur la maison, située à cinquante mètres de la scierie mais pas entièrement à l'abri des flammes, qui pouvaient sauter ici et là. Formant une chaîne, les hommes se passaient les seaux puisés dans un trou hâtivement percé dans la glace de la rivière, mais, entre la scierie et la maison, il y avait la cour à bois, avec ses piles de planches bien sciées et soigneusement montées qui devaient être emportées d'ici la fin de la semaine. Charles avait forcé le rythme du sciage, pour que le contrat de la nouvelle école puisse commencer à s'exécuter ces jours-ci. Et maintenant, madriers, planches et bardeaux, parce que sciés et empilés, étaient une proie d'autant plus facile pour les flammes.

Les bardeaux minces avaient flambé comme des allumettes. Dehors, cinq carrés de planches étaient ravagés. Plus à l'ouest, les madriers avaient tenu le coup parce que des hommes, sous la conduite de Clophas, les avaient arrosés tant qu'ils avaient pu. Seules quelques rangées du haut, du côté de la scierie, avaient été atteintes. Charles ralentit sa course et alla vers les piles de billots de l'école. Arrosés eux aussi, peu d'entre eux étaient endommagés. À peine le feu avait-il commencé à lécher l'écorce épaisse enrobée de neige et de glace que le vent l'en avait détourné.

Un bruit sourd se fit entendre et une vapeur immense troua le feu. «Ma bouilloire», pensa Charles qui vit défiler dans son cerveau des images de scies, de billots, de bouilloire éventrée, de piles de bois, de cordées de bardeaux.

— Les bardeaux, balbutia-t-il, comme frappé de stupeur. Les bardeaux...

Quelques hommes le dévisagèrent, inquiets de le voir se préoccuper de cette marchandise somme toute peu importante.

— Il divague, chuchota l'un d'eux.

Éphrem Gingras, Maurice Boudrias et Anthime Vanasse se regroupèrent instinctivement, comme si leur expérience de vie pouvait les mettre à l'abri de la révolte.

— Il méritait pas ça, dit sobrement Éphrem.

— Personne mérite des affaires de même, l'approuva Boudrias.

Un homme susurra, assez fort pour être entendu:

— Quand on a commencé son argent avec le malheur des autres...

Éphrem retourna sa carrure solide vers le calomniateur mais personne ne semblait avoir parlé quelques secondes plus tôt. Le forgeron serra les poings au rappel de la lointaine récupération des créances. Vanasse se sentit douloureusement atteint par l'allusion haineuse qui pouvait aussi s'appliquer à la reconstruction de la maison du vieux Siméon, et aussi parce que, même s'il avait vendu sa part d'associé à Charles depuis presque trois ans, cette scierie était son œuvre à lui aussi. Il s'accrocha à Éphrem qui le soutint de sa main encore costaude.

— On va vous ramener chez vous, père Vanasse. On peut rien faire ici à notre âge.

Mais le vieux chancela et il fut entraîné dans la maison, qui semblait, du moins pour l'instant, hors de danger. Avec quelques voisines, Imelda, pâle et étirée, servait du thé chaud aux voisins, qui avaient fini leur corvée mais restaient, au cas où le vent changerait de côté de nouveau. Avec sa grossesse avancée, devant tous ces hommes, elle se sentait reluquée dans sa propre cuisine. Mais, cette nuit, ce sentiment-là, comme les autres, était relégué au second plan. Elle s'approcha de Vanasse et le fit asseoir dans la berçante près de la fenêtre.

— Prenez pas ça de même, père Vanasse, dit-elle d'une voix éteinte. Le bois, ça se remplace; pas le monde.

Vanasse leva les yeux vers elle. Même dans le malheur, elle était là, maternelle, serviable. «Pourquoi les femmes l'aiment tant, lui?» Par la fenêtre, il voyait Charles, éclairé par les flammes, presque irréel, comme s'il n'était qu'une ombre de lui-même. «Ouais, se dit Vanasse, on dirait une truite dans un ruisseau qui veut se laisser prendre par personne.» Les vieux doigts esquissèrent machinalement sur le bras de la berçante le mouvement d'essayer de saisir une truite trop vive, trop coulante. «Qu'est-ce qui lui manque tant pour qu'il coure de même, année après année?» se demanda le vieil homme que la nuit tragique rendait lucide. Imelda allait et venait, jetant des regards angoissés par la fenêtre à tout moment. Henri entra, comme absent lui aussi.

— Va porter ça à ton père, lui dit-elle en lui tendant une tasse de thé chaud et une écharpe de laine.

Le garçon la regarda et prit les objets, mais il resta immobile. Puis il commença brusquement à trembler et à claquer des dents. Le thé vibrait et giclait partout. Imelda voulut lui enlever la tasse des mains, mais il avait les doigts crispés sur l'anse, au bord de la crise de nerfs.

— Monsieur Gingras, appela Imelda d'une voix brisée.

Le grand-père saisit le jeune poignet dans sa main d'étau et l'enfant lâcha prise brusquement. En voyant la tasse de fer-blanc tomber et se renverser, il revit le fanal que s'étaient disputé le père et le fils et il éclata en sanglots hystériques. Éphrem le gifla et le jeune garçon se ressaisit. Serrant les poings, il découvrit dans sa main gauche l'écharpe de laine. Il la lança sur la table.

— Il en voudra pas de toute façon; il veut jamais rien de personne.

267

Imelda détourna son regard de celui d'Éphrem où flottait une pitié douloureuse. Il alla se mêler aux hommes pendant qu'Imelda, épuisée, renonçait elle aussi à aider Charles.

— Pensez-vous qu'il va reconstruire? demanda quelqu'un.

— T'imagines-tu qu'il peut faire autrement? bougonna Éphrem.

Un autre dit à voix basse en se détournant d'Imelda:

— C'est ben de l'argent de perdu. Il est pas la banque des Townships.

Vanasse savait mieux que les autres combien rapportait le commerce, mais il connaissait aussi le montant du salaire des employés, le prix de la machinerie, et celui du bois. Il ne pouvait nier non plus que le montant du rachat de sa part d'associé avait été une somme importante, même pour un commerce qui fonctionnait bien. Et que Charles lui devait encore trois paiements annuels, sur une scierie qui n'existait plus.

— Non, c'est pas la banque des Townships, murmura-t-il, bouleversé.

Imelda était profondément humiliée par ces remarques. Elle constatait une fois de plus qu'elle ne connaissait rien des affaires de son mari, qu'il ne lui en parlait jamais. Et elle se sentit étrangère tout à coup, dans cette cuisine remplie d'hommes qu'elle connaissait peu. Elle se sentit également étrangère à ce corps qui, à huit mois, lui donnait trop tôt des signes de la naissance prochaine. Elle ressentit une douleur si vive qu'elle s'assit lourdement, le visage vidé de tout son sang.

— Madame Dupré..., quémanda-t-elle à sa voisine.

Éphrem vit son visage se durcir de souffrance. Elle se pencha vers l'avant et se protégea le ventre de ses deux mains. La voisine interpella le marchand général à voix basse:

— Allez donc chercher votre femme, monsieur Boudrias. Je pense que Mme Manseau va avoir besoin d'aide.

— Vous autres, houspilla Éphrem, allez donc voir dehors s'il y a encore quelque chose à faire.

Les hommes virent la femme chanceler et ils s'esquivèrent, fuyant le spectacle des douleurs de la maternité.

— Voulez-vous aller vous coucher, maman? demanda d'une petite voix brisée Marie-Louise qui était revenue avec Victor pour ne pas abandonner sa mère.

— Oui..., murmura la femme, je pense que ce serait mieux... Ahhh...!

Une autre crampe l'avait pliée en deux. Éphrem lui passa le bras autour des épaules et la sentit glisser. Il la supporta sous les aisselles et l'aida, péniblement, à se rendre à la chambre du fond. «Ça pourrait être ma fille», pensa-t-il, et il la soutint avec une tendresse qu'il croyait avoir oubliée. Marie-Louise les rejoignit avec un linge mouillé dont elle essuya le front blême de sa mère qui s'était allongée sur le lit. La voisine avait déjà mis de l'eau à bouillir.

— Merci, monsieur Gingras. Ça va aller mieux. C'est correct.

Mais elle avait de plus en plus mal et Marie-Louise respira de soulagement en voyant entrer enfin sa grand-tante Émérentienne. La femme d'âge mûr voulut se faire rassurante.

— Eh bien, c'est beaucoup d'émotions pour une seule nuit, tout ça! C'est bien trop tôt pour votre prochain, Imelda, faut pas être si pressée, blagua-t-elle maladroitement.

Plus tard, dans le silence de l'aurore, Charles regarda par la fenêtre de cette petite chambre les décombres de ce qui avait été sa scierie, son rêve, son ambition. Son regard se tourna vers le lit. Sa femme dormait sous l'effet d'une piqûre. Le docteur Gaudreau venait de partir. Sur la commode, emmitouflé dans une couverture d'enfant, le petit né trop tôt et qui n'avait pas survécu. Charles frissonna, dépaysé dans cette chambre inconnue pour lui.

«Je dois pas avoir assez dormi», se dit-il.

Il regarda le petit cadavre emmailloté. «Je vais aller lui faire une boîte au moulin.» Ses jambes se ramollirent. Il n'avait plus de scierie. Sa mâchoire se durcit. Il prit le paquet, presque avec réticence, et sortit pour aller au presbytère avant que les plus vieux ne se relèvent après leur nuit de cauchemar.

CHAPITRE 10

EN REVENANT du presbytère dans le petit matin blafard, Charles, l'esprit gelé, s'arrêta à l'endroit où, la veille, se dressait sa scierie. Il promena lentement son regard sur les rares poutres et solives qui tenaient encore, rongées et noircies par le feu. Il s'avança machinalement vers le cœur des décombres: la grande scie. Il releva la tête et la vit à travers les restes du plafond, incongrue d'être ainsi presque suspendue à ciel ouvert. Sa forme se précisa dans la clarté naissante du jour nouveau, indifférent du drame de la nuit prédécente. Pendant toutes ces années, jamais il n'avait vu la grande scie sous cette perspective. Sa scierie lui sembla étrangère tout à coup, comme s'il en découvrait des facettes inconnues, lui qui pourtant avait toujours cru la posséder.

Il huma l'air inconsciemment et décela un changement de température à l'odeur de la neige qui commençait à tomber. Le ciel capricieux de mars, qui, la veille, était glacial, oscillerait ce midi autour du point de congélation. Ce soubresaut extrême de la température lui fit mal, brutalement. «Un jour on a tout, et le lendemain...» Cette pensée le vida du peu de substance qui lui restait: il n'avait jamais su qu'il avait tout. C'était trop tard et il n'avait plus rien. Son corps ploya comme si un manteau de plomb venait de lui tomber sur les épaules. Il cligna des yeux devant les décombres qui devenaient flous et les rares bruits du matin s'estompèrent à ses oreilles. Il sentit sa conscience se retirer de lui et il eut un dernier réflexe: aller se coucher. Il rentra et traversa la cuisine encore déserte, monta pesamment l'escalier et se laissa tomber de travers sur le lit, s'y endormant aussitôt.

Il n'eut conscience de presque rien durant des heures. Il se réveillait en sursaut, revivait le cauchemar de l'incendie, refusait d'en admettre la réalité, retombait dans un sommeil agité, épuisant. Il crut, à un moment, entendre le pas léger de Marie-Louise dans le corridor, puis le grincement léger d'une porte qu'on referme tout doucement. Et l'homme se sentit abandonné même de sa famille. Il se rendormit pour oublier. De toute la journée, croyant obéir à ses ordres implicites, personne n'osa le déranger. Et dans la chambre d'en bas, Imelda, seule et désemparée, pleurait en silence la mort de son petit.

Marie-Louise remonta à l'heure du souper, inquiète. Elle tourna lentement la poignée de la porte, vit son père endormi dans ses vêtements de travail et ce détail le rendit vulnérable à ses yeux de fillette. Et la détresse l'habita encore davantage. Dans cette maison, d'habitude ordonnée et animée, rien, de toute la journée, n'avait pu calmer les angoisses qui l'assaillaient depuis la nuit dernière. La scierie avait brûlé. La scierie, plus importante qu'eux tous aux yeux de son père. Son père, qu'elle avait toujours vu fort et solide et qui, depuis ce matin, dormait tout habillé, comme le petit Wilfrid quand il était trop fatigué pour se dévêtir ou qu'il refusait d'être aidé par sa mère. Et sa mère, si forte, et qui voyait à tout, n'était plus avec eux elle non plus. Dans la chambre d'en bas, réservée à des souffrances mystérieuses pour la fillette, Imelda cachait ses larmes, trop faible pour se lever, et, pour la première fois, ne se souciait de personne.

— Inquiétez-vous pas, maman, lui avait dit Marie-Louise le matin, pour la rassurer. Victor, Henri puis moi, on va s'arranger. Reposez-vous, maman.

Mais cette phrase, c'était pour elle-même que l'enfant trop raisonnable l'avait prononcée. Elle avait ressenti un tel sentiment d'abandon, ce matin, qu'elle s'était persuadée que c'était elle qui devait prendre soin de sa mère. Et de ses frères. L'aînée des filles, à onze ans, s'était sentie responsable de faire déjeuner ses frères de douze et quatorze ans. Et ceux-ci s'étaient attablés comme si c'était la routine. Henri, bouleversé, avait mangé compulsivement pour quatre. Victor avait interdit toutefois à Marie-Louise d'entretenir le feu dans le poêle à bois et s'en était occupé lui-même. Presque un homme, il avait aussi pris sur lui d'éconduire sobrement les rares voisins ou villageois qui vinrent aux nouvelles et qui s'en retournèrent sans même oser s'asseoir, croyant M. Manseau absent.

Un peu avant le dîner, la grand-mère Amanda Gingras était venue avec sa bru Corrine, mariée à Clophas depuis trois ans, et qui habitait avec les Gingras. Elles avaient apporté une chaudronnée de soupe odorante et une autre de lard aux légumes. Marie-Louise avait ainsi été déchargée de sa responsabilité nourricière par la générosité de sa grand-mère maternelle et de sa tante; les mets appétissants lui avaient redonné un peu d'appétit.

Amanda était allée voir Imelda. La vieille main usée avait tapoté la main ferme, doucement, avec une tendresse prude. Les regards s'étaient rejoints; des paroles de réconfort entre elles auraient été superflues. Les mots prononcés n'avaient concerné que les enfants.

— Les petits vont bien, avait dit Amanda sur un ton chaleureux. Le petit gars de Corrine était tout content de trouver ses cousins à la maison quand il s'est réveillé ce matin.

La pensée d'Imelda était revenue à celui qu'elle avait perdu dans la nuit et elle avait fermé les yeux. Deux larmes avaient coulé de chaque côté de son visage, glissant dans ses oreilles. Amanda l'avait bordée comme une petite fille.

— C'est peut-être mieux de même, avait-elle dit simplement.

Imelda savait qu'elle avait raison. Ce petit-là, s'il avait vécu, aurait été le rappel de la nuit de l'incendie. «Oui, c'est peut-être mieux de même.» Mais son cœur se réservait le droit de vivre le deuil de tant de mois d'attente, de tant de douleurs pour un accouchement inutile. Sa solitude dans le chagrin avait étouffé la femme, ignorée de cet homme, là-haut, qui continuait à vivre seul sa souffrance et qui se justifiait ainsi de ne pas percevoir celle des autres. Des questions toutes simples avaient obsédé la femme. «À quoi je sers ici? À qui je sers?» Elle s'était réfugiée elle aussi dans un sommeil peu réparateur.

La nuit suivante, Charles descendit lentement; il avait faim, malgré tout, mais il avait été incapable d'affronter les siens. À ses yeux, il avait failli à son rôle de chef de famille, laissant l'incendie détruire leur gagne-pain. Marie-Louise avait déposé une assiettée dans le réchaud à son intention. Il reconnut l'odeur des soupes de sa belle-mère Amanda, les soupes qu'il aimait tant, autrefois, quand il pensionnait chez les Gingras. Il s'attabla comme quand il habitait seul dans sa maison, dos au poêle. Il mangea lentement dans la cuisine vide et silencieuse. Il sortit ensuite, marcha, rôda dans les décombres et remonta se coucher.

Il ramena simplement la courtepointe sur lui et se tourna vers le mur pour oublier l'absence de sa femme. Mais il avait dormi toute la journée; le sommeil ne vint plus le soulager. Les yeux grands ouverts dans la nuit, il commença une longue insomnie. Sa pensée allait et venait, confuse, lente. Il était absent de lui-même. Un autre lui-même réalisait qu'il n'avait plus rien; lui, il était incapable de réagir.

À l'aube, épuisé par ces deux dernières nuits sans sommeil, il ne put rester couché davantage et redescendit prendre une autre soupe avant que les autres ne se lèvent. Le poêle était presque éteint et il eut le réflexe de remettre du bois. Mais sa main resta en suspens au-dessus des quelques braises qui rougeoyaient encore. Il referma le rond, incapable de supporter la vue du feu.

Il se terra de nouveau dans sa chambre et, cette fois, la ferma à double tour. Il commença à marcher de long en large, lentement, lourdement, s'arrêtant parfois de longs moments. Il marchait ainsi pour vaincre l'étouffement de ces quatre murs étroits, lui qui passait ses journées dans la vaste scierie. La scierie. Toutes ses pensées y revenaient. Tous ses pas y menaient puisqu'il allait et venait entre la fenêtre de droite, qui lui montrait les décombres maintenant enneigés, et la fenêtre de gauche, qui donnait sur le coude de la rivière, la rivière d'où les voisins avaient puisé de l'eau pour protéger les murs de sa maison contre les flammes. Le feu et la scierie, malgré des détours, s'obstinaient à le hanter.

Au rez-de-chaussée, ses trois aînés n'en pouvaient plus de l'entendre arpenter la chambre. Victor et Henri, qui ne supportaient plus l'atmosphère irrespirable de la maison, n'osaient pour autant s'en éloigner, encore plus contraints par l'inertie inhabituelle de leur père que par ses ordres cassants. Victor n'était pas responsable du drame, mais il savait que son père, lui, pensait qu'il l'était et continuerait à le penser.

— Ça, je pourrai pas le prendre, avait déclaré l'aîné, la veille, en donnant des coups de pied dans les décombres noircis. Jamais!

— Qu'est-ce que tu vas faire? lui avait demandé Henri, qui se voyait une fois de plus pris entre les deux.

— Je le sais pas.

Repensant à sa réponse de la veille, Victor leva les yeux vers la chambre de son père. «Puis lui non plus.» Le soleil avait fait fondre un peu de glace sur la rivière et, vers midi, une couche d'eau en ourla les rives dentelées. L'hiver était maintenant du passé. Étendu sur le dos dans le lit, les bras croisés sous la nuque, le regard toujours fixe, Charles commença à mettre de l'ordre dans ses idées. Et pour cela, il lui fallait d'abord trouver quelqu'un à blâmer. Il se rabattit sur la municipalité, qui ne s'était pas encore dotée d'une pompe à incendie. «Maudit village d'arriérés!» ronchonna-t-il intérieurement, refusant de se souvenir qu'il s'était opposé lui-même à cette amélioration quand le conseil municipal l'avait proposée. «Il serait temps qu'il y ait du monde qui a de l'allure dans ce maudit conseil-là!» Cette hargne ne changeait malheureusement rien à la réalité et ne le menait à rien. Il revint à des considérations concrètes.

La scierie, c'était son gagne-pain. Il n'y avait qu'une solution: la reconstruire. Pour ce faire, il avait besoin d'une grande quantité de bois. Cela, au moins, il en avait: il venait d'acheter une deuxième coupe de bois. «On peut pas être malchanceux partout, maudit!» Il pourrait au moins faire bûcher tous ses hommes en même temps. D'autant plus qu'il devrait aussi remplacer le bois de charpente qui était prêt à être livré aux clients, et une partie des billots destinés à la construction de la nouvelle école.

Les machineries, il les avait inspectées la nuit précédente, à la clarté de la pleine lune, dans le silence et la solitude. Toutes les épaisses courroies de la scie avaient brûlé ou fondu; elles étaient inutilisables. Quelques pièces mécaniques, surtout les plus grosses, avaient résisté au feu ou pouvaient être rafistolées. Il lui faudrait malgré tout racheter une bouilloire et de la tuyauterie qui avaient été tordues par les flammes.

Il avait constaté que plusieurs outils avaient été volés. Ce n'était là que des mesquineries, mais elles étaient si sordides dans son malheur que la méfiance qu'il avait toujours eue envers les villageois et qui s'était accrue avec les années éclata en rancune amère. Comme il ne savait à qui en vouloir, dans le doute, il en éclaboussa tout le village. Dans son désarroi, il lui vint même à l'esprit que le forgeron et ses fils étaient en cause, ayant trouvé là de nouveaux outils à fabriquer. Mais il eut honte de ces pensées à l'égard de gens qui, en ce moment même, prenaient soin de ses trois plus jeunes, des enfants avec qui les Gingras n'avaient aucun lien de parenté. Les émotions encore plus enchevêtrées, il balaya ces pensées de son esprit, en cherchant d'autres pour alimenter son amertume. Une autre nuit passa, interminable.

Au bout de ces trois jours, il fit sa toilette, s'endimancha et descendit déjeuner.

— T'attelleras le cheval, dit-il sèchement à Henri.

À le voir endimanché, son fils comprit qu'il partirait tout de suite après le déjeuner. Il valait mieux s'acquitter de cette tâche sans délai. Il y alla. Quand il rentra, ayant placé le cheval à la porte, la bride à peine tournée autour d'un poteau de la galerie, le silence était de glace. La maisonnée, qui attendait que le père reprenne le quotidien, était déconcertée encore plus que d'habitude par sa présence silencieuse et intimidante. Marie-Louise était si nerveuse qu'elle faillit échapper la théière pleine et fut incapable d'avaler quoi que ce soit. Quand il eut terminé, le père sortit sans adresser la parole à personne.

— Où est-ce qu'il va? alla demander Henri à Imelda, qui fatiguait davantage de devoir diriger la maison du fond de son lit que si elle eût besogné elle-même.

«Comment je le saurais? Il me dit jamais rien. Je compte pour rien, moi, ici.»

— Votre père sait ce qu'il a à faire, répondit-elle. Marie-Louise, tu vas retourner à l'école cet après-midi, dit-elle à la fillette en la voyant surgir à son tour.

— Je vais rester encore pour vous aider, maman.

Imelda secoua la tête. La fillette n'avait pas à prendre les responsabilités de mère de famille à sa place. Encore faible mais n'en pouvant plus de rester couchée à ressasser ses peines, la femme décida de se lever, désobéissant aux ordres du médecin qui insistait toujours pour que les accouchées gardent le lit une semaine au moins. Et plus vite elle se lèverait et reprendrait sa besogne, plus vite ses trois enfants reviendraient. «Les Gingras, c'est même pas ma famille ni celle de Charles. C'est gênant sans bon sens de leur imposer mes trois petits.» «Ses» trois petits; elle réalisait une fois de plus combien ils semblaient indifférents à leur père. Elle n'était pas d'un naturel jaloux, mais elle pressentait que Charles avait dû agir différemment avec les trois aînés. «Ils ont peut-être pas reçu grand-chose de lui, eux autres non plus; mais pas grand-chose, c'est plus que rien.»

— Tu seras mieux à l'école, ma petite fille, dit-elle d'un ton las.

— Je vais faire la vaisselle et balayer comme il faut, proposa l'enfant.

Victor profita de l'occasion, trop heureux de s'activer.

— Laisse faire, Marie-Louise, ça va me désennuyer.

Henri sourit, un peu dédaigneux.

— Depuis quand tu fais de l'ouvrage de fille?

— Depuis que je niaise dans la maison. Va donc rentrer le bois; c'est assez homme à ton goût, ça?

— Chicanez-vous pas, les garçons, demanda Imelda. Votre père...

— Il est pas là, notre père! explosa Victor. On va pas se morfondre quand il est pas là, en plus!

Irrité, il retourna à la cuisine et sortit le bac à vaisselle. Imelda demanda à Marie-Louise de lui apporter de l'eau chaude pour sa toilette. La fillette utilisa l'eau de la bouilloire, toujours sur le poêle, et y ajouta de l'eau froide pour la tempérer. Victor bougonna car il devrait faire chauffer de l'eau de nouveau.

Imelda demanda à Marie-Louise de monter lui chercher des vêtements propres dans sa chambre, maintenant que Charles s'était enfin décidé à en sortir au vu de tous, et non en cachette comme elle l'avait entendu faire ces dernières nuits. Une fois seule, elle fit sa toilette, lentement, et revêtit ensuite des vêtements propres qui l'aidèrent à se sentir mieux. Puis elle enfila une robe qui n'était plus un vêtement de grossesse. Chagrinée par le deuil, elle s'efforça de consacrer le peu d'énergie qu'elle avait à se lever. En la voyant arriver à la cuisine, Victor lui dit:

— C'est ben noir dans le coin de l'évier. Si je savais comment faire, je vous installerais une petite lumière.

Imelda apprécia cette délicatesse en ces jours où la vie ordinaire ne savait plus quel chemin prendre et où elle se sentait si vide sans enfant dans son ventre ni dans le berceau.

— C'est peut-être du trouble pour rien. Déjà qu'on a l'électricité dans la maison, on est bien chanceux. À la ferme, mon père s'éclaire encore à la lampe à huile, comme bien d'autres ici au village.

Victor secoua la tête. «C'est toujours compliqué de lui faire plaisir.»

Charles Manseau aurait pu se rendre à destination à pied; ce n'était pas si loin. Mais il n'était pas question d'avoir l'air de déchoir, surtout un jour comme aujourd'hui. Il entra la tête haute à la Eastern Townships' Bank, dont une succursale était installée au village de Saint-François-de-Hovey depuis quelques années. Il demanda à voir le gérant et refusa de s'asseoir pour quelques instants seulement. Mais il dut s'y résoudre; on le fit attendre dix minutes.

Il eut le temps de réfléchir une fois de plus à l'impasse dans laquelle il se trouvait. Il avait racheté la part d'associé d'Anthime Vanasse. Cela signifiait, premièrement, que ses économies avaient racheté la part d'une scierie qui n'existait plus et qui n'était pas complètement payée; deuxièmement, que les économies n'existaient plus; et, troisièmement, qu'il serait le seul à subir les pertes de son commerce.

— Monsieur Manseau, lui dit enfin le gérant, passez donc à mon bureau. Une bien grande épreuve que vous subissez là, ajouta-t-il d'un ton de circonstance.

Le grand homme maigre et sec, dont le corps donnait toujours l'impression d'être sur le point de se briser en deux chaque fois qu'il se penchait, s'effaça devant Charles en se pliant un peu; le débiteur s'en sentit écrasé. Il entra dans le bureau déjà contrarié.

Il connaissait parfaitement le solde de son compte, mais quand le banquier l'inscrivit devant lui avec une plume bien aiguisée, sans faire la plus petite tache d'encre, et que le buvard épongea le nombre d'un coup, sans un glissement sur le papier qui aurait dédoublé les chiffres, Charles Manseau en eut mal. Il ne pouvait plus reculer. Il s'humilia alors et parla d'emprunt, un emprunt qu'il avait calculé dix fois avant de venir, en rognant sur tout, en oubliant de tenir compte que la maisonnée devrait néanmoins continuer à se vêtir, à grandir, à vivre, ayant considéré uniquement les aspects commerciaux. Au lieu de l'acquiescement immédiat auquel il s'attendait, il entendit alors le créancier lui demander le détail de ses avoirs.

— Pour quoi faire? Ce que j'ai déjà, j'ai pas besoin d'emprunter pour ça.

— La somme que vous nous demandez est importante, monsieur Manseau; nous avons besoin de savoir à qui nous avons affaire.

— Je suis connu!

— Vous, oui, sourit l'autre, mais pas votre situation financière. Nous avons besoin de la connaître en détail pour prendre une décision.

«Nous! Comme si t'étais pas tout seul à décider, maudit! C'est pas parce que t'es pas d'ici que tu vas mettre le nez dans mes affaires!» Malgré ses protestations, il dut se soumettre et décliner ses avoirs. L'exercice lui permit de réaliser qu'il en possédait davantage qu'il ne croyait: une maison sans dette, un cheval et deux voitures de promenade, d'été et d'hiver. Ces quelques biens ne pouvaient toutefois contribuer à la production dans son commerce. De ce

281

côté, il ne lui restait qu'un cheval de trait et quelques parties de machinerie encore utilisables.

— Vous avez aussi deux coupes de bois, il me semble? s'informa le gérant.

— Ça compte?

— Ce sont des sources de revenu importantes; d'autant plus qu'elles vous permettront de reconstruire votre scierie à moindres frais et à remettre le bois de la future école, ajouta-t-il en le regardant par-dessus ses lunettes.

«Il sait ça aussi. Faut ce qu'il faut!» soupira le débiteur qui se sentait mis à nu. Charles vit le gérant additionner une autre somme à l'emprunt demandé.

— Pour l'assurance annuelle, expliqua le banquier.

— Une assurance? Savez-vous ce que ça coûte, une assurance? C'est cher sans bon sens!

— C'est cher parce que des moulins à scie, ça passe au feu plus souvent que d'autres commerces, c'est tout.

Cet aspect augmenta le ressentiment de Charles. Dans le cas de sa scierie, la cause de l'incendie n'était pas de cet ordre, selon lui, et les assureurs n'avaient pas à s'immiscer dans ses affaires de famille.

— Prenez celle que vous voulez, condescendit son interlocuteur: la London Guarantee and Accident Insurance, la Compagnie mutuelle d'assurances, la...

— Je la trouverai bien moi-même, rugit-il.

Il venait d'accepter la condition à son insu et, de toute façon, il n'avait pas le choix. Une fois le montant de l'emprunt réglé, il faillit s'étrangler en entendant le taux de l'intérêt exigé.

— C'est du vol!

— Vous pouvez aller voir à une autre banque si vous voulez.

Une autre banque... Quelques villes en comptaient plusieurs: Sherbrooke, Magog, Coaticook aussi. Mais pas Saint-François-de-Hovey. «Les banques, ça appartient à des riches, mais c'est nous autres, les petits, qui la payons avec des taux écœurants de même.» Il essaya de raffermir sa position pour justifier un taux préférentiel.

— Vous avez pas de crainte à avoir, dit-il pour se faire rassurant. Mon commerce...

Le banquier s'irrita de ce demandeur qui se prenait pour un créancier et il répliqua, d'un ton encore plus hautain:

— Monsieur Manseau, votre commerce, il n'existe plus. C'est pour ça que vous êtes ici ce matin, il me semble.

Charles en fut profondément humilié. Il savait que les Kingsey avaient obtenu un taux des plus intéressants et qu'ils s'en étaient vantés. «Ils s'aident entre eux autres, maudit!» Ils: les propriétaires anglophones de la Eastern Townships et les Kingsey. «Vous allez voir, maudit, qu'un Manseau vaut un Kingsey!»

— Une banque, c'est pas une institution de charité, poursuivit calmement le gérant.

Charles dut céder. Il croyait en avoir fini avec les humiliations quand son interlocuteur lui assena le coup de grâce:

— Monsieur Manseau, si jamais vous pouviez pas payer...

— Je vais payer!

— On connaît pas l'avenir, personne. Si vous pouviez pas payer, avec quoi la banque va se rembourser?

283

Charles Manseau blêmit. Jamais il ne donnerait sa maison en garantie. N'importe quoi, mais pas ça. Sa maison, c'était lui qui l'avait construite, pour sa famille. Avec une femme et... six enfants — le souvenir de celui qu'il avait perdu le jour de l'incendie le fit se déconcentrer un moment —, ce n'était pas le temps de risquer sa maison.

— Non! refusa-t-il. Prenez ce que vous voulez en garantie, mais pas ça.

Les négociations s'étaient compliquées. La banque n'avait que faire de coupes de bois en garantie et ne pouvait absolument pas prêter une telle somme sans la moindre caution. Le banquier finit par consentir un sursis à Charles dans le cas d'un éventuel retard, et ce dernier dut, de mauvais gré, inscrire sa maison en garantie. Il contenait difficilement sa colère et n'avait qu'une hâte: faire approuver le document par son notaire et en terminer.

— Monsieur Manseau, se réjouit le gérant, nous sommes donc d'accord. Mais... il faudrait maintenant nous assurer que la commission scolaire vous laisse le contrat de la nouvelle école.

— Maudit! explosa le débiteur. Je voudrais bien voir ça!

— Dans ce cas, il n'y a aucun problème.

Charles respira enfin.

— Il vous suffira donc, conclut le banquier en rassemblant ses papiers, de me revenir avec un document signé par la commission scolaire me le confirmant.

— C'est une perte de temps! protesta le demandeur, estomaqué.

— Monsieur Manseau, vous savez comme moi qu'en affaires, on perd parfois du temps pour en gagner.

Hors de lui, Charles dut se rendre chez Edgar Côté, le président des commissaires, et le rejoignit près de la grange neuve. Ce qui ne devait être qu'une formalité humiliante pour lui fut le début d'une véritable bataille. Côté finit par avouer que les commissaires s'étaient réunis d'urgence le lendemain de l'incendie et que la majorité d'entre eux semblait pencher vers une solution qui ferait si peu l'affaire de M. Manseau qu'aucun d'eux n'avait osé l'en informer. Celui-ci rugit:

— Personne va m'ôter ce contrat-là, m'entends-tu, Côté? Personne!

L'autre ne sourcilla pas.

— La réunion officielle va avoir lieu dans trois jours. C'est pas moi qui décide, vous le savez; c'est la majorité.

Edgar Côté retourna dans sa grange. Le visiteur repartit si vite que les patins de la carriole faillirent s'embourber dans la neige fondante du chemin de rang. Charles ne connaissait que trop les commissaires: Edgar Côté, Eusèbe Gagnon, le gendre d'Omer Thibault... «J'ai fait ma job, dans le temps. Rien de plus, rien de moins.»

Mais un sentiment inconnu lui collait à la poitrine: la peur. Il oublia les rênes, complètement abattu au souvenir de la première coupe de bois négociée avec Eusèbe Gagnon en échange de créances, et à celui de la courtepointe de l'aînée d'Omer Thibault, dont le mari était maintenant commissaire. Les mains de l'homme tenaient à peine les guides de cuir; il était ailleurs, en proie à la peur. Le cheval le ramena chez lui. Quand il aperçut les décombres de sa scierie et sa maison, Charles se redressa avec colère et serra les dents.

Rien qu'à sa manière de monter sur la galerie, la femme et les fils comprirent que ses démarches, quelles qu'elles eussent été, ne lui avaient pas donné satisfaction. Il entra et eut le premier réconfort de ces derniers jours: sa femme était habillée et avait repris sa place habituelle dans la grande cuisine familiale. Le père monta à sa chambre sans adresser la parole à personne.

— On n'est pas plus avancés, murmura Henri, débiné.

La mère, qui n'avait pu trouver à cuisiner que des galettes de sarrasin, en avait préparé le mélange. Elle commença à les faire cuire, se déplaçant lentement, mesurant ses gestes pour ne pas s'épuiser trop rapidement. Victor s'en aperçut et mit la table malgré les regards narquois d'Henri.

— Faites pas attendre votre père, dit-elle simplement.

— Puis nous autres? Ça fait trois jours qu'on attend! bougonna Victor, n'osant quand même pas s'attabler avant lui.

Là-haut, celui-ci enlevait ses habits propres et endossait ses vêtements de travail, ressassant ses deux démarches avec amertume. Assis sur le bord de son lit pour lacer ses bottines de travail, il se courba encore davantage.

Il descendit enfin et s'assit à table avec ses trois aînés. Imelda avait réussi à préparer le repas mais elle ne tenait plus debout et elle était retournée se coucher, épuisée. De la chambre du fond, se reprenant petit à petit, elle entendit vaguement le déplacement de la chaise et des deux bancs, le cliquetis des ustensiles dans les assiettes. Puis la voix de son mari s'éleva dans la maison pour la deuxième fois depuis la nuit de l'incendie. Elle était rauque.

— La maison puis tout ça ici-dedans, ça va appartenir à la banque des Townships... C'est là qu'on est rendus.

Son regard d'acier se fixa sur ses trois aînés puis revint aux galettes dans son assiette. Il les trouva bonnes et en fut réconforté. Dans la chambre du fond, son épouse manqua de souffle. «La maison! Il a quand même pas vendu la maison? Mon Dieu, ayez pitié de nous autres!» Une petite voix angoissée parvint jusqu'à elle.

— Où on va s'en aller, papa? souffla Marie-Louise.

Le silence. Le bruit d'une seule fourchette qui grattait une assiette. Imelda secoua la tête pour ne pas pleurer de rage. Parfois, elle avait l'impression qu'il angoissait les autres par plaisir, pour se décharger sur eux de l'anxiété qui le minait sans répit. Une autre voix s'éleva, froide de trop de colère retenue. Victor refusait de se torturer avec la menace imprécise.

— Ça veut dire quoi exactement, papa? articula-t-il.

Il travaillait avec son père depuis plus de deux ans. Il le connaissait peut-être plus que n'importe qui d'autre de la famille, maintenant. Il n'était pas dupe, comme son frère et sa sœur, des angoisses paternelles qui surgissaient à tout bout de champ et que Charles déversait sans se rendre compte de leur effet paralysant sur les autres.

— Ça veut dire que la maison va être donnée en garantie si j'ai l'emprunt. Si je rembourse pas, on n'a plus de maison.

Marie-Louise se sentit encore le ventre plein de nœuds, Henri refusa de le croire, et Victor s'insurgea contre la tension supplémentaire inutile. «Comme si on allait pas la payer, la maudite banque!» Il combattit son père sur son propre terrain.

— Si vous avez pris des engagements, le père, c'est que vous pourrez payer. Vous promettez jamais ce que vous pouvez pas faire.

Charles comprit qu'il perdait du pouvoir sur son fils aîné parce que celui-ci avait éventé son jeu et il lui en voulut.

— Mais quand on est dans la rue à cause de ceux qui travaillent mal, faut trouver de l'argent. Et de l'argent, ça se trouve pas comme on veut, mais comme on peut, mon garçon...

D'abord, un blâme, ouvert; ensuite, ce terme affectueux dont il ne gratifiait presque jamais son fils aîné et dont il se servait en cet instant précis pour, au contraire, réinstaller son autorité menacée. Victor baissa les yeux pour voiler sa colère et sa main se crispa sur sa fourchette à s'en blanchir les jointures. Au fond de son lit, celle d'Imelda se crispa sur l'oreiller qui se mouilla de larmes. C'était fait: le reproche était dit. Ce n'était que le premier. Le premier de tant d'autres qui ne manqueraient pas de venir, de revenir et d'empoisonner leur existence à tous. Tellement inutilement. À douze ans, Henri niait toujours que son père puisse être en difficulté à ce point.

— Mais vous êtes riche, papa. Les autres, à l'école, ils disent que vous avez plein d'argent de côté.

«Riche». Ce mot fut doux aux oreilles de Charles qui, tout l'avant-midi, avait été agressé par des mots déshonorants, comme «dette», «emprunt», «non-solvabilité», «hypothèque», «intérêt», «paiement». Il fut réconforté par le regard admiratif d'Henri, qui lui faisait confiance plus spontanément que Victor.

— Non, mon garçon. Je suis pas riche. Ça se peut même que j'aie plus rien.

Dans l'après-midi, les ouvriers furent réunis et placés devant le fait: ils devaient se convertir en bûcherons ou perdre leur travail. L'un d'eux refusa et Charles le mit à la porte, non pour les mois de coupe mais définitivement. «Quand on peut pas se fier sur le monde dans le malheur, il y a pas de raison de les faire vivre.» Il avait décidé de plaider sa cause ainsi: ne pas perdre une minute de plus, réagir, prouver qu'il pourrait scier le plus vite possible et, pour ce faire, commencer à faire chantier.

Trois jours plus tard, les commissaires d'école furent impressionnés de l'assistance nombreuse à la réunion spéciale. Charles y entendit de tout: mesquinerie, pitié, appât du gain, vengeance. Cette fois, les Boudrias y étaient et, encouragé par un coup de coude discret d'Émérentienne, le marchand se leva à la fin des interventions. Lentement, à sa manière mesurée, il fit ressortir les qualités d'organisation de son ex-commis.

— Il peut pas promettre de faire le sciage de l'école demain, c'est sûr. Mais il va s'organiser plus vite que bien d'autres. L'ouvrage va sortir, puis bien faite à part de ça. Je l'ai assez vu travailler pour vous le garantir.

Charles fixa le mur entre les têtes des personnes assises devant lui. Il réussit à contrôler l'émotion qui l'avait étreint malgré lui en entendant ce témoignage. Eusèbe Gagnon défit ensuite le plaidoyer du marchand en ressortant l'histoire de la coupe de bois:

— La coupe de bois que Manseau m'a volée en échange d'un «petit» compte au magasin.

Émérentienne faillit se lever pour déclarer le montant exact de la créance, qu'elle avait vérifié ces jours derniers. Maurice la retint assise; il ne voulait pas aller jusqu'à perdre des clients.

Le docteur Albert Gaudreau se leva alors. Ce n'était plus le jeune médecin de la ville qui en avait fait sourire plus d'un à son arrivée. Avec les années, il était devenu un homme respecté dans le village. Peu de gens se souvenaient qu'autrefois Charles, alors engagé à la forge, avait arrêté le cheval emballé du praticien inexpérimenté. Son allocution fut brève. Il avait pris soin d'aller rencontrer lui-même les religieuses qui attendaient la construction de l'école. Elles avaient compati à l'épreuve du commerçant et lui avaient consenti un délai raisonnable.

— Messieurs les commissaires, précisa le médecin, j'ai la lettre dans mon bureau; dois-je aller la chercher?

Cet affront ne lui fut pas imposé. Il en fut soulagé; les termes de l'entente étaient moins compréhensifs qu'il ne l'avait affirmé. Mais il savait que les religieuses, originaires de France pour la plupart, n'oseraient s'insurger contre la décision des commissaires de leur futur lieu d'éducation. À la suite de cette intervention stratégique, Charles eut gain de cause: il conservait son contrat de sciage. Il perdait néanmoins une partie du bois à bûcher, faute de temps.

— C'est mieux que rien, lui dit le docteur en partant, jugeant plus prudent de quitter l'assemblée avant la fin, pour éviter des questions embarrassantes.

Charles lui lança un coup d'œil qui rappela au médecin le regard paniqué du jeune homme autrefois durant sa pneumonie.

Avril fut froid et humide. Il l'aurait été autant dans la scierie, ouverte aux deux extrémités. En bûchant dehors, les hommes pouvaient au moins se réchauffer, mais ce dur labeur inhabituel leur était pénible. Pour sa part, Charles expérimentait une nouvelle façon d'exploiter une coupe de bois. Contrairement aux habitudes des chantiers, il sélectionna les arbres avant qu'ils ne soient abattus. Il ne se souciait pas davantage que les autres propriétaires de chantiers de voir les arbres jugés trop petits pourrir sur le sol une fois abattus, mais le temps qu'il prenait à les choisir avant de les faire abattre lui coûtait moins que de payer des ouvriers à la semaine pour de l'abattage inutile. D'une journée à l'autre, son sens aigu de l'organisation l'aidait à reprendre le dessus et l'action contrôlait de plus en plus son angoisse.

Toutefois, s'il se rassurait de voir les billots s'entasser à l'orée de la forêt, il ne pouvait se résoudre à reconstruire entièrement avec du bois vert. Il trouva des fermiers avec qui il échangea ses billots encore verts contre des billots secs. C'était beaucoup de recherches, de négociations et de transport. Les cultivateurs évaluaient avec discernement leurs besoins de bois de chauffage. À la fin de l'hiver, il ne leur en restait guère, surtout non débité. Charles fit des concessions et offrit des quantités de bois vert supérieures aux quantités de bois sec qu'il recevait.

— C'est du vrai vol, son père! protesta Victor.

— J'ai pas le choix. C'est plus payant de construire avec du sec qui travaillera pas qu'avec du vert qui va fendre.

Il lui planta ensuite dans les yeux le regard sombre qu'il avait de plus en plus souvent avec lui.

— Dans la vie, faut penser à tout! Il y a des gestes de rien qui se payent cher.

Sous-entendus. Reproches inavoués. Un fossé de plus en plus grand entre le père et le fils, si semblables l'un à l'autre. Deux semaines plus tard, le maire alla voir Charles.

— Le règlement est pour tout le monde, Manseau. Je peux pas faire de passe-droit.

— Quel règlement? s'étonna Charles.

— Le bois de chantier ne doit plus être cordé sur le bord des chemins. Tu le sais, ç'a été voté il y a deux ans.

— En plein hiver, c'est certain, concéda Charles. Empilé sur la neige dure, c'est bien sûr que ça déboule sur les chemins au printemps, quand ça fond.

— Et que des accidents, ça fait du tort aux chevaux puis aux gens aussi, insista le magistrat.

— Mais là, plaida le commerçant, on est en avril. De la neige, il en reste juste dans le bois, quasiment. Même que j'ai peur d'avoir de la misère à sortir mes billots avec le traîneau. Vous le savez comme moi qu'il faut de la neige pour sortir les billots du bois.

— Pour les transporter sur les chemins aussi, Manseau. Puis des traîneaux trop chargés, sur des chemins de printemps, ça défonce des grands bouts pour longtemps.

Charles dut céder, ce qui l'obligea à effectuer des chargements moins lourds et des voyages plus nombreux de la forêt à la scierie des Kingsey, heureusement située de l'autre côté du pont, près de la coupe de bois qu'il avait choisi d'exploiter en premier, à cause de sa proximité du lieu de sciage. Il lui était pénible d'aller faire scier son bois chez ses concurrents. Toutefois, maintenant que ceux-ci menaient le jeu, ils se montraient affables, presque solidaires. Le tarif de sciage fut identique à celui demandé pour le bois de l'école, qu'ils avaient eux-mêmes contribué à faire baisser beaucoup, ce qui maintenant leur nuisait. De plus, à la demande des commissaires, ils exécutèrent la commande de leur concurrent prioritairement. Somme toute, les Kingsey bénéficiaient d'un bon contrat de sciage supplémentaire, et leur concurrent, en plus de les payer, avait vu fondre son avantage de fournir du bois brut pour la nouvelle école. Les deux contrats s'égalaient. Les Kingsey en ressortaient gagnants sur un autre point: ils se montraient si coopératifs qu'ils en retirèrent une publicité de bon aloi.

Une fois les matériaux sciés et transportés dans la cour de son ancienne scierie, Charles commença la reconstruction. Philippe vint aider son frère. Lui aussi avait vieilli et il avait pris du poids depuis son remariage, deux ans après la mort de Louise. Sa deuxième épouse, Georgette, était bien en chair, et ne dédaignait pas la bonne chère et aimait beaucoup rire. Philippe, comme les murs de la maison paternelle et comme ses vieux parents, sursautait presque à chaque fois qu'il entendait ces éclats de rire spontanés et sonores. Du moins au début. Car, à force de rire toute seule, Georgette commençait à se restreindre et parfois son mari craignait que l'atmosphère éteignoir de la maison n'en vienne à bout tout à fait.

Sa mère Berthe vieillissait elle aussi, et ses trois petits-enfants, Philippe et Georgette ayant eu une petite fille, la fatiguaient de plus en plus. L'aïeule se réfugiait parfois dans sa chambre et s'allongeait sur le vieux lit bosselé, puisqu'il n'y avait rien d'autre qu'une chaise droite dans le coin de la pièce. Parfois, elle somnolait, dans l'après-midi, tant que le brouhaha des enfants ne la ramenait pas à la réalité.

— On était en train de dépérir, les enfants puis moi, dit Philippe, sentant le reproche muet de Charles. Ça changera jamais le sentiment que j'avais pour Louise, mais... Moi non plus, je pensais pas me remarier si vite, mais quand j'ai vu mes champs reverdir, puis mon blé pousser, j'ai pensé à demain plutôt qu'à hier. Je l'ai pas regretté; Georgette est une bonne femme, bien avenante.

Cette remarque innocente était de trop pour Charles, qui classa l'affaire en se disant que sa femme se tenait plus à sa place que son exubérante belle-sœur. Les frères Manseau ne reparlèrent plus de leurs secondes noces et se concentrèrent sur la scierie à rebâtir.

«Si le village pense que je vais reconstruire en plus petit, il se trompe!» se disait Charles. De forme rectangulaire comme la précédente, la nouvelle scierie était plus grande. Les murs, déjà hauts, furent chapeautés d'une cheminée deux fois plus élevée que la première. De nombreuses constructions s'étaient ajoutées depuis 1897 et le voisinage avait exigé du conseil municipal une cheminée beaucoup plus haute, pour réduire la fumée se répandant sur leurs maisons. Charles avait protesté, indigné, sans pour autant faire céder les échevins, contraints par les pressions des citoyens. Il avait finalement dû se conformer, en se répétant que, décidément, il était temps qu'il y ait des gens raisonnables à ce conseil, ce qui lui fit songer à poser sa candidature un jour ou l'autre.

La montée des billots s'effectuerait toujours par la gauche, avec une dalle d'arrivée d'une largeur plus commode. La grande scie fut dotée d'un convoyeur qui, placé dessous, recueillerait le bran de scie, évitant ainsi aux employés de le pelleter régulièrement.

La scie à châsse fut augmentée à douze lames parallèles. Au-dessus de la grande scie ronde, Charles en ajouta une deuxième qui pouvait être descendue au besoin, pour les billots exceptionnellement larges. Il dénicha aussi une scie à couper les bouts de planche.

— C'est usagé, expliqua-t-il à Philippe, mais un «edgeur», ça fait de la bonne ouvrage.

La chaufferie fut encore installée au rez-de-chaussée: la fournaise, la bouilloire neuve remplie de petits tuyaux qui généreraient la vapeur, l'engin lui-même et tout le mécanisme qui activerait les courroies, ainsi que les courroies elles-mêmes, juste sous le plafond et le traversant à différents intervalles. Un dalot fut aménagé pour les croûtes, qui tomberaient

294

ainsi un peu en retrait de la fournaise; de la sorte, elles seraient à la portée du chauffeur sans pour autant lui tomber dessus. Charles ne pouvait se permettre d'être moins bien équipé que les Kingsey, qui s'étaient dotés d'un outillage de ce genre. La dette à la banque en avait été augmentée et l'anxiété du débiteur aussi. À la fin des travaux, Charles, qui avait dépassé sa hantise de l'emprunt, opta pour l'éclairage à l'électricité dans la scierie.

— Tant qu'à reconstruire, on prendra pas de chance.

Victor comprit qu'il lui reprochait encore l'histoire du fanal quand c'était lui qui le lui avait arraché des mains. La modernisation s'arrêtait à l'éclairage; le fonctionnement de la machinerie restait à la vapeur puisque le combustible — la sciure et les croûtes — ne coûtait rien. Même si quelqu'un devait fourbir la fournaise, cela revenait moins cher que le prix de l'électricité, et Victor, qui en avait calculé et recalculé les moindres coûts, approuva la décision de son père.

Déodat Marcoux, l'ouvrier spécialisé dans ce nouveau métier d'électricien, arriva de Sherbrooke en juin, une fois la scierie reconstruite. Il apportait ses outils et son fil électrique, Charles lui loua une place pour son cheval et sa voiture dans la petite écurie près de la maison, et l'électricien pensionna chez son client. Tout cela diminua évidemment son salaire, et d'autant plus que, pour économiser davantage, Charles n'avait pas voulu engager aussi son apprenti.

— Mon garçon va vous aider, avait-il décidé sans consulter celui-ci.

Cette fois, Victor accepta aisément qu'une décision à son sujet eût été prise sans lui; il avait hâte de connaître les secrets de ces fils mystérieux. Il déchanta vite. Il passait son temps à courir d'un bord à l'autre au service d'un ouvrier qui ne lui donnait que des ordres brefs.

— Passe-moi les pinces.

— Coupe ça.

— Mesure la longueur jusque-là.

Les employés s'amusaient de voir le fils du patron courir pour satisfaire les caprices d'un étranger sans rien apprendre. Plus frondeur que son frère, Henri s'enquit brutalement de son apprentissage, au souper du deuxième soir.

— Puis, as-tu posé des fils aujourd'hui? lui demanda-t-il, moqueur.

Victor répondit à voix basse:

— Pas encore.

Il se renfrogna. L'ouvrier tira une bouffée de sa pipe et ne dit rien. Le lendemain matin, il lui demanda de tenir deux fils ensemble pendant qu'il préparait un raccord.

— Ça t'intéresse? demanda l'ouvrier.

— Oui, répondit vivement Victor.

— Je peux te montrer, si tu veux.

Il tint parole et, quand la scierie neuve s'éclaira enfin, quelques jours plus tard, Victor était fier d'avoir fait sa part dans ce prodige.

— Un petit gars bien d'aplomb que vous avez là! dit l'ouvrier ce soir-là avant de monter se coucher. Ce sera un métier d'avenir pour lui.

— Un métier, il en a un au moulin, répondit sèchement le père. C'est pas l'ouvrage qui manque.

— En tout cas, il est capable de faire des petites réparations. Puis il est bien prudent en plus.

— On a vu ça, grogna Charles en se levant pour monter.

Victor retint Imelda en bas et lui demanda à voix basse:

— On devrait peut-être en profiter pendant qu'on fait tout ça au moulin...

Imelda le regarda, intriguée.

— Pour la lumière au-dessus de l'évier, je veux dire, insista Victor.

Imelda avait oublié la proposition qu'il lui avait faite quelques jours après l'incendie.

— Peut-être que ce serait une bonne idée, dit-elle enfin.

Il s'énerva, les nerfs à fleur de peau.

— On le fait ou on le fait pas?

Imelda, qui ne demandait jamais rien pour elle, fut prise de court. Et ce ne fut pas son désir justifié de maîtresse de maison qui l'emporta, mais la chance à donner à Victor.

— T'as raison; ce serait utile.

«Elle me le dira pas clairement que ça lui ferait plaisir, songea Victor, déçu. Ce serait trop beau.» Il emprunta les outils de l'ouvrier et mesura soigneusement la longueur nécessaire pour éviter le gaspillage de matériaux. «Surtout ces jours-ci.» Par précaution, il paya lui-même les quelques mètres de fil à l'ouvrier, à même le cadeau que son grand-père Gingras lui avait offert pour son anniversaire, question d'éviter toute discussion avec son père. L'affrontement devenu inévitable depuis l'incendie n'avait pas encore eu lieu; il était à venir, sombre et menaçant, plus dangereux au fur et à mesure que les jours passaient et que l'amertume de Charles s'ancrait en lui.

Au moment de relier les fils, s'avouant que, décidément, il aimait beaucoup ce travail, Victor regretta tout à coup son initiative. «Il va encore dire que je bosse!» Il se hâta, sans bruit pour éviter que son père ne se relève. Dans son empressement, il faillit brancher les fils incorrectement. «Il manquerait plus rien que ça! Faire sauter le courant, risquer de mettre le feu à la maison...» Des sueurs froides glissèrent dans le dos du jeune homme, mais il était trop tard pour reculer, et, se concentrant de son mieux, il effectua les branchements, après avoir été supervisé par l'ouvrier. Victor et Imelda retenant leur respiration, la femme tira sur la chaînette, et la lumière l'éblouit. Tout était parfait. Victor fixa le fil le long d'une poutre du plafond, le fit courir sous le haut de l'armoire et suspendit l'ampoule au-dessus de l'évier. Il s'assura que celle-ci ne heurterait pas la tête de sa mère. Imelda fut touchée de cette attention et admira silencieusement sa manière de travailler, qui tenait compte de ceux qui bénéficieraient de son travail. «Sa femme va être chanceuse: il pense à bien des affaires auxquelles les hommes pensent pas.» Victor rangea les outils, sa mère lui sourit discrètement, sans plus, et elle monta se coucher.

Le lendemain matin, Imelda n'osa utiliser la petite lumière au moment du déjeuner, pour ne pas attirer l'attention de son mari sur l'innovation. Ce fut le petit Wilfrid qui, le midi, demanda en pointant le doigt:

— Pourquoi la corde, maman?

Imelda dit simplement:

— C'est une lumière, Wilfrid. On voyait pas bien dans ce coin-là.

Charles leva les yeux et fronça les sourcils en regardant l'électricien.

— Vous me direz combien ça a coûté.

Victor respira profondément et dit:

— Maman va moins se fatiguer les yeux. Ça m'a fait plaisir de lui payer ça. Je l'ai fait moi-même, ajouta-t-il avec fierté, espérant que son père aussi serait fier de lui.

Insensible aux connaissances nouvellement acquises par son aîné, Charles dit, d'une voix un peu plus forte et très lentement:

— Ma maison, c'est moi qui m'arrange avec. Ça coûte combien?

La tablée avait moins faim tout à coup. Imelda, pour la première fois en six ans de mariage, osa exprimer sa pensée même si celle-ci s'opposait à celle de Charles.

— On réglera ça entre nous autres. M. Marcoux est peut-être pressé.

Elle avait dit cela simplement, mais elle innovait, ce matin-là, et, dans son désir de paraître naturelle, elle fut un peu sèche et surtout trop précise au goût de son mari.

— Comme vous voyez, dit-il à l'ouvrier, j'ai de bons enfants qui se préoccupent de leur mère.

Marcoux approuva lentement d'un mouvement de tête et finit son thé.

— Oui, de bons enfants, dit-il avec un tel accent de sincérité que son hôte en fut frappé.

Après avoir reçu ses gages et attelé son cheval, l'ouvrier prétexta un outil oublié et alla retrouver Victor à la scierie.

— Si ça te tente de travailler dans les fils électriques, tu viendras me voir; du monde qui comprend vite, on en a jamais assez. Oublie pas: Déodat Marcoux, à Sherbrooke.

Victor le regarda s'en aller et son champ de vision engloba son père qui revenait de la maison et qui les regardait, soupçonneux. Le fils sentit douloureusement que les prochaines années seraient encore plus difficiles.

CHAPITRE 11

DÈS LE MOIS D'AOÛT quelques mois après la reconstruction de la scierie, Charles comprit que les revenus de son commerce étaient nettement inférieurs à ce qu'il avait prévu.

En plus du bois incendié à remplacer, à bûcher et à scier, un autre type de problème lui fit perdre de l'argent. Les cultivateurs faisaient souvent effectuer leurs travaux de sciage de l'année au printemps. Plusieurs d'entre eux n'avaient donc pu attendre le rétablissement du commerce de M. Manseau et ils étaient allés chez les Kingsey. Privé de cette clientèle régulière, Charles craignait maintenant le pire: ne pas être en mesure de rembourser sa dette.

Malgré lui, il dut se résoudre à congédier un employé. Il pensa d'abord à Couture qui, amputé de trois doigts, était moins habile. Il se ravisa pourtant parce que son ouvrier était resté craintif à la suite de son accident. Le patron refusait d'assumer la responsabilité de l'erreur d'inattention de son employé et de prendre en considération que celui-ci avait une famille à élever. Il préféra plutôt croire que, incertain de ses capacités, l'ouvrier n'en travaillerait que mieux. Il le garda et en congédia un autre, plus jeune et moins expérimenté. Ce dernier lui en voulait encore d'avoir épousé une fille d'un autre village au lieu d'avoir choisi sa sœur, même s'il ne s'était jamais décidé à la lui présenter. Il alla ronger son frein avec son collègue congédié en avril. Charles Manseau eut deux ennemis de plus.

Avec Couture, Gervais, deux employés expérimentés et ses deux fils, Charles croyait pouvoir faire fonctionner son commerce décemment. Henri fut donc retiré définitivement de l'école, à sa grande satisfaction. Le cadet, qui avait toujours été fasciné par la grande scie, fut, à sa grande déception, affecté au chauffage de la fournaise. Il déchanta rapidement: travailler avec son père ne correspondait pas à ses rêves de virilité.

Le patron continuait à s'occuper des relations avec les clients et les fournisseurs, et des transactions liées aux coupes de bois. Les deux employés expérimentés restèrent à la scie circulaire. Couture demeura à la scie à châsse, avec Gervais. Il s'adapta difficilement aux douze lames de la nouvelle scie, le double de celle avec laquelle il avait appris à travailler après sa mésaventure à la grande scie circulaire.

Victor, qui connaissait déjà les rouages du commerce puisqu'il y travaillait depuis deux ans, fut souvent envoyé sur les coupes de bois. Le fils l'interprétait comme une façon pour son père de se débarrasser de lui et il affichait un contentement à peine exagéré, trouvant l'air de plus en plus irrespirable auprès de ce dernier et, conséquemment, plus respirable loin de lui. Charles s'en était aperçu et considérait cette attitude comme un rejet de son métier. «C'est pas assez bon pour lui, le moulin, je suppose?» Le père niait aussi que son travail ne fût plus pour lui une satisfaction mais fût devenu un moyen ardu de rembourser sa dette à la banque. Cette dette le hantait, surtout les mois où le sciage n'était pas rentable, et son humeur était de plus en plus sombre.

Quand il rentrait chez lui le soir, après treize ou quinze heures de travail, il n'avait plus l'énergie ou le désir de prendre sa femme. À son tour, elle l'interpréta comme un rejet puisque c'étaient les seuls moments où il lui manifestait de l'attention, même si elle la souhaitait d'une autre nature. Pourtant, certaines nuits, quand il avait arpenté la cuisine des dizaines de fois en vain pour briser son insomnie, il remontait et se jetait presque sur Imelda, essayant compulsivement de rattraper auprès de la femme la vie qu'il sentait lui couler entre les doigts. La vie qui se résumait désormais pour lui, depuis l'incendie, à prouver à tout le monde qu'il ne se laisserait pas abattre, qu'il ne crèverait pas après toutes ces années de travail, que la banque ne viendrait pas lui prendre sa scierie et sa maison.

Imelda le subissait, impuissante à obtenir de lui, année après année, une autre forme d'intérêt que ces élans sporadiques, presque brutaux et désespérément solitaires. Ils ne se connaissaient pas davantage en dehors du lit, Imelda s'étant refermée de plus en plus avec le temps. Elle ignorait toujours la situation financière réelle de son mari. Elle savait seulement qu'il lésinait sur tout, même sur la nourriture ou sur les chaussures des enfants.

Malgré la diminution de leurs rapports sexuels, Imelda redevint enceinte et, une fois de plus, se souda à ce petit être qui se développait en elle. Pour la première fois, le père manifesta ouvertement sa contrariété à l'annonce d'une nouvelle grossesse. La femme approchait de la quarantaine et ne souhaitait pas vraiment cette autre maternité elle non plus; elle ressentit le reproche comme si elle était la seule responsable de cet enfant à venir. Une bouffée de révolte assourdie lui brouilla le cœur. «Lui, il se satisfait, au moins. Moi, j'ai rien. Juste des malaises puis des douleurs.»

Un avant-midi, quelques mois plus tard, Anthime Vanasse ressentit un malaise. Quand sa femme Hémérise monta le réveiller pour le dîner, elle le trouva mort dans son sommeil. À l'annonce de la nouvelle, Charles crut que l'abattement profond qu'il ressentait était dû à la perte d'un associé qu'il avait estimé. Il ajouta ce malheur à la liste de ceux qu'il reprochait de plus en plus souvent au destin et refusa de s'interroger sur ce sentiment oppressant.

Les fils Vanasse vinrent des États-Unis pour les funérailles. Charles revit Germaine, de loin. Maintenant, il était marié; rien n'était plus possible entre eux. D'ailleurs, elle semblait l'ignorer. À l'heure du service religieux, il se retrouva dans le banc derrière celui des Vanasse. Il ne put s'empêcher d'observer le fils qu'elle avait eu au printemps 1904, l'année qui avait suivi son séjour à Saint-François-de-Hovey. L'enfant de sept ans ressemblait tant à sa mère qu'aucune paternité ne pouvait y être décelée. Charles fut irrité d'y penser et relégua cette interrogation, une de plus, au fond de lui-même.

Au repas qui suivit l'enterrement, Germaine l'évita encore et s'occupa de sa belle-mère anéantie par le départ subit de son vieux compagnon. Désemparée, Hémérise était incapable de prendre la moindre décision depuis des jours. Les fils proposèrent de l'emmener avec eux aux États-Unis. Elle refusa net. Sa fille du Bas-du-Fleuve lui proposa de la prendre avec elle.

— Vous allez voir, maman, quand on va au bord de l'eau, c'est pas une petite rivière qu'on voit, c'est la mer. C'est tellement grand que souvent on peut même pas voir l'autre côté.

Hémérise secoua la tête.

— Dans ce cas-là, ma fille, il doit venter à écorner les bœufs, certain! J'aime pas ça, le vent; j'ai jamais aimé ça.

Charles croisa enfin le regard de Germaine. Il n'y trouva plus trace de la passion d'autrefois, mais il fut stupéfait d'y retrouver une tendresse que les années n'avaient pas modifiée. «Ça se peut quand même pas qu'elle ait encore du sentiment de même pour moi...» Et il fut dérangé d'admettre qu'il avait toujours su que Germaine Vanasse avait éprouvé pour lui bien plus que du désir. Il fut tout aussi incapable d'accueillir cette émotion. Au hasard d'un regard, sa femme Imelda vit qu'il était bouleversé et elle fut rassurée, croyant qu'il éprouvait du chagrin pour son vieil associé.

Hémérise avait finalement choisi de rester au Québec et d'habiter chez sa fille, dans le Bas-du-Fleuve. Les fils vendirent la petite maison des parents, en remirent le modeste gain à leur sœur puisque c'était elle qui assurerait le gîte à sa mère jusqu'à sa mort, et ils retournèrent en Nouvelle-Angleterre. Hémérise Vanasse émigra avec ses bagages vers un village qui serait désormais le sien et qu'elle ne connaissait pas: Saint-Fabien, près de Rimouski.

Charles ne revit pas Germaine et comprit qu'il ne la reverrait probablement jamais plus puisque les fils Vanasse n'avaient plus aucune parenté dans la région. Ainsi donc, la vie et les situations étaient éphémères et pouvaient échapper à toute emprise. Charles eut son premier vertige devant le passage inexorable du temps. Il fut habité par ce sentiment pendant des jours et, à certains moments, il frôla la panique en songeant aux années passées, qui ne reviendraient jamais, et aux années à venir, dont personne ne connaissait le nombre.

Deux mois plus tard, à l'occasion des fêtes, Hémérise fit envoyer à Imelda une courte lettre où transparaissait un amour inconditionnel de la mer, qu'elle n'avait jamais vue auparavant, pas même en illustration. Voilà que ses yeux, habitués depuis l'enfance à se heurter à la lisière des forêts ou au détour trop proche d'un chemin tortueux, se perdaient sur l'immensité de l'eau quand son gendre l'emmenait à «la côte de la mer» qui, à un détour, dévoilait d'un coup les falaises, les îles et l'immensité du fleuve, que la vieille femme appelait «la mer» comme si elle lui eût manqué de respect en la nommant autrement. Ce fleuve qui, l'hiver, au gré des marées, soudait ou brisait la nappe de glace, ou en charriait des blocs de toutes formes. «Si c'est beau de même l'hiver, ce doit être un bien beau cadeau du bon Dieu en été», avait-elle fait ajouter. Et elle terminait en lui disant qu'elle se demandait comment elle avait pu vivre toute une vie sans soupçonner la beauté de la mer.

Imelda replia la lettre, songeuse; à son tour, elle s'interrogea sur les manques qu'elle ignorait, se demandant quelles joies attendaient, quelque part, de la rendre heureuse à ce point. Elle secoua la tête, soupira et brassa la soupe en pensant à la mer qu'elle non plus n'avait jamais vue et qu'elle ne verrait sans doute jamais.

En mars 1912, presque un an après l'incendie, elle mit au monde un garçon, qui fut appelé Lucien. Il était le quatrième enfant de sa mère, le septième de son père. Le commerce de celui-ci se renflouait et une délégation de cinq hommes vint le trouver à la scierie.

— Vous avez pas mal de cran, monsieur Manseau, lui dit un certain Roger Fortin, nouvellement arrivé dans le village. D'autres que vous se seraient laissé abattre pour moins que ça.

— Ouais, c'est un homme comme vous qu'il nous faudrait au conseil municipal, ajouta un autre.

— Voyons donc! protesta l'intéressé. Je connais rien là-dedans.

— Vous êtes honnête puis vous avez le sens des bonnes décisions.

— C'est plus que bien d'autres! renchérit Fortin.

Flatté et trouvant là l'occasion de manifester sa réprobation face à certains élus, Charles trouva le temps d'assister à quelques réunions du conseil municipal, pestant contre l'heure à laquelle elles avaient lieu: dix heures du matin. Chaque fois, le dîner familial était gâché: le père revenait si contrarié qu'Imelda aurait souhaité prendre son repas toute seule pour mieux digérer.

— C'est vous qui devriez être le maire, papa, dit un jour Henri. Vous pourriez prendre les bonnes décisions, au moins.

Charles fut flatté et repensa au pont couvert qui se détériorait de plus en plus sans que le conseil se décide à en faire réparer le toit.

— Un pont couvert qui se remplit de neige, aussi bien dire qu'il est pas couvert! En tout cas, moi, je prendrais pas six mois pour nommer un inspecteur de la voirie. Puis en plus, des chemins pleins de trous puis de bouette, ça nuit aux affaires.

— Ils vont charger une taxe de combien s'ils réparent le chemin du bois? demanda Imelda.

Charles nettoya son assiette avec le reste de sa tranche de pain.

— Huit millins dans la piastre, j'ai bien peur.

Le petit Wilfrid, qui ne commencerait l'école qu'en septembre, fronça les sourcils.

— C'est beaucoup d'argent, ça, papa?

Le père avala le reste de son pain et s'essuya la bouche du revers de sa manche.

— Ça fait surtout beaucoup d'heures; je paie en sciage.

L'enfant ressentit de la compassion pour tous les pauvres gens qui n'avaient pas de scierie et il s'exclama candidement:

— Les autres, ils doivent scier avec une égoïne?

Le père fronça les sourcils à son tour, irrité par cette question qui, pour lui, ne rimait à rien. Imelda se leva pour cacher son sourire amusé et servit le thé, juste assez chaud pour être savoureux et bu immédiatement, comme l'aimait son mari, pressé de retourner travailler.

— Bien non, Wilfrid. Ton père paie ses taxes en sciant parce qu'il a un moulin à scie. Mais un cultivateur, lui, va donner des heures à réparer le chemin; un autre va transporter des roches. Ça dépend des travaux qu'il y a à faire dans la municipalité puis de ce qu'on peut faire.

— Puis moi, je vais faire quoi quand je vais être grand?

Charles huma la bonne odeur du thé fort, en but quelques gorgées. Imelda crut qu'il était reparti dans ses pensées et répondit à son aîné avec une tendresse mêlée de fierté maternelle:

— Toi, tu vas aller à l'école. Tu vas devenir savant, bien plus savant que nous autres.

Le père se leva, se redressa le dos pour en chasser la fatigue accumulée depuis le matin et répondit:

— Tu travailleras au moulin. L'instruction, c'est pas tout, dans la vie. Le travail, faut que ça se fasse.

Imelda se redressa le dos à son tour, comme pour en rejeter un poids qu'elle acceptait de moins en moins. Wilfrid, perplexe, finit son verre de lait. Son père et ses deux frères aînés retournèrent à la scierie. Charles ronchonna tout l'après-midi, contrarié de ne pas avoir le temps de s'occuper des affaires du village, dans lesquelles, il n'en doutait pas, il était apte à mettre bon ordre, mais pour lesquelles, il était bien forcé de l'admettre, il ne disposait d'aucun temps.

Les jours se succédaient, avec leurs heures épuisantes de labeur sous pression. Obsédé par la dette à la banque, Charles n'était jamais satisfait, ne trouvait jamais que ses fils et ses employés travaillaient assez vite. Victor essayait d'oublier l'incendie, prêt à croire que son père faisait de même. Mais, à la moindre occasion, la colère sourde resurgissait de part et d'autre. Victor en vint à ne même plus espérer d'appréciation de son travail et il ne visa plus qu'à se défendre. Et à chaque rejet du père correspondit un geste vindicatif du fils.

Au début de l'année 1913, une assemblée spéciale des citoyens fut convoquée. Un certain Alphonse Desjardins, de la région de Québec, avait envoyé un de ses collaborateurs pour présenter un projet aux gens de la région des Cantons-de-l'Est et, dans le cadre de cette tournée, l'homme viendrait à Saint-François-de-Hovey. Ce projet était celui d'une coopérative mettant en commun non pas des marchandises mais de l'argent. Charles était bien placé pour savoir que les taux exigés par les banques étaient usuriers. Mais il hésitait à faire confiance à cet étranger.

— Il nous prend pour des fous, ce gars-là! C'est à croire qu'on le laisserait partir avec notre argent, marmonna-t-il à Éphrem Gingras, assez fort pour que l'invité l'entende.

— Les épargnes de Saint-François-de-Hovey restent à Saint-François-de-Hovey, mesdames et messieurs. C'est cela, l'innovation de M. Desjardins. L'épargne du village profite au village. Vous désignez quelqu'un pour s'en occuper, quelqu'un que vous connaissez, en qui vous avez confiance.

Émérentienne Boudrias, l'ancienne maîtresse d'école, se proposa. Elle se savait suffisamment ins-

309

truite et, venant de la Beauce, elle faisait confiance à cet homme de Lévis, comme s'ils venaient tous deux de la même région. Sa candidature suscita pourtant de vives objections, non ouvertement exposées.

— On sait ben, c'est la femme à Maurice, du magasin général. Des plans pour qu'elle se trompe puis qu'elle mette l'argent dans le mauvais tiroir.

Certains citoyens, cependant, se laissaient retenir non par les soupçons mais par l'incrédulité. Habitués à manipuler peu d'argent sonnant, ils ne croyaient pas qu'une épargne collective puisse changer quoi que ce soit à leurs maigres épargnes individuelles de quelques dizaines de piastres, chèrement amassées.

— Deux plus deux, ça fera toujours quatre! s'obstina Éphrem.

— Mais c'est comme une banque! insista sa sœur Émérentienne. C'est l'argent du monde ordinaire qui fait les banques.

— Peuh! C'est l'argent des riches qui fait les banques. Pas celui du monde ordinaire comme nous autres.

Charles hésitait. Si l'épargne des gens du village était reprêtée à des gens du village, et à meilleur taux que celui des banques parce qu'elle serait gérée selon le principe d'une coopérative, c'était à considérer. Mais il devint soupçonneux: emprunter obligerait probablement, comme cela s'était produit à la banque, à dévoiler toutes ses affaires à Émérentienne Boudrias et à deux ou trois autres personnes d'ici. «Pas question! J'ai rien à cacher, mais personne va fourrer son nez dans mes affaires. Un gérant de banque, c'est déjà assez!» Le projet, déjà débattu avec méfiance, fut définitivement refusé quand le curé mit les citoyens en garde, craignant une ingérence de l'extérieur dans les affaires de ses ouailles. Charles le regretta quand il alla payer le versement suivant sur son emprunt, réalisant que tout cet argent disparaissait mois après mois dans une banque qui ne rapporterait jamais rien aux gens de son village.

Cette année-là, la dette se remboursa plus vite que prévu parce que la Quebec Central Railway prolongea sa voie ferrée de plusieurs kilomètres dans la région et qu'elle eut besoin de milliers de traverses. Même divisé également entre les deux scieries, le contrat du chemin de fer permit à Charles de s'acquitter, à son grand soulagement, de deux paiements en retard.

— Avec ça, dit-il à Imelda un matin, je suis même tranquille pour quatre mois d'avance. J'ai pas dormi bien de même depuis longtemps.

«Moi aussi», pensa la femme dont le mari, préoccupé par la dette ou rendu fébrile devant le gain rapide, avait fréquemment négligé son activité conjugale.

À l'automne, Victor jugea le moment venu de mettre son plan à exécution. Cependant, il n'y avait jamais de bon moment pour aborder son père. Il en avait discuté plusieurs fois avec Imelda, qui ne l'avait pas ouvertement découragé ni encouragé non plus, fidèle à son illusion de pouvoir satisfaire tout le monde.

— Ça va dépendre comment tu vas le présenter à ton père, avait-elle rappelé, tout de même inquiète de l'issue de la proposition.

Quand Victor se décida, son père l'interrompit dès la première phrase.

— L'électricité? C'est du bois qu'on fait, icite!

Victor essaya en vain de ramener la discussion sur son projet, qu'il sentait partir à la dérive. Un projet qui les unirait tous les deux dans le travail et apporterait un débouché de plus à la scierie. Mais déjà son père lui tournait le dos et s'éloignait à grandes enjambées pour aller contrôler un arrivage de billots dans la cour. Son fils resta immobile près de la porte, démuni.

Pendant les deux semaines suivantes, il essaya de trouver le moyen, le bon moment, le courage de revenir sur la question. Aucune occasion ne semblait propice. Exaspéré, il décida de mettre son père devant le fait accompli. «Il accepte de m'écouter, sinon...»

— L'électricité? s'irrita son père. Je t'ai déjà dit que c'était du bois qu'on faisait, icite!

— Je le sais. Mais moi, répliqua Victor, l'estomac noué, c'est l'électricité qui me tente.

— Qui te tente? cria son père. Qui te *tente*? Penses-tu que je fais ce qui me tente, moi?

— Oui, répondit froidement Victor. Vous faites du bois parce que vous aimez le bois. Moi, je...

— Ben, si c'est pas assez bon pour toi, le bois, sacre donc ton camp! explosa Charles.

Victor serra les dents de rage et de douleur: sa proposition était rejetée avant même d'être énoncée. Il se sentit complètement dénigré, méprisé et ne put le supporter davantage. «Vous me jetterez pas à la rue, c'est pas vrai! C'est *moi* qui m'en vas!» Il bouillait tant qu'il siffla, d'une voix blanche:

— C'est ça que je suis venu vous dire, le père... Je m'en vas!

Du coup, Charles réalisa que son fils de seize ans, presque dix-sept, son aîné, était plus grand que lui de cinq centimètres, qu'il avait mûri son projet, en homme, et qu'il ne lui demandait pas la permission de s'en aller mais plutôt l'informait qu'il s'en allait. Qu'il abandonnait la scierie. «Je me tue à faire marcher le moulin, puis lui, le sans-cœur, il en veut même pas?» Il respira de travers.

312

— Ben, tu me l'as dit, lui jeta-t-il durement. J'ai jamais forcé un employé à rester. T'es libre de partir quand tu veux!

Victor se raidit sous l'insulte. «Je suis pas un employé, je suis votre fils.» Le cœur lui battait et il se fouetta le sang. «Si c'est de même qu'il le prend, tant pis pour lui.»

— Si je suis un employé..., un employé, ça se paie! le défia-t-il en plantant son regard jeune et, sous la douleur, vidé de toute substance, dans celui de son père, qui se voulait dur et impassible.

Le père vacilla mais refusa d'admettre ce qu'il ressentait.

— Si je déduis ce que tu gagnes de ce que tu m'as coûté ici-dedans, lui jeta-t-il en donnant un coup de poing dans les murs neufs, je suis pas sûr que c'est moi qui suis redevable.

— Moi non plus! cria Victor. Moi non plus!

Ils se toisèrent un moment, puis Victor comprit qu'il n'aurait rien de son père. Ni une collaboration ni un sou pour toutes ses années de travail. Il tourna les talons pour ne pas lui sauter à la gorge et quitta la scierie en redressant la tête le plus qu'il pouvait. Mais, sitôt sorti, il se laissa tomber le dos contre le mur de planches pour reprendre des forces, essayant de se raffermir les pieds sur le sol de terre fraîche. Une pluie fine se mit à tomber. Le jeune homme eut le réflexe de rentrer se mettre à l'abri mais il réalisa aussitôt que ces lieux désormais lui étaient interdits. Un vertige intérieur le saisit en même temps qu'un puissant sentiment de liberté. Les deux émotions s'affrontèrent si fortement en lui, qu'il se mit à courir.

Imelda le vit surgir brusquement dans la cuisine et monter à sa chambre d'un pas précipité. «Il rentre en plein après-midi?» s'inquiéta-t-elle. Elle prêta l'oreille et entendit le bruit sec d'un tiroir qu'on ouvre brutalement.

— Qu'est-ce qu'il bardasse en haut? ne put-elle s'empêcher de murmurer avec appréhension.

La petite Gemma laissa son jouet et monta pour redescendre presque aussitôt, son visage rondelet de cinq ans assombri et un large pli sur son petit front volontaire.

— Où il va, le train, maman? demanda-t-elle.

«Le train? Mon Dieu!» Les deux mains d'Imelda se placèrent instinctivement contre son cœur comme pour le protéger de la grande peine qui s'abattait sur lui. Elle s'attendait depuis deux ans à cet affrontement, mais le chagrin n'en était pas moins grand. Elle hésita, essuya ses mains enfarinées et monta à son tour. L'aîné était bel et bien en train de vider son tiroir de commode.

— Vous vous êtes chicanés? demanda-t-elle en devinant la réponse.

— Oui. Non... Je lui ai dit que je partais.

Après un long silence coupé seulement par le claquement du tiroir vide refermé à la hâte, elle insista, tristement:

— C'est bien pensé, cette affaire-là?

Elle s'assit sur le bord du grand lit que se partageaient Victor et Henri. «Comme si je le savais pas que c'est bien pensé! Victor fait jamais de coup de tête.» Il rassemblait et pliait ses vêtements pêle-mêle mais ne trouvait pas dans quoi les ranger. Imelda posa sa main sur celle de l'adolescent.

— Attends-moi, dit-elle avec un soupir de tristesse.

Elle traversa le palier et alla reprendre, dans le grenier attenant à la grande chambre, le sac de voyage avec lequel elle était arrivée dans cette maison, neuf ans auparavant.

— Tiens, il me servira plus.

Victor la regarda et réalisa qu'en effet la femme ne pouvait pas partir. «Mais moi, je peux!» Il enfourna rapidement ses effets dans la modeste mallette qu'il referma vivement.

— Il n'a pas voulu de ton projet? dit-elle.

Victor secoua la tête.

— Il n'a même pas voulu l'entendre.

— Ç'aurait été beau, un fils associé avec son père pour agrandir le commerce.

— Ouais, ç'aurait été beau. Mais faut toujours qu'il ait toute la place. Tout le temps. À lui tout seul. Ben, j'y laisse! Qu'il la prenne toute, la place! Dans la maison, dans le moulin, dans le village! Moi, je sacre mon camp!

Il s'arrêta et se rejeta la tête en arrière en essayant de respirer profondément, d'inspirer de l'air nouveau pour survivre. Imelda aurait voulu le prendre contre elle et le bercer comme un petit enfant. Elle lissa ses cheveux contre ses tempes pour se donner une contenance et se releva.

— Qu'est-ce que tu vas faire?

— M'en aller à Sherbrooke, travailler en électricité.

— As-tu déjà une place?

— Je vais en trouver une.

Gemma se pointa dans l'embrasure de la porte, faisant la moue.

— Je veux pas que tu partes!

Victor attrapa vivement sa petite sœur préférée et sa filleule et la fit tourner deux fois sur elle-même, ce qu'elle lui demandait plusieurs fois par jour. Mais aujourd'hui elle lui donna des coups de ses petits poings fermés.

— T'es méchant. Je veux pas que tu t'en ailles.

— Je suis un homme à c't'heure, Gemma, lui répondit Victor.

— Puis les hommes, ils doivent s'en aller?

Victor réfléchit puis sourit.

— Oui, des fois.

Imelda prit la petite par la main.

— Viens, dit-elle d'une voix brisée, maman a besoin de toi en bas; Lucien va se réveiller bientôt.

Sur le seuil de la chambre, elle se retourna vers la silhouette masculine. «C'est vrai qu'il est maintenant un homme.»

— Victor, ce sera toujours ta maison.

Il la regarda et chercha les mots qu'il avait voulu lui dire cent fois: qu'il lui était reconnaissant d'être venue dans leur maison autrefois pour les réunir tous.

— C'est pas la mienne, dit-il avec dépit; c'est la sienne.

Imelda hésita puis se décida enfin à exprimer sa pensée même si elle contredisait les paroles de son mari.

— Tant que je serai vivante, Victor, ce sera ta maison.

Il se détourna pour cacher ses yeux brouillés et ne pas voir les larmes que la femme retenait difficilement elle aussi.

— Merci, maman, dit-il à voix basse.

«Maman». Jamais, sembla-t-il à Imelda, il n'avait prononcé ce mot avec autant de tendresse. Aujourd'hui, elle accepta ce mot comme une grande caresse.

Mais, par habitude, elle se défendit aussitôt d'en jouir vraiment.

— J'ai fait de mon mieux pour être une bonne mère pour toi...

— Vous *êtes* ma mère, maman...

Il l'embrassa furtivement, plaqua deux baisers sonores sur les joues de la petite et, saisissant le sac de voyage, il dévala l'escalier en courant pour la dernière fois.

Quand Charles rentra souper et qu'il vit que la place de Victor était vide, il comprit. L'appétit le quitta, lui qui travaillait pourtant depuis de longues heures. Il se força à manger normalement, comme si de rien n'était, mais les tranches de lard passaient mal. En finissant sa tournée avant de se coucher, il vomit derrière la scierie, seul dans le noir. Et il en voulut à Imelda qui, selon lui, n'avait pas fait cuire la viande comme elle aurait dû.

CHAPITRE 12

—PAPA, insista doucement Marie-Louise, pourquoi vous attendez pas un peu? Il va arriver dans pas grand temps.

Charles leva les yeux sur sa fille qui allait avoir seize ans le mois prochain. «Elle est pas aussi belle que sa mère», se dit-il, faisant allusion à sa première épouse, «mais elle est aussi têtue.»

Marie-Louise avait envoyé ses petits frères et sœurs jouer à l'étage, question de gagner du temps.

— La bénédiction paternelle, ça se donne pas à Pâques, grogna le père en ajustant son faux col empesé. On n'est pas à son service.

— Sherbrooke, c'est pas au coin de la rue, répondit sa fille avec sa patience déterminée. Il a dit dans sa lettre qu'il serait là au jour de l'An au midi; il va y être. Ça prendrait une bien grosse tempête pour...

— Justement! Il fait pas tempête!

Elle s'obstina.

— Oui, mais il a pu être retardé, il...

— Il avait juste à nous avertir! trancha son père.

Il jeta un coup d'œil furtif vers le téléphone mural. L'appareil prenait beaucoup de place à gauche

319

des portes vitrées du salon. Le regard de Charles le mesura par réflexe: vingt-quatre pouces de haut sur neuf de large. Le chêne de la boîte plaisait à l'homme; les parties métalliques, comme le récepteur en forme de cornet allongé qui était accroché à gauche, lui étaient plus étrangères. Étrangères comme cette nouvelle façon de communiquer avec les gens. Il ne s'y habituait pas vraiment. «Moi, quand je veux parler à quelqu'un, j'ai pas d'affaire à attendre que quelqu'un d'autre me donne la permission puis écornifle ce que j'ai à dire en plus.» Demander la ligne en tournant une manivelle, dire à quel abonné il voulait parler, attendre que la communication s'établisse, craindre que la téléphoniste n'écoute la conversation, traiter ses affaires à haute voix dans la cuisine devant sa famille, tout cela le contrariait d'une fois à l'autre. «Je me demande pourquoi j'ai rentré ça dans ma maison, cette maudite invention-là.»

Il avait d'abord refusé le projet quand la compagnie Bell Telephone Corporation était venue l'offrir à Saint-François-de-Hovey. Le médecin et le notaire s'étaient inscrits aussitôt.

— Tant mieux pour eux autres s'ils ont les moyens d'un caprice de même, avait-il commenté.

Ensuite, Boudrias, le marchand général, avait décidé de s'abonner lui aussi, par sécurité, ayant été malade quelque temps auparavant, et aussi pour accommoder sa clientèle, qui viendrait ainsi plus souvent dans son commerce. Et, enfin, les Kingsey l'avaient fait installer à leur tour.

— Puis vous, monsieur Manseau, avait demandé un employé, allez-vous l'avoir?

Charles n'avait pu s'en abstenir et l'invention indésirable était entrée dans sa maison. Il y avait rapidement trouvé certains avantages, ne serait-ce que pour invectiver ses fournisseurs quand un produit était en retard ou avarié. «C'est moins long que d'attendre qu'il repasse, ce maudit vendeur-là; il est jamais là quand on en a besoin.» Et maintenant, il ne cessait de faire allusion au progrès que constituait le téléphone, même ce midi, pour humilier son fils Victor.

Marie-Louise s'irrita devant ce mépris déplacé. «Comme si tout le monde avait les moyens d'avoir un téléphone!» Elle soupira en se rappelant le départ précipité de son frère, deux ans après l'incendie. «Ça n'a plus jamais été pareil entre eux autres après ce soir-là!» se redit-elle pour la centième fois. «Ce soir-là»; c'est ainsi que l'incendie avait toujours été désigné, comme si les mots eux-mêmes avaient été niés.

Si Charles avait pu se leurrer sur les mots, il n'en avait pas été de même pour le travail d'écritures et de comptabilité de son commerce. En partant brusquement, Victor n'avait pu initier son frère Henri à la tenue de livres, même sommaire.

— Mais comment je vais faire ça, papa? avait protesté le cadet. Moi, c'est la scie que je connais, puis...

— Ben là, tu vas connaître les écritures! avait rugi son père. Il y a un bout, maudit, à faire juste ce qu'on aime dans ce maudit moulin-là!

— Oui, mais...

— C'est clair? avait hurlé son père.

Henri avait été désarçonné et il s'était rendu compte que ce ton vindicatif, son père l'avait souvent utilisé pour Victor, presque jamais pour lui. «Pourquoi?» s'était-il demandé en ce jour où il était devenu subitement l'aîné, craignant que cela ne devienne son lot désormais. Il avait soupiré et s'était attablé au petit bureau où Victor rangeait les documents concernant la scierie. Les colonnes de mots et de chiffres soigneusement tracés l'avaient impressionné encore davantage que la grande scie qui, ce matin-là, avait fonctionné sans lui. «En plus, avait-il soupiré, on sait même pas pourquoi il est parti. Il aurait pu m'en parler, me semble. Je lui ai rien fait, moi!»

Il avait regretté son frère, son compagnon de toujours, parti sans explications, et sans même une bourrade. Il lui en avait voulu de l'abandonner ainsi et il avait soupiré de nouveau devant la paperasse qu'il devrait maintenant assumer. En alignant ses premiers nombres dans le cahier noir, il lui était venu à l'idée qu'il devenait peut-être le premier héritier. Il avait eu honte de cette pensée et s'était plongé dans les factures des clients de la semaine, se heurtant à un fait auquel il n'avait jamais songé: il ne savait rien des transactions du commerce, il ne connaissait que le travail à la scierie. «Ouais, le père, à c't'heure, va falloir m'en conter un peu plus.»

Marie-Louise s'ennuyait beaucoup de son frère aîné et avait très hâte de le revoir aujourd'hui, en ce jour de l'An 1916 où il revenait chez son père pour la première fois depuis son départ, trois ans plus tôt. En quittant la maison paternelle, il était allé retrouver Déodat Marcoux à Sherbrooke. Celui-ci ne gagnait pas suffisamment d'argent avec son petit commerce d'électricien pour payer un deuxième employé; cependant, il l'avait pris à son service pour lui donner son apprentissage, tout en lui fournissant le gîte et le couvert. Au bout de six mois, Victor avait demandé un emploi rémunéré.

— Si je le pouvais, je te garderais avec moi, mais je peux pas. Va voir les Langlois; c'est des gars honnêtes.

Victor avait été engagé par des électriciens concurrents, les Langlois, et il était un bon employé. Il courtisait depuis peu Angèle, la cadette Marcoux, mais pas suffisamment pour la présenter officiellement à sa famille. Il arriva donc seul en ce jour de l'An au midi, au moment où Imelda finissait de découper la dinde. Les petits, Wilfrid, Gemma, Antoinette et Lucien, dévisagèrent le visiteur avec curiosité et timidité. Leur grande sœur Marie-Louise leur avait tellement rebattu les oreilles avec son «grand» frère qu'ils ne le reconnurent pas dans le jeune homme dont la stature n'était pas vraiment haute. Victor avait le physique des Manseau; il était plus costaud que grand, contrairement à Henri, qui était élancé et mince comme les Gingras. Ayant fait du regard le tour de la grande table de la cuisine, Victor attendait qu'on l'invite à se départir de son manteau d'hiver, de son sac de voyage (celui qu'Imelda lui avait prêté) et d'un grand sac de toile informe. Marie-Louise s'avança vivement et, en rougissant, lui donna un baiser furtif sur la joue.

— Bonne année, Victor!

— Eh bien! t'es devenue la plus belle fille du village, je crois bien!

Il l'enlaça comme s'il était son amoureux et lui plaqua un baiser sur chaque joue.

— Puis le paradis à la fin de tes jours, ma petite sœur!

— Puis toi, le taquina-t-elle à son tour, as-tu une blonde?

Victor rougit si vivement que Marie-Louise et Imelda comprirent. «Déjà?» pensèrent-elles, un peu jalouses, chacune à leur manière. Imelda s'approcha de lui et l'embrassa à son tour, puisque c'était le jour de l'An, mais avec retenue, admirant sa prestance et sa vigueur.

— Bonne année, Victor! lui dit-elle affectueusement, les larmes aux yeux.

— Bonne année à vous aussi, maman! lui dit-il doucement, remarquant les fils d'argent dans les cheveux toujours en chignon.

Il y eut un silence.

— Viens manger, lui dit Imelda, tu dois avoir faim.

Marie-Louise ajoutait déjà un couvert tout préparé qui attendait sur le comptoir.

— Vous aviez pas reçu ma lettre? s'étonna Victor. J'étais bien sûr de l'avoir mallée assez tôt, pourtant.

— On... on t'attendait de bonne heure, dit vivement Marie-Louise pour ne pas peiner son frère. Quand on a vu que t'arrivais pas, on, on... a pensé que t'avais changé d'idée.

Victor comprit et il en voulut à son père d'avoir trouvé le moyen de le rejeter une fois de plus. Mais il refusa de retomber dans ces vieilles rancunes. Il sourit et chassa ces idées de la main. Pourtant, il n'alla pas s'asseoir tout de suite, malgré l'invitation de sa mère. Il lui tardait de poser le geste qu'il avait désiré et craint à la fois. Il alla vers son père et lui tendit la main, d'homme à homme.

— Bonne année, papa! J'espère que tout va bien aller pour vous cette année encore.

Charles fut décontenancé que ce soit son fils qui prenne l'initiative de leur retrouvailles; de plus, il sentit sa propre main moins ferme dans celle de son aîné. Il remarqua, comme pour la première fois, à quel point Victor avait le regard doux et entêté de sa mère. Ce souvenir inopiné le rendit distant et il marmonna des vœux où le cœur était absent, ramené vingt ans en arrière. Victor ne perçut que la demi-présence et, contrairement à son désir, il ne demanda pas la bénédiction paternelle, même s'il était venu pour cela en grande partie, y voyant comme le symbole de sa réconciliation avec son père. «Il savait que j'arriverais à midi; c'était à lui d'attendre.»

Il chercha ensuite quelqu'un des yeux et repéra sa chère petite Gemma dans la fillette de huit ans. «Ça se peut pas comme elle a grandi!» Il la fixait si intensément que l'enfant, intimidée par cet inconnu, rougit et se dandina en se mordant les lèvres.

— Viens, dit-il doucement, parrain a pensé à toi souvent, souvent! Très souvent, ajouta-t-il en voulant la prendre dans ses bras.

Mais la fillette était déjà grande, elle avait passé l'âge de se faire soulever comme un bébé et elle résista. Victor comprit et ce fut lui qui se pencha.

— Je peux au moins te donner un bec? demanda-t-il, ému.

Elle fit signe que oui et accepta nerveusement le baiser, puis retourna tout de suite à sa place puisque tout le monde s'attablait. Victor la suivit du regard, attendri par le grand tablier à frisons qui cachait presque toute la robe enfantine et donnait déjà à la fillette une apparence raisonnable. Imelda reconnut la tendresse du garçon d'autrefois, qui ne semblait pas diminuée aujourd'hui et qui n'en était que plus émouvante. Victor rejoignit les autres et il murmura à Henri, d'un ton mi-sérieux, mi-moqueur:

— Quel effet ça te fait de recevoir la bénédiction paternelle à ton âge?

— J'espère que ce sera pas à mon tour trop vite.

Les frères pouffèrent de rire, mais l'un des deux avait une brume dans la voix. Victor était devenu volubile depuis qu'il avait quitté le toit paternel. Il mena brillamment la conversation et blagua tellement que les aînés crurent qu'il avait oublié les circonstances de son départ. «De qui il tient, celui-là?» s'étonna le père devant tant de verve. Sous les mots de son fils, les anecdotes banales prenaient des allures d'épopée, les petits actes de courage quotidiens devenaient de grandes victoires. Aux yeux des petits, la ville de Sherbrooke apparaissait immense, merveilleuse et dangereuse. Plus dangereuse que cette guerre dont tout le monde parlait depuis deux ans mais qui ne semblait pas les concerner, si lointaine dans des pays qui leur étaient étrangers. Elle se rapprocha d'eux subitement parce que Victor, dans le train qui l'avait amené de Sherbrooke, avait rencontré des soldats de Magog et de Mégantic qui en étaient revenus blessés.

— Puis toi, as-tu pensé à t'engager? demanda vivement Henri.

— La guerre dans les vieux pays, ça nous regarde pas, coupa Charles, se surprenant lui-même de la vivacité de sa réponse. Quand on est même pas respectés dans notre propre pays, on va pas aller se faire tuer pour défendre les autres. Puis sous les ordres de ceux qui nous enlèvent nos droits en plus.

Cette allusion de son père à la loi 17 votée en Ontario en 1912 et qui empêchait les Canadiens français d'y étudier dans leur langue étonna Victor. Depuis quatre ans, il n'était question que de cette loi partout dans les journaux et au gouvernement, plus que de la guerre en Europe. Mais Victor avait peine à croire que son père s'en souciait enfin, même s'il se réjouissait de ce souci légitime pour ses compatriotes. «Quand ma tante Mélanie avait écrit des affaires de même, dans le temps, il les avait pas crues.»

— C'est sûr qu'il y a bien des choses de pas correctes dans tout ça, dit Imelda qui ne voulait pas que cette discussion gâche son dîner de fête, mais si chacun y mettait du sien...

— Comme c'est là, ils en mettent pas, ils nous en ôtent! trancha son mari. Notre guerre à nous autres, c'est de se tenir debout, puis de gagner notre vie.

— Puis de conserver notre langue puis notre religion, ajouta Gemma spontanément, du haut de ses huit ans. On nous l'a dit à l'école.

— En tout cas, on n'a pas besoin de se battre pour ça chez nous, contredit Henri.

La petite se renfrogna, humiliée parce que la rebuffade venait de son grand frère.

— Nous autres peut-être pas, mais pour ma tante Mélanie puis nos cousins dans l'Ouest, c'est bien compliqué, dit Marie-Louise. Hermance nous en a assez parlé.

— Hermance? dit Victor, Hermance qui?

— Ta cousine, reprocha son père, ta cousine de l'Ouest.

— Ah oui! On les as pas vus souvent, ceux-là.

— Ils arrivent dans deux jours, lui apprit joyeusement Marie-Louise.

— Hein? Ici?

— Ils sont allés chez les Gingras à Noël, fit Imelda. Maintenant, ils sont chez ton grand-père Manseau. Ils vont venir passer quelques jours ici avant de repartir.

Victor en fut ému. Cette tante Mélanie, la sœur de son père, et cet oncle Damien, le frère de sa mère Mathilde, il se souvenait vaguement de les avoir vus quand il avait six ou sept ans. Il vivait à l'époque chez ses grands-parents Gingras et, après avoir longtemps attendu et espéré ces visiteurs, il avait enfin vu entrer une jeune femme arborant un tel sourire qu'il n'avait pu la quitter des yeux. Ce jour-là, Charles l'avait rabroué vivement:

— On dévisage pas les grandes personnes.

Mais le gamin avait été fasciné par elle; elle lui souriait avec une tendresse si triste quand ses yeux revenaient se poser longuement sur lui. Charles aussi avait reconnu le sourire, le rire, l'éclat dans les yeux: ils ressemblaient à ceux de Mathilde. Lui qui avait réussi, après tant d'efforts, à enfouir profondément ce souvenir en lui, voilà que la venue de sa sœur et de son beau-frère, ostensiblement encore amoureux, le ravivait. Victor en avait voulu à sa grand-mère Amanda parce que son père avait dû emmener ses deux fils avec lui pour laisser de la place aux quatre visiteurs: Damien, Mélanie, Hermance et Louis. Marie-Louise était restée chez les Gingras pour jouer avec sa cousine Hermance, d'un an sa cadette. C'était tout ce dont il se souvenait, en fait. Mais aujourd'hui, de savoir que son oncle et sa tante étaient dans les parages suscita un désir heureux chez lui.

— Ils seront là dans deux jours? demanda-t-il soudain.

Tout le monde arrêta de parler et le regarda. La petite Antoinette, avec l'innocence de ses six ans, résuma les pensées des autres.

— Il fait comme mon oncle Maurice.

— Maurice? s'étonna Victor. Maurice Boudrias?

Intimidée, la petite fit signe que oui avec un grand sourire qui découvrit sa dentition. L'aîné vit qu'il lui manquait une dent de lait et en fut attendri. «Elle est déjà en première année», pensa-t-il.

— Et qu'est-ce qu'il fait, mon oncle Maurice? demanda-t-il curieusement.

— Il en perd des bouts, dit l'enfant.

Toute la tablée éclata de rire et Victor réalisa que le dessert, le traditionnel gâteau aux fruits, avait été servi pendant qu'il s'était égaré dans ses souvenirs.

— M. Boudrias en a bien reperdu depuis son attaque l'année passée, ajouta Imelda. Il n'est plus jeune jeune.

Victor, qui n'était parti que depuis trois ans, eut l'impression que cela faisait pourtant un siècle, simplement parce que le marchand général, son grand-oncle par alliance, était désormais malade, presque impotent. Une certaine odeur de mort flotta dans l'air et il la refusa vivement.

— Ouais, ben, mon oncle Boudrias, est-ce qu'il apporte des cadeaux, lui? insinua-t-il, pince-sans-rire.

Les enfants se turent du coup. Dans leurs petites têtes, des folies galopèrent en tous sens. Il les fit patienter, fit mine d'avoir oublié et, finalement, dès qu'ils furent sortis de table, il alla chercher le grand sac de toile qu'il avait laissé près de la porte.

Il commença par le plus jeune de ses frères et sœurs capable de marcher, Lucien, et il s'accroupit à sa hauteur. Imelda lui fut reconnaissante de commencer par ses enfants à elle. L'aîné fit mine de fouiller longuement dans son sac, pour finalement en extraire une balle en caoutchouc abondamment décorée. Le haut et le bas étaient bleu ciel avec des étoiles jaunes très brillantes; le centre était traversé d'une bande plus pâle où des personnages semblaient courir autour de la sphère. Les couleurs étaient si vives que la balle, pourtant modeste, fit l'envie des plus grands, qui n'en avaient jamais eu.

Antoinette, déjà raisonnable, regarda une petite boîte que son grand frère agitait précautionneusement avant de la lui offrir. Des cliquetis étranges firent pétiller les yeux de l'enfant et ceux du frère aîné, heureux de la joie donnée. Il tendit enfin le cadeau à la petite qui, oubliant de le remercier dans sa hâte fébrile, souleva doucement le couvercle et en sortit, un à un, six personnages minuscules de cinq centimètres de haut. Elle les regroupa, les aligna, les sépara, les rassembla de nouveau. Victor, ému, goûtait la fascination que l'enfant exprimait candidement et il en oubliait les autres. Gemma, sa filleule, fut chargée par ses frères et sœurs de le ramener à la réalité. Elle le tira doucement par la manche.

— Puis moi, mon parrain, m'as-tu apporté un cadeau?

Victor fut bouleversé de son regard. À cet instant précis, s'il lui avait répondu non, elle en aurait eu le cœur brisé. Il l'attira contre lui en clignant des yeux.

— Pour toi, ma belle petite filleule, j'ai un gros, gros cadeau...

Il alla ouvrir sa mallette de voyage et en sortit un gros objet qu'il avait protégé de son mieux. Il enleva lui-même le tissu qui l'enveloppait et Gemma n'en crut pas ses yeux. Une poupée de trente centimètres de haut lui tendait les bras, une poupée habillée d'une robe en organdi, toute en dentelles, en frisons et en rubans, une poupée aux longs cheveux blonds tout bouclés. La fillette tendit les bras à son tour et accueillit tout doucement sa poupée, la serrant contre elle. Elle caressa du doigt, incrédule, le petit visage en celluloïd et ensuite les mignons petits souliers de cuir verni noir avec une attache et un bouton minuscule sur le côté. Cette fois, Gemma alla spontanément embrasser son parrain, gardant le précieux cadeau tout contre elle.

Wilfrid avait déjà neuf ans et il ne pouvait décemment laisser voir qu'il attendait son cadeau aussi impatiemment que les petits. Victor s'en aperçut et fit mine de l'avoir oublié. Il regretta sa plaisanterie devant la déception du gamin.

— Un grand garçon comme toi, ça doit jouer avec ses amis, me semble. Avec ça, tu vas pouvoir montrer ce que tu sais faire.

Il lui tendit un petit sac de toile brune sur lequel un W bleu foncé avait été brodé par son amie Angèle Marcoux. Aucun son ne trahit le contenu tant que le jeune homme garda le sac dans sa main. Dès que l'enfant l'eut saisi, son visage s'éclaira d'un sourire victorieux et il s'enquit vivement:

— Il y en a combien?

— Cent! répondit fièrement Victor.

Le sourire redoubla. Avec une telle quantité, il aurait le temps de s'exercer et pourrait même en risquer une ou deux dizaines. Il ouvrit enfin le sac et fit miroiter devant les autres cent billes multicolores toutes peintes à la main.

— C'est pas juste, plaisanta Henri avec un brin de vérité. On n'a jamais eu ça quand on était petits, nous autres.

— J'ai fait ce que j'ai pu, rouspéta son père.

Victor ne voulut pas se faire gâcher sa joie.

— Ce que tu vas avoir, moi non plus j'en ai jamais eu. Mais fais pas trop ton fendant avec.

— Hé! c'est à mon tour! l'interrompit Marie-Louise, les yeux brillants à l'avance.

— Ouais, fit-il en s'éloignant lentement des petits qui jouaient déjà avec leurs cadeaux. Une grande fille comme toi, ça doit être capricieuse. Plutôt que de me tromper, j'ai pensé qu'il valait mieux rien acheter.

Marie-Louise tapa du pied de dépit.

— Ah! arrête donc! le supplia-t-elle.

Il fit semblant d'avoir perdu le cadeau, fouilla dans sa valise en prenant soin d'en cacher le contenu à Henri, tourna le sac de toile à l'envers et sortit finalement de la poche intérieure de sa veste un petit objet enveloppé de velours écarlate.

— Tiens, au cas où tu serais trop souvent dans la lune.

Marie-Louise déballa fébrilement une petite montre suspendue à une épinglette. Incrédule, elle regarda l'horloge grand-père de la salle à manger pour vérifier si la montre marquait réellement le temps et vit que les deux cadrans indiquaient exactement la même heure.

— C'est une vraie?

— Ben, voyons donc! s'exclama son frère, un peu désappointé.

— Ah! t'es trop fin! s'écria-t-elle en l'embrassant.

Elle fixa la montre à son corsage et alla se regarder dans un miroir. Dans sa joie, elle ne put s'empêcher de tournoyer en riant. Charles regardait tout cela et, malgré lui, commençait à se demander s'il recevrait quelque chose. Pour le moment, c'était le tour d'Henri.

— Tiens, le braillard! se moqua l'aîné.

Il éclata de rire et lui tendit deux guêtres gris pâle. Henri fut aussi heureux que les petits et palpa sans rien dire ses premières jambières, à cinq boutons.

— C'est sûr qu'il y en avait à dix boutons, plaisanta Victor, touché de surprendre même son frère Henri. Mais plus que cinq, tu te serais enflé la tête pour rien.

— Les filles vont me regarder pas pour rire! se réjouit son cadet, déjà en train de fixer les guêtres par-dessus ses bottines propres.

— Une fille qui te regarderait juste pour ça, ça vaudrait pas la peine de la considérer, tempéra son père.

Imelda fit une diversion.

— T'es trop généreux, Victor; c'est bien trop cher tout ça, le gronda-t-elle maladroitement.

— C'est facile quand on n'a pas charge de famille, commenta son père.

Gemma demanda naïvement:

— C'était quoi, papa, les cadeaux que vous donniez à votre famille avant de vous marier?

Devant le silence embarrassé qui suivit, Victor poursuivit sa distribution.

— Pour vous, maman, j'ai cherché longtemps. J'espère que ça va vous faire plaisir.

Il lui tendit un écrin. Elle s'essuya soigneusement les mains, pourtant propres, à son grand tablier, et l'ouvrit lentement. Elle en sortit une broche en argent ayant la forme d'un épi de blé ployé sous sa propre abondance. Elle la fit miroiter à la lumière, se laissant admettre qu'elle recevait enfin le premier bijou de sa vie. Elle ne sut comment s'exprimer et referma instinctivement sa main gauche sur sa droite, les appuyant, émue, contre sa poitrine.

Victor tendit ensuite le dernier cadeau, celui qu'il offrait à son père et qui était au-dessus de ses moyens. Celui-ci aussi ouvrit un écrin: c'était une montre en or. «Il a dû payer ça cher sans bon sens», ne put-il s'empêcher de penser. Il en connaissait le prix: il se l'était toujours refusée à cause de cela.

— J'en ai déjà une, dit-il à voix basse.

Victor le regarda.

— Je le sais, le père. Mais ça vous en fera une autre pour le dimanche ou les grandes occasions.

Ce fut tout. Des cris d'enfant remplirent la pièce: Lucien avait voulu jouer avec l'une des figurines d'Antoinette. Victor alla les retrouver et désamorça la querelle enfantine. Plus tard, Imelda s'approcha de lui et lui reprocha encore toutes ses dépenses.

— Des petites gâteries, ça pourrit pas le monde, protesta-t-il.

Il regarda son père à la dérobée, assis à sa place habituelle dans la berçante près de la fenêtre. Charles tournait et retournait dans ses mains le cadeau de son fils. Il n'avait pas encore décidé s'il remplacerait la montre qu'il s'était offerte à son remariage, une dizaine d'années auparavant. Il regardait les deux montres, l'ancienne et la nouvelle.

Perplexe et ne sachant pourquoi, il leva les yeux et regarda ses enfants aller et venir dans la grande cuisine, tous repus du bon repas qu'Imelda avait réussi à préparer malgré les dernières restrictions dues à l'incendie de la scierie. Ils formaient une nombreuse, une belle famille. Victor, dix-neuf ans; Henri, dix-sept; Marie-Louise, seize le mois prochain. «Seize ans que...» Il repoussa le souvenir de la mauvaise nuit et chercha ensuite l'aîné du deuxième lit: Wilfrid, neuf ans; Gemma, huit; Antoinette, six; Lucien, presque quatre; et la petite Blandine, qui, à deux mois, ne se laissait jamais oublier et que Marie-Louise était allée chercher dans son berceau. La benjamine avait eu droit à un hochet de la part de Victor, qui, pourtant, ne l'avait jamais vue et ne la connaissait que par les lettres de Marie-Louise. Elle pleurnichait à tout bout de champ, gourmande de tous ces bras qui la berçaient, la cajolaient, de tous ces sourires au-dessus de son berceau. «Elle m'a donné de beaux enfants en santé», pensa Charles en regardant Imelda.

— Ça faisait longtemps qu'on n'avait pas été tous ensemble, hein, papa? lui dit Marie-Louise.

Il sourit.

— Ta mère doit être contente.

Et il dut admettre, malgré lui, que Victor lui avait manqué. Mais il ne laissa pas le regret l'envahir. Il préféra s'enorgueillir d'être le père de tous ces enfants-là, le chef de cette famille. «En tout cas, c'est plus que mon père», songea-t-il, étonné de sa réflexion, en glissant dans son gousset, à sa place habituelle, la montre qui l'avait accompagné fidèlement depuis son remariage. Il déposa la neuve dans sa boîte et en referma le couvercle. Henri envia les deux montres, lui qui n'en possédait aucune. De loin, Victor se détourna. Il ne serra pas les dents. «Je le savais d'avance que je gaspillais mon argent; mais j'aurai rien à me reprocher.» Sa déception ne voulut pas de colère; elle se transforma en gaieté un peu forcée.

— Maman, avez-vous de la place pour moi pour quelques jours? J'aimerais ça revoir la parenté de l'Ouest.

Marie-Louise se pendit à son bras, radieuse.

— On t'a déjà préparé un lit.

— On pensait que ce serait trop fatigant pour toi de reprendre le train à soir, ajouta Imelda.

La curiosité de Marie-Louise l'emporta.

— Elle s'appelle comment? chuchota-t-elle.

— Angèle, souffla-t-il, les yeux brillants.

Ils étaient heureux de se revoir et mesuraient la longue absence.

— En tout cas, j'ai des batailles à reprendre, bluffa Henri en le tabassant. Mais c'est moi le plus vieux à c't'heure: c'est moi, le boss.

— Il y a rien qu'un boss ici-dedans, rectifia le père de famille.

Victor regarda son père droit dans les yeux, en souriant.

— Ça, c'est sûr, le père: vous serez toujours le boss... ici-dedans.

Les deux hommes se toisèrent et Imelda proposa nerveusement:

— Joues-tu aux cartes, Victor?

— Bien certain, puis je suis dur à battre, à part de ça.

La visite de Damien et Mélanie était en fait une halte dans un voyage à Montréal pour y reconduire Hermance à un pensionnat des Sœurs Grises. Mélanie et Imelda se rencontraient pour la première fois, même si elles s'écrivaient régulièrement aux naissances et aux fêtes. Intimidées toutes les deux, elles créèrent presque un malaise chez les autres.

— C'est bien trop vrai, réalisa Charles, stupéfait. Imelda fait partie de la famille depuis si longtemps que je me suis jamais adonné à penser que vous vous étiez jamais vues.

Imelda en ressentit une grande joie. Était-ce possible qu'après onze ans de mariage il la considère enfin comme étant de sa famille? Loin de ces considérations, Charles examina Hermance. À qui donc ressemblait sa nièce? Aux Gingras ou aux Manseau? Ce qui frappait le plus était sa chevelure, longue, fournie, blond cuivré et si bouclée qu'elle lui créait presque une auréole.

— De qui est-ce qu'elle tient, celle-là? demanda-t-il.

— Elle frise comme mon père, s'amusa Damien. Chez nous, il y a juste le père puis Clophas qui ont des cheveux de même, mais noirs, par exemple.

Damien regarda tendrement sa fille, si belle, si joyeuse. Son cœur se serra à la pensée qu'il allait la perdre bientôt et il tourna son regard vers sa femme, Mélanie, pour s'y ressourcer, comme il le faisait depuis tant d'années. Il pensa ensuite à ses deux fils, Louis et le jeune Mathieu, restés là-bas, dans la vallée de la rivière Rouge. «C'est là, à c't'heure, notre chez-nous.» Il les imagina, gardiens sûrs de la maison et de la forge. «Des petits gars bien fiables qu'on a là. Faudra leur faire un bel avenir, par chez nous. J'espère qu'ils me reprocheront jamais d'être venus au monde là-bas.»

Mélanie donna des nouvelles des trois cousins Manseau, les frères d'Octave, qui les avaient rejoints au Manitoba et y avaient fondé leur famille eux aussi. Damien parla des autres francophones qui s'y étaient installés: des Canadiens français qui arrivaient d'un séjour en Nouvelle-Angleterre, ainsi que des Européens qui venaient de plusieurs régions de France.

Mélanie et Imelda, si différentes l'une de l'autre, trouvaient peu de choses intimes à se dire; elles se rattrapaient sur les enfants et les soucis domestiques, les mêmes dans toutes les maisons. Mais elles ne dépassaient pas ce niveau de conversation. Mélanie avait beaucoup souffert de la solitude à son arrivée au Manitoba. Petit à petit, la nostalgie de sa famille avait embelli ses souvenirs d'une connivence qui n'avait existé, à la rigueur, que dans les intentions. Avec les années, pour ne plus en souffrir, elle avait dénié ses besoins de communication avec ceux qui vivaient si loin d'elle, et aujourd'hui qu'elle avait créé des liens étroits avec de nouvelles amies et voisines, elle ne savait plus trouver les mots pour renouer avec la famille de son enfance.

Les deux beaux-frères mesuraient le temps qui avait passé. Le Charles jeune et moqueur qui entourait de son bras solide sa Mathilde enceinte avait fait place à cet homme de quarante-trois ans, un peu grisonnant, au regard dur et aigri.

— J'aimerais ça voir ton moulin, demanda brusquement Damien. L'as-tu rebâti plus grand?

— Tu me connais: je continue jamais en plus petit.

Il faillit dire: «... moi!» tellement il avait l'impression que Damien n'avait pas pris d'expansion, là-bas, dans ces régions inconnues qui, selon lui, lui avaient volé sa sœur et son beau-frère. «Ç'aurait été bien de rester tous ensemble par ici», pensa-t-il une fois de plus, mais il formula tout autrement sa nostalgie en arrivant dans son clos de bois bien garni de carrés de madriers et de planches bien sciées.

— J'ai pas été loin sur les routes, mais je suis rendu à ça.

Blessé par ce reproche pour son départ, dix-sept ans auparavant, Damien resta un moment à tout observer, sans rien dire. Ils entrèrent et Charles alluma les ampoules électriques, éclairant la vaste scierie et la machinerie dont la moitié était neuve, rachetée après l'incendie. Le visiteur plissa les yeux pour que son regard embrasse l'espace d'un seul coup et pour dissimuler la peine que l'affront de son beau-frère lui causait. «Soupe au lait, comme dans le temps.» Et sa réponse dévia elle aussi de sa pensée:

— Ta sœur puis moi, on n'avait pas envie de tourner en rond dans le même coin.

Habitué aux grands espaces des plaines, Damien réalisait qu'il étouffait depuis son arrivée. L'hiver n'aidait pas: ils étaient confinés dans les maisons, en visite à gauche et à droite, ne voyant rien d'autre que des cuisines et des chambres.

— Ma fille va peut-être s'habituer par ici. Mais ce sera pas pour la vie. Quand elle va avoir fini ses études puis son noviciat, elle va revenir enseigner par chez nous.

Charles pensa à Alphonse, le plus jeune des fils Gingras, qui avait attendu le remariage de son beau-frère Charles pour entrer chez les frères du Sacré-Cœur. Lui aussi croyait revenir enseigner dans sa région. La communauté lui avait néanmoins donné son obédience pour Jonquière, lors de la fondation d'une autre de ses maisons, en 1914, au grand chagrin d'Amanda. Mais la mère avait toujours su que le plus jeune ne resterait pas longtemps avec eux. «De toute façon, avait-elle souvent dit, il a jamais été tout à fait avec nous autres, celui-là. Il a toujours eu des idées pas comme les autres.»

Charles réalisa que son frère Philippe avait maintenant trois garçons et une fille, et sa sœur Mélanie, deux fils et une seule fille. Il n'avait donc que deux nièces et l'une d'elle souhaitait entrer au couvent dans deux ans. «Elle est bien jeune, me semble.» Il constata aussi que Damien disait «chez nous» en parlant de là-bas et il se sentit rejeté, lui et tout son coin de pays, comme si celui-ci n'était pas assez bon pour sa sœur et son beau-frère.

— Pourquoi elle fait pas son cours là-bas, d'abord? Il n'y a pas d'écoles pour ça?

— Il y en a.

Damien marqua une pause et finit par prononcer des mots qui l'écorchaient.

— Ces écoles-là sont en anglais. Juste en anglais. Mais nous autres, on veut des maîtresses d'école qui parlent français, qui le parlent bien. On en aura besoin plus que jamais.

Charles le suivait difficilement.

— Qui ça, «on»?

— Les Canadiens français de par chez nous. Nos écoles, ça compte plus que tout. Puis ça se peut que...

Il se tut et l'insouciance joyeuse qui avait toujours lui dans ses yeux et gardé à son visage cet air jeune disparut. Charles ne vit qu'un beau-frère tourmenté, avec de l'amertume et une détermination inquiète.

— Ça se peut que quoi?

Damien n'arrivait pas à savoir comment partager avec les gens d'ici ce qui le tracassait tant: l'obligation de récupérer et de défendre, sans répit, des droits déjà acquis et si vite enlevés. Sa détermination n'avait pas flanché. «On se laissera pas faire», disait-il quotidiennement, haranguant d'autres Canadiens français de son village. Mais une certaine lassitude, parfois, l'étreignait. Pour lui aussi, la quarantaine changeait imperceptiblement l'intensité des efforts et la perspective des buts à atteindre. Brusquement, il envia son beau-frère qui, à ce qu'il pouvait voir, passait ses journées à ramasser de l'argent facilement, sans se soucier de rien d'autre, et qui n'avait, semblait-il, à lutter contre aucune force adverse. Damien respira profondément, puis lâcha le morceau, d'une voix basse, tremblotante:

— On a perdu Charles. C'est pas encore fait, mais ça s'en vient. Dans pas grand temps, pour nous autres, ça va être pire que la mort: nos enfants pourront plus aller à l'école en français.

Charles perçut une telle douleur refoulée dans la phrase de son beau-frère qu'il refusa d'admettre la difficile réalité de l'autre.

— Tu vois tout en noir. C'est écrit dans la loi que le Canada c'est notre pays.

— Des lois, moi aussi je pensais que c'était pour longtemps. Mais ç'a l'air que ça se défait n'importe quand.

Charles s'irrita, confronté concrètement à cette loi, similaire à celle votée en Ontario, un problème épineux qu'il refusait d'approfondir.

— Voyons donc! Si on peut même pas se fier aux lois..., marmonna-t-il.

— Laisse faire, coupa Damien. Les gens d'ici peuvent pas comprendre ça.

Charles s'en voulut devant le ton si douloureux de Damien. Il chercha à se rattraper.

— Raison de plus pour qu'Hermance se dépêche à faire son cours puis retourne là-bas si vous manquez de maîtresses d'école françaises.

Ce fut au tour de Damien de s'exaspérer.

— Quand elle va revenir, dit-il sombrement, c'est en anglais qu'elle va enseigner. En anglais. C'est dur à comprendre, ça?

340

Charles grogna:

— C'est notre pays là-bas aussi; ils peuvent pas vous empêcher de...

— C'est ce qu'on pensait, nous autres aussi. C'est ce qu'on nous avait dit.

Charles poussa un long soupir, constatant sa propre impuissance autant que celle de ses compatriotes installés si loin.

— Ben... revenez par ici, d'abord.

— Par ici? C'est là-bas qu'on vit, à c't'heure, puis on n'abandonnera pas les autres, ceux qui pensent comme moi que c'est notre pays puis qu'on a le droit d'y vivre. T'imagines-tu qu'on est tout seuls là-bas, ta sœur puis moi? On est trente mille, Charles, trente mille Canadiens français au Manitoba à se faire bafouer, sur les fermes, dans les villages, dans la grande ville de Saint-Boniface!

Charles, qui ne connaissait que l'horizon vallonné des Cantons-de-l'Est, qui n'avait vécu que pour sa scierie et qui se débattait, année après année, pour réussir à nourrir sa famille, ne saisissait pas vraiment les enjeux dont lui parlait Damien et il ne savait pas s'il avait vraiment envie de les connaître. Dans le doute, il renonça à fouiller la question. «Je peux pas vivre ici puis là-bas en même temps.»

Damien se sentit amer. «On sait ben, il n'a pas à gaspiller la moitié de ses énergies à se battre pour survivre dans sa langue et dans sa religion, lui! Il a le temps de s'occuper de ses affaires comme il faut! Moi aussi, j'aurais un gros commerce si j'avais le temps de m'occuper juste de ça! Puis toutes ces affaires de lois, ça a empêché bien d'autres Canadiens français de par ici de venir nous rejoindre au Manitoba. On se fait étrangler des deux bords!» D'un accord tacite, les deux hommes changèrent de sujet et parlèrent de la scierie même si elle n'avait plus tellement d'importance après toutes ces confidences.

Réfugiées dans la chambre des filles, au-dessus de la cuisine, Hermance et Marie-Louise échangeaient des confidences elles aussi, mais sur un tout autre ton.

— Mon frère Victor a dit que t'étais la plus belle fille qu'il ait jamais vue, chuchota Marie-Louise, du ton un peu haut perché d'une fille qui commençait à être émoustillée par les garçons. Je pense que c'est tes cheveux qui l'impressionnent!

Elle aussi admirait la chevelure éblouissante de blés mûrs de sa cousine dont les bouclettes frisées luisaient à la lumière. Hermance rougit mais, s'efforçant de se détacher de cette coquetterie, elle haussa les épaules.

— Moi, ce que je veux dans la vie, c'est enseigner. Les garçons...

— T'es bien trop jeune pour entrer au noviciat, lui reprocha Marie-Louise. T'as juste quatorze ans.

— Mon idée est faite depuis longtemps.

— T'as le temps de changer d'idée bien des fois.

Hermance sourit, si sérieuse déjà.

— Les sœurs pensent ça aussi. Elles ont accepté de me prendre parce que les sœurs grises, à Saint-Boniface, m'ont bien recommandée à leur maison mère. Je vais finir mes études à Montréal, au couvent, puis elles vont voir d'ici deux ans si elles m'acceptent au noviciat.

— Es-tu bien certaine que c'est ça que tu veux? insista Marie-Louise, incrédule.

— Oui et non. Si j'avais été sûre de vouloir enseigner, je serais entrée chez les sœurs des Saints-Noms-de-Jésus-et-de-Marie; ce sont des enseignantes. Mais j'aime bien prendre soin des malades aussi. Ça fait que je rentre pensionnaire chez les sœurs grises; elles font les deux: enseigner et prendre soin des malades.

— T'as pas besoin de faire une sœur pour ça, protesta Marie-Louise.

Les adolescentes se regardèrent, aussi ardentes l'une que l'autre, aussi intransigeantes aussi, mais Hermance avait un entêtement mûri.

— Si je deviens une sœur, je vais pouvoir enseigner ou aider les malades toute ma vie. Pas juste en attendant de me marier. Toute ma vie! C'est ça que je veux.

Marie-Louise admira un courage qu'elle n'avait pas, du moins pour un tel but.

— Comment tu vas t'appeler? demanda-t-elle soudain en se laissant tomber sur le lit de tout son long.

— La sœur Échevelée des Plaines de l'Ouest! répondit Hermance en éclatant de rire et en se laissant tomber à son tour près de sa cousine.

— Hein? Pourquoi «Échevelée»?

Hermance se redressa, glissa ses doigts sur sa nuque puis gonfla ses cheveux magnifiques en une immense couronne. Elle les étira lentement jusqu'au bout de ses doigts, laissant retomber doucement, une à une, les mèches de soleil.

— Parce que les sœurs vont me les couper quand je vais entrer au noviciat, dit-elle à voix basse.

Quand le temps fut venu, Mélanie et Damien allèrent reconduire leur fille unique au couvent Sainte-Cunégonde, à Montréal. Une heure plus tard, ils sortirent en silence du couvent, seuls. Leur famille s'éparpillait déjà. Ils marchèrent dans cette ville dont ils ne connaissaient que la gare Windsor. Habitués au froid sec des plaines, ils grelottaient sous l'humidité glaciale de l'île en cette mi-janvier. Transis jusqu'aux os, ils marchèrent un peu puis entrèrent dans le premier restaurant qu'ils virent, pour se réchauffer avec un bon thé chaud.

— Damien, murmura tout à coup Mélanie, la voix chevrotante de tant d'émotions, les entends-tu?

Il feignit de prêter l'oreille à quelque chose qu'il n'aurait pas encore perçu. Il reprit du thé pour y noyer son regard embué: autour d'eux, beaucoup de gens parlaient anglais, exclusivement anglais.

— Même ici..., murmura Damien.

CHAPITRE 13

IMELDA était lasse. Cet accouchement, en ce mois de mai 1918, l'avait épuisée plus que les cinq autres.

— Ce doit être l'inquiétude de savoir les deux plus vieux finalement enrôlés pour la guerre, compatit Émérentienne Boudrias.

— Le référendum pour la conscription, ça date seulement de décembre, la rassura le médecin en se lavant les mains dans le plat d'eau. Déjà que l'enrôlement a été long, il faut maintenant entraîner ces soldats de fortune. Ils sont pas encore partis, madame Boudrias.

— Le vôtre est toujours avec le 22e régiment?

Albert Gaudreau fit seulement signe que oui. Il avait déjà sa part d'appréhension pour son aîné, engagé volontairement dans ce régiment créé spécialement pour les Canadiens français. Mme Boudrias soupira.

— Dans le fond, je suis bien contente que mon Dieudonné ait été pas mal malade cet hiver; sans ça, il aurait été enrôlé lui aussi. Mon Dieu! il me reste plus rien que lui maintenant; s'il avait fallu qu'il lui arrive quelque chose, à dix-huit ans, quand il a pas encore commencé à vivre!

Elle se tut, consciente tout à coup de tourmenter le médecin et peut-être Imelda qui reprenait des forces.

— Espérons qu'il restera avec vous, madame Boudrias, soupira l'homme. Mais les guerres, on sait quand ça commence, on sait pas quand ça finit.

Avant de laisser Imelda toute seule, Émérentienne lui dit que la petite Léontine, la sixième enfant, se portait bien. «Trop bien!» pensa lourdement la mère. «Trop bien?» se redit-elle, presque effrayée de sa propre réflexion. «Une mère peut-elle souhaiter autre chose pour son enfant?»

Son extrême lassitude la laissa dans un état de demi-conscience où elle ne maîtrisa plus l'écheveau de ses pensées et celui-ci commença à se dévider. Trop faible pour y résister, la femme assistait, comme à côté d'elle-même, au défilement d'idées qui se bousculaient, hors de son contrôle. «Non, une mère peut pas souhaiter d'autre chose pour son enfant. Mais moi, là-dedans? Est-ce qu'il y a une personne au monde, rien qu'une, qui s'est déjà demandé ce qui serait le mieux pour moi?»

La femme revoyait sa mère emportée trop tôt par la tuberculose, lui laissant ses frères et sœurs à élever, la maison à diriger, son père tyrannique à supporter. Ses frères et ses sœurs défilaient devant ses yeux clos, passant de la petite enfance à l'âge raisonnable puis accédant à l'âge des colères sourdes de l'adolescence, dirigées contre elle parce qu'elle représentait l'autorité, contre elle seule parce que le père ne tolérait rien, pas davantage l'amour que le rejet. Un à un, frères et sœurs s'étaient taillé un destin à leur convenance, parce qu'ils avaient eu le choix, eux, et ils avaient quitté la maison paternelle tour à tour pour émigrer aux États-Unis ou s'installer à Montréal.

Dans toutes ces émotions, Imelda laissait émerger, sans pouvoir la nier désormais, une rage contre son père qui, jour après jour, ne lui avait été cause que de travail et d'abnégation sans jamais lui donner de réconfort ni d'appui en retour. «Il m'a jamais aimée. J'étais juste bonne à travailler, à torcher, à me taire, à endurer ses chialages à propos de tout puis de rien. Puis son mépris, surtout. Son mépris parce que j'étais pas belle comme mes petites sœurs.» Ses mains pâles où déjà couraient de petites veines saillantes quand elle était très fatiguée s'agitaient imperceptiblement sur les draps, incapables d'endiguer toutes ces émotions qui la submergeaient. Elle bafouilla douloureusement:

— Il m'a jamais aimée, lui non plus...

La tête vidée de tant de pensées enfin échappées, le ventre vidé de cette enfant qui déjà respirait et vivait sans elle, le cœur vidé des attentes de tant d'années, Imelda ne percevait plus son corps, ni les oreillers, ni les draps, ni les voix là-bas, par-delà la grande salle à manger, qui s'estompaient comme tout le reste. Elle se libérait de tout. Elle redevenait une enfant heureuse avec sa mère qui mijotait des soupes qui sentaient si bon. Une enfant insouciante qui s'était un jour baignée dans la rivière, s'était laissée flotter sur le dos, tout doucement, les yeux grands ouverts sous le ciel de juillet. À travers les lambeaux de futaie qui se nouaient quasiment d'un côté à l'autre du ruisseau, le ciel était si bleu que la fillette d'autrefois avait souhaité mourir ainsi, là, en douceur, en se fondant dans cette nature qui saurait la protéger de tout. C'était un bien grand péché que de vouloir mourir et la petite Imelda s'était promis de ne plus jamais le commettre. L'Imelda d'aujourd'hui s'en souvint et elle eut un sourire amer. «C'est peut-être ça, ma vie: je me suis jamais rien permis. Je ne me suis donné le droit de rien.»

Vidée des autres, allongée sans forces dans ce lit réservé aux accouchements, Mme Charles Manseau ne ressentait plus rien, flottant maintenant en elle-même comme dans l'eau du ruisseau autrefois, comme en un vaste espace libre et dénudé qu'elle ne savait encore comment remplir ni avec quoi, puisqu'elle ne savait pas, à quarante-deux ans, qui elle était. Petit à petit, elle réalisa que son grand vide intérieur ne demandait qu'à se remplir autrement. Des désirs inconnus, des joies nouvelles attendaient peut-être sagement à la porte de son cœur qu'Imelda, après quatre décennies, se décide à les accepter et à s'en nourrir.

Un long soupir s'exhala de sa poitrine et la femme sut qu'elle n'aurait pas assez de lait pour sa petite. Elle n'en ressentit aucune émotion, aucun remords. Elle constatait seulement le fait. Elle ne pouvait rien y changer et elle se sentit libérée. Elle avait accompli son devoir, elle avait donné un sixième enfant à Charles Manseau. C'était le dernier. Elle le savait puisqu'elle venait d'en décider ainsi. Maintenant, elle se donnait à elle-même.

La vie reprit son cours même si les relevailles furent plus longues. La mère n'arrivait pas à reprendre le fil de sa vie quotidienne où elle l'avait laissé, quelques heures avant l'accouchement. La maisonnée fonctionnait sans elle, chacun y ayant sa part définie et rodée depuis longtemps. Marie-Louise, à dix-huit ans, pouvait diriger la maison. Wilfrid, qui allait avoir douze ans, était plus souvent à la scierie qu'à la maison depuis qu'Henri était conscrit. Gemma, à dix ans, prenait son rôle de petite maman très au sérieux. Antoinette, à huit ans, confondait jouer et soigner les petites éraflures. Lucien, à six ans, se faisait dorloter par ses sœurs et taquiner par son frère adolescent qui ne voulait pas s'en embarrasser à la scierie. Blandine, à presque trois ans, émerveillée devant le bébé si petit, commençait tout de même à réaliser qu'elle perdait sa place de benjamine.

Contrairement aux fois précédentes, Charles ne s'impatientait pas de l'absence prolongée de sa femme dans le lit conjugal, malgré la période d'abstinence à laquelle il se trouvait contraint comme pour les cinq autres fois. Quand Émérentienne avait amené le bébé dans la cuisine, ce petit être tout fripé, encore inconscient d'être en vie, lui avait causé une émotion inattendue. Il lui avait semblé qu'il ne s'était jamais rendu compte à quel point un nouveau-né était fragile. La pensée de ses deux aînés enrôlés s'était imposée à lui et lui avait fait mal. «Ils traverseront peut-être même pas de l'autre bord», avait-il espéré. Et le nouveau-né lui avait étreint le cœur.

De jour en jour, il s'était soucié de cette enfant et, avant qu'il n'ait eu le temps de réagir et de se priver de ce lien, il s'en était senti profondément responsable. Il ne sut d'abord comment composer avec ce sentiment si nouveau pour lui, désireux non seulement de lui assurer de quoi se nourrir et se vêtir, mais qu'elle ne manque de rien. Cette préoccupation était si soudaine et si accaparante qu'il la crut passagère.

«Mais qu'est-ce qu'elle a tant, celle-là?» se dit-il un midi en la berçant, lui qui avait si rarement bercé les autres. Il avait eu neuf enfants. Des enfants qu'il s'était réjoui, lui semblait-il honnêtement, de voir naître, qu'il lui semblait avoir aimé, à sa manière, et pour qui il travaillait sans relâche. Pourtant, cette petite dernière, il s'en détachait avec difficulté pour retourner travailler après le dîner, et quand il la berçait, c'était comme s'il tenait le monde entier dans ses bras.

— On dirait qu'elle veut juste vous, papa, s'étonnait Gemma. Quand vous êtes là, elle pleure jamais.

— Ton père la prend beaucoup, aussi, répliqua Imelda en réprimant son amertume. Les enfants sentent qu'on les aime.

— Je vous ai tous donné le même sentiment, corrigea Charles. Chacun votre tour.

— Puis maintenant, vous nous aimez plus? s'exclama Gemma, les yeux agrandis de peine.

— C'est pas ça que je veux dire, tu sais bien.

Il déposa l'enfant dans son berceau et sortit sans rien ajouter. Il descendit le perron et traversa la rue qui séparait maintenant sa maison de la scierie. Il en avait voulu à mort au conseil municipal d'avoir osé diviser son lot.

— Quand vous avez construit, monsieur Manseau, lui avait pourtant expliqué le maire pour la dixième fois, c'étaient des champs partout. Vous étiez quelques centaines au village. Mais là, on est presque deux mille. Ça change un village, ça! C'est pas difficile à comprendre, ça, me semble! Faut des rues, faut...

— Faut déposséder du monde pour donner de la place aux autres, c'est ça? Pour du monde qui est même pas d'ici? avait fulminé Charles, le poing blanc de colère rentrée.

— Parlez donc avec votre tête, monsieur Manseau! s'était énervé le magistrat. D'abord, vous êtes pas d'ici vous non plus, à ce qu'on m'a dit.

Charles s'était renfrogné encore plus.

— Ensuite, avait poursuivi le maire, vous pouvez pas nier que vous étiez tout seul dans le bout quand vous avez bâti.

— C'est justement pour ça que je l'avais choisi, mon lot!

Lors de l'adoption de ce règlement municipal, il avait eu l'impression d'être dépossédé de son bien encore plus injustement que lors de l'incendie et de l'emprunt à la banque. Et, cette fois, de façon irrémédiable. Le maire avait essayé en vain de lui faire voir les besoins communautaires de ses concitoyens.

— Il faut un pont pour rejoindre les deux rives, parce que, si vous avez bien vu, de vos yeux vu, il y a du monde de l'autre côté de la rivière! avait-il ironisé.

Il était à bout d'arguments avec cet entêté qui s'obstinait à ne pas admettre que le village était devenu une petite ville. «Quand c'est le temps de vendre du bois pour construire de nouvelles maisons, par exemple, il le sait bien, le verrat de Manseau, que la population augmente!» rageait le maire.

— Ils ont juste à faire le tour; il y a toujours eu un pont en face de l'église, avait rétorqué Charles.

C'était se rallonger beaucoup. Lui-même n'aurait pas accepté ce détour quotidien s'il avait eu à le faire. Son objection était tellement de mauvaise foi qu'il en avait été gêné malgré lui. Il avait tourné les talons pour mettre fin à la discussion et avait gardé sa rancune contre la municipalité. Et à chaque matin, midi et soir où il avait traversé et retraversé la rue qui divisait son terrain, il s'était fait du mauvais sang et il avait refusé de comprendre qu'il était le seul à en souffrir.

Depuis la naissance de Léontine, cependant, cette décision municipale avait de moins en moins d'importance. Quand Charles sortait de sa maison, sa petite dernière lui remplissait le cœur et l'accompagnait ainsi jusqu'à la scierie, le protégeant à son insu d'une rancune injustifiée et surtout totalement inutile. Une rue ne se rangeait pas comme un tapis: elle était là et y resterait et son achalandage prouvait qu'elle était nécessaire.

Aujourd'hui, Charles repensait à la question de Gemma et sa réponse ne le satisfaisait pas. Il était obligé de s'avouer que chacun de ses enfants avait été accueilli au gré des événements de sa vie, c'est-à-dire selon ses émotions à lui. «C'est peut-être pour ça qu'elle prend tant de place: j'ai plus de temps, à c't'heure, essayait-il de comprendre. Peut-être que je mêle la manière d'être père ou grand-père, soupira-t-il en se rappelant qu'il avait quarante-cinq ans. Peut-être que...» La pensée de ses deux fils aînés s'installa en lui une fois de plus et il maudit cette guerre qui durait depuis quatre ans.

Cette guerre lui avait pourtant apporté des contrats inattendus et assez importants, et, d'ici la fin de l'année, il finirait sans doute de payer sa dette à la banque, qui s'appelait maintenant «The Canadian Bank of Commerce». Mais cette grande joie si long-temps attendue de pouvoir dire de nouveau «*mon moulin*», il ne pouvait la ressentir pleinement. Cette même guerre avait réquisitionné ses deux fils dans son engrenage et cela l'usait insidieusement.

La scierie continua d'occuper la première place dans sa vie, drainant la plus grande partie de son temps et de ses énergies. La petite Léontine accapa-rait à elle seule toute la deuxième place. Le souci de tout le reste — et de tous les autres — fut relégué au troisième rang. Si Boudrias avait été encore vivant, Charles serait probablement allé boire un verre ou deux avec lui rien que pour lui dire: «Ça doit être ça que vous avez ressenti pour Dieudonné. Dans le temps, je l'avais pas compris.» Et les deux hommes, profondément complices pour la première fois, au-raient trinqué et bu ensemble à ce sentiment inatten-du. Mais cette complicité était impossible: Boudrias, qui n'avait plus retouché à l'alcool depuis la nais-sance de son fils, avait été emporté par une deuxième attaque cardiaque. «C'est peut-être le seul père que j'ai eu», avait admis Charles au cimetière. Mainte-nant, il pouvait le savoir: il venait de comprendre, à son neuvième enfant, ce que pouvait signifier la pa-ternité.

À la maison, Charles et Imelda n'avaient plus leurs attentes réciproques, toujours déçues, ce qui les avait fait se réfugier, lui à la scierie, elle dans sa maisonnée ou les larmes.

— Maman, il pleut dans vos yeux, avait dit un jour la petite Antoinette à sa mère en la fixant intensément.

Imelda avait caché son désarroi et pris soin de ne plus laisser transparaître sa peine. De son côté, Charles s'était résigné depuis longtemps à ne recevoir d'elle, dans l'intimité, qu'une soumission passive. Et il n'avait pas cherché de compensation ailleurs. «Ça servirait pas à grand-chose de réveiller ça pour rien.» Quand ses pulsions devenaient trop fortes, Imelda était là, à portée de la main, même si les gestes mécaniques ne donnaient plus la satisfaction sauvage d'autrefois.

Marie-Louise, bientôt d'âge à se marier, observait ses parents avec une acuité nouvelle. Elle trouvait que sa mère avait changé, sans pouvoir dire comment et pourquoi.

«Elle n'est plus pareille», constatait-elle.

Elle l'avait même écrit à sa confidente, la sœur «Échevelée», qui, après deux ans d'études au pensionnat, se préparait à entrer au noviciat des Sœurs Grises, pour enseigner dans l'Ouest. Elle avait aussi constaté, avec encore plus de surprise peut-être, que son père aussi avait changé: parfois il parlait, à table. Et elle avait aussi fini par comprendre que c'était seulement en autant que la conversation portait sur Léontine. Et que sa mère semblait la lui laisser, rassurée et presque contente. Contente parce que, malgré de nombreux efforts, elle ne parvenait pas à ressentir pour cette enfant l'affection qu'elle avait manifestée aux autres. Marie-Louise, qui avait d'abord nié cette attitude de sa mère, s'en chagrinait.

En desservant, un midi de septembre, Imelda regarda son mari qui, s'étant arrêté près du berceau en passant, s'y attardait depuis plus de cinq minutes. «Je suis peut-être jalouse? se reprocha-t-elle. Jalouse de ma fille? Moi?» Elle fut humiliée de ce sentiment mesquin. Troublée, elle laissa la vaisselle à ses filles et entreprit de saler des concombres pour l'hiver. Son sentiment la dérangeait, l'éloignait encore plus de Charles sans qu'elle en identifie la raison. «C'est normal qu'un père s'occupe de son enfant. Puis c'est mieux de même: elle manquera de rien.» Confiée aux soins de Gemma qui se conduisait en petite mère dévouée, et bénéficiant d'une attention spéciale de la part de son père, Léontine, en effet, ne manquait de rien. Mais dans les bras de sa mère l'enfant pleurait sans cesse et la mère se trouvait aussi démunie qu'avec son premier, quand il lui avait fallu réapprendre tant de gestes qu'elle avait pourtant dispensés à ses frères et sœurs. L'attention que Charles accordait à la petite Léontine, et qui l'étonnait lui-même, s'était muée en une fierté qu'il exprimait de plus en plus.

— J'ai jamais vu une petite fille aussi intelligente, disait-il sans percevoir l'effet de ses paroles sur ses autres enfants. Me semble qu'elle me reconnaît et qu'elle veut que je la prenne.

«Tu compares avec qui?» protestait mentalement Imelda en regardant le bébé de quatre mois. «As-tu déjà vraiment regardé tes autres enfants? Les miens, en tout cas?» Les commentaires enthousiastes du père ne suscitaient pas d'écho chez la mère, qui se déculpabilisait ainsi de son manque d'affection spontanée pour sa dernière. «Ce serait injuste pour les autres.» Et elle eut le cœur serré pour Victor et Henri qui, aux dernières nouvelles, devraient prendre le bateau à l'automne pour se rendre au front, en Europe. «Eux autres aussi mériteraient qu'on s'occupe d'eux.» Elle faisait surtout allusion à Victor et elle n'en fut que plus distante avec la benjamine. De toute façon, l'attention du père passait plus ou moins inaperçue pour les plus jeunes: toute la fratrie aimait bien la mignonne Léontine, toute en finesses et en sourires.

Un dimanche du début de novembre, Imelda se rendit à la grand-messe, comme elle le faisait chaque dimanche de l'année, avec de rares exceptions au moment des accouchements. Semaine après semaine, elle effectuait ainsi sa seule vraie sortie hebdomadaire; une sorte de pèlerinage vers la tranquillité. Pendant un peu plus d'une heure, personne ne lui demanderait quoi que ce soit, aucun enfant ne la réclamerait, aucun souci ne viendrait ombrager ses pensées. Sortie de sa maison confortable mais sobre, Imelda allait se repaître de la beauté et de la richesse de ce lieu du culte. Ses oreilles allaient s'emplir des chants de la chorale. Son odorat allait percevoir le parfum presque âcre de l'encens, cette essence qui venait de si loin, des étranges contrées voisines des Lieux saints et dont l'évocation par les religieuses avait hanté ses brèves années scolaires.

Pour une heure par semaine, Imelda enlevait son tablier et revêtait ce qu'elle avait de plus beau. C'était nettement moins élégant que ce que portaient certaines femmes de Saint-François-de-Hovey, mais cela la changeait de ses vêtements de semaine. «Des robes de bonne», se dit-elle ce dimanche-là. Elle fut irritée de sa réflexion qu'elle rejeta en secouant sa tête, comme pour chasser un insecte importun. «Une bonne, une bonne... Voyons donc! Je fais seulement l'ouvrage que toutes les femmes font dans toutes les maisons», se raisonna-t-elle sans pour autant y trouver de justification apaisante.

La messe se poursuivait. Après la lecture de l'Évangile, l'assemblée s'assit avec bruits et toussotements et le curé monta en chaire. Imelda entendit à peine le début du sermon. Son regard errait, flottait sans parvenir à se poser sur quoi que ce soit, et il se fixa finalement sur les manteaux de drap des marguilliers assis dans le premier banc, qui leur était réservé. «Ils ont les premières places, pensa Imelda. Celles d'où l'on doit bien voir ce qui se passe à l'autel, même si monsieur le curé est de dos; celles où on doit bien respirer, puisqu'il n'y a personne devant.» Elle faisait allusion à ses grossesses, lors desquelles il lui était arrivé, pendant la messe, de frôler l'évanouissement ou de sortir précipitamment, écrasée par la chaleur de l'été ou étouffée par le lourd manteau d'hiver. «Ouais, ces belles places-là, c'est à nous autres, les femmes, que ça devrait revenir quand on est arrangées de même.» Son regard glissa lentement sur les hommes qui, comme son mari, le corps droit et la pensée ailleurs, attendaient la fin de la messe pour régler des affaires sur le perron de l'église.

Elle soupira si profondément que son mari se tourna à demi vers elle, la réprimandant du regard. Elle fit mine de ne pas le voir et laissa ses yeux continuer leur incursion dérangeante. Après les marguilliers, elle examina, à droite, les religieuses du couvent, elles aussi dans les premières rangées de la grande allée. Jeunes et moins jeunes obéissaient aveuglément à leur mère l'Église, se conduisant comme des épouses soumises.

Imperceptiblement, elle continua son exploration, effleurant des yeux les têtes des dames âgées de la paroisse, des veuves et des vieilles demoiselles, droites et dignes. Il s'abaissa ensuite vers les têtes enfantines qui bougeaient un peu, lasses de se tenir droites à écouter un sermon qui ne leur convenait pas. Toute à son investigation, elle se tourna à demi vers les jeunes hommes qui, debout en arrière de l'église, étaient expressément arrivés en retard à la grand-messe et s'esquiveraient le plus tôt possible, pressés de se débarrasser de cette obligation hebdomadaire à laquelle ils étaient presque traînés de force, s'y soumettant surtout parce que ce lieu leur permettait de zieuter longuement les filles, offertes, même de dos, à leurs observations indiscrètes. Ayant continué sa rotation, Imelda ne put éviter, cette fois, les yeux de Charles, qui la dévisageait, irrité de ce mouvement inconvenant chez une femme de son âge. Elle soutint son regard puis revint à la position que l'on attendait d'elle, la tête vers l'avant, légèrement relevée vers la chaire.

Mais le cœur n'y était plus. Imelda était bouleversée. L'église était remplie de religieuses, de vieilles femmes pieuses et de mères de famille comme elle, qui n'avaient que ce havre de paix, une fois par semaine. De jeunes filles qui ne savaient pas encore que l'Église, charmeuse et ensorceleuse avec ses dorures et ses cantiques (elle remarqua avec ironie que la chorale n'était composée que de voix masculines), maintenait un protocole qui, entre autres, les empêcherait d'être élues marguilliers, de passer la quête après le sermon, de servir la messe, et qui, en plus, les obligeait à se couvrir la tête, contrairement aux hommes. «L'Église, c'est une affaire d'hommes, mais c'est les femmes qui la font tenir debout.» Elle ressentit de la compassion pour les enfants, qui n'y comprenaient pas grand-chose, de l'envie pour les jeunes hommes, qui étaient pressés d'en finir et n'avaient pas à s'en cacher, de l'aigreur pour les marguilliers, qui avaient les meilleures places et pouvaient dormir pendant le sermon parce que la chaire était derrière eux, et presque de la sympathie pour les autres, les pères de famille, qui étaient si peu habitués à rester immobiles et qui somnolaient sans vergogne, poussés du coude de temps à autre par leurs épouses, qui se croyaient responsables de leur maintien. Qui donc allait à la messe sur semaine à part les religieuses, les vieilles femmes désœuvrées

357

et les toutes jeunes filles aux grands élans de sainte-té? «Des femmes. C'est nous autres, les femmes, qui tenons l'Église debout», se redit Imelda, et elle en fut si stupéfaite qu'elle perdit sa concentration pour le reste de la messe, s'agenouillant même à un moment où il fallait se rasseoir.

Sa messe intérieure se poursuivit, solitaire, es-seulée. «Mais vers qui on pourrait se tourner si on n'avait pas les consolations de l'Église dans nos mal-heurs?» se dit-elle, navrée. Et quand il lui vint à l'esprit qu'une partie de ces malheurs était, en fait, générée par cette même Église qui, par exemple, obli-geait une femme à accepter son mari pendant toute une vie, à sa convenance à lui, Imelda eut un tel sursaut de révolte qu'elle dut se faire violence pour aller communier au lieu de quitter les lieux. Le di-manche suivant, elle comprit qu'elle ne pourrait ja-mais oublier ses réflexions de la semaine précédente. Et il en fut de même les autres dimanches. Il lui restait à s'ajuster, c'est-à-dire y penser le moins pos-sible et surtout se taire.

Peu de temps après, la merveilleuse nouvelle de la fin de la guerre en Europe fut suivie du retour d'Henri et de Victor sains et saufs, leur bateau n'ayant même pas eu le temps de traverser l'Atlanti-que au complet. Ils revinrent ensemble chez leur père, même si Victor devait repartir dès le lende-main. Il eut le temps de leur annoncer son grand projet.

— Quand j'ai été enrôlé, Angèle puis moi, on s'était promis de se marier après la guerre. Ça va se faire autour de Pâques.

— Ils sont bien pressés! grogna Charles après le départ de son fils, encore sous le choc de la nouvelle.

— Vous l'étiez pas, vous, papa? demanda Henri, encore incrédule de ne pas être allé au front et tout émoustillé par le mariage de son frère.

Son père fronça les sourcils. Il se rappela ses noces avec Mathilde et l'air grognon d'Éphrem Gingras qui avait, en vain, voulu retarder la noce jusqu'en février. «Février? s'était écrié le fiancé. On pourra jamais attendre!»

— C'est de son âge, concéda-t-il.

Pourtant, le souvenir de sa fébrilité dans les jours ayant précédé son remariage avec Imelda quand il avait trente ans lui donna un coup de sang qu'il refusa d'admettre. «C'était pas la même chose», conclut-il.

Imelda aurait préféré rencontrer la fiancée de Victor avant de se réjouir entièrement. Néanmoins, elle lui fit confiance. «Il a jamais rien décidé sur un coup de tête.» Heureuse, elle songeait déjà à la fête, désireuse de faire honneur à l'aîné. Il lui tardait de connaître cette jeune fille dont le seul nom avait fait rougir le jeune homme trois ans auparavant, au jour de l'An. Charles annonça soudain qu'il allait s'acheter une automobile.

— Une auto? Une vraie auto, papa? s'écria Wilfrid.

Il ne fut plus question que de cette acquisition et le père redevint le centre d'intérêt. Imelda se redressa et refoula les larmes amères qui lui avaient monté aux yeux.

— C'est une décision... récente? articula-t-elle avec une colère indignée.

Charles ne fut pas dupe de ce non-dit et il s'en offusqua. Qu'y avait-il de répréhensible dans cette décision? Dans les semaines qui suivirent, toute la famille attendit avec fébrilité l'arrivée de l'automobile, fière d'être l'une des dix premières familles de Saint-François-de-Hovey à en posséder une.

Quelques mois plus tard, Charles ayant enfin reçu le véhicule, il apprit à conduire et accepta qu'Henri s'y initie à son tour. Il pesta contre les chemins qui, en avril, étaient creusés d'ornières et il dut se faire remorquer par les chevaux de son commerce à deux reprises.

Néanmoins, le matin des noces de Victor, il s'achemina en automobile vers Sherbrooke avec Imelda, Henri et Marie-Louise. Il avait refusé que les autres prennent le train, prétextant qu'ils étaient trop jeunes. Il n'avait eu qu'un seul regret: il aurait voulu emmener la petite Léontine, que Victor connaissait à peine.

— Si les autres sont trop jeunes, Léontine aussi, s'était obstinée Imelda.

Ils subirent trois crevaisons en chemin et Henri finit par comprendre pourquoi son père l'avait emmené.

— Tu voudrais quand même pas que j'arrive tout sale aux noces de mon plus vieux! dit son père, restant au volant à chaque fois.

Imelda secoua la tête. Marie-Louise souffla à Henri:

— Maman t'a apporté des vêtements de rechange, au cas...

Aux noces, M. Manseau pavoisa avec son automobile rutilante qu'Henri avait dû frotter rapidement avant qu'ils ne tournent le coin de la rue où habitaient les Marcoux. L'automobile fit sensation et Charles Manseau afficha son contentement. Il traita le père de sa bru comme un engagé, de la même manière qu'à son séjour chez lui lors de l'installation de l'électricité à sa scierie. Déodat Marcoux, pas plus causant mais tout aussi fin observateur, souffla à l'oreille de Victor, devenu son gendre:

— Ma fille a le meilleur des Manseau.

Il passa son bras d'homme autour des épaules de Victor et celui-ci se sentit devenir un homme à son tour. Un homme qui, ce soir, connaîtrait enfin charnellement la jeune fille qu'il courtisait depuis longtemps, qui le dévorait de ses yeux moqueurs et qu'il souhaitait tant rendre heureuse. Angèle, la jolie brunette aux cheveux courts, riait à voix haute.

Imelda les envia tous les trois et son cœur se serra. Si Victor était parti de la maison depuis plusieurs années, son absence lui sembla désormais définitive. Charles en voulut aux Marcoux. «Je l'avais bien senti, dans le temps, qu'il mettrait le grappin sur Victor.»

Dans les jours qui suivirent, Charles eut de la difficulté à se concentrer et les regards qu'il posa sur ses enfants, indistinctement, semblaient lointains et scrutateurs à la fois. Des clients le félicitèrent du mariage de son aîné. «J'ai rien à voir là-dedans», ronchonna-t-il intérieurement.

— J'ai une petite bru bien en vie! se vanta-t-il avec un sourire gouailleur.

Ils reçurent des jeunes mariés, en voyage de noces à Québec, une carte postale qui distillait du bonheur entre les lignes. Charles regarda le Château Frontenac sur l'illustration puis remit la carte sur la table. Il ne fut plus question du mariage. À la scierie, il observa plus longuement Henri, qui, déjà âgé de vingt et un ans, travaillait avec lui depuis l'incendie, survenu en 1911. Il était déjà très expérimenté à la besogne et son père était fier de lui, d'autant plus qu'il n'était pas obstineux. Charles regarda son fils diriger un long billot vers la scie et réalisa que lui aussi serait bientôt en âge de se marier. La semaine suivante, Gemma accourut à la scierie:

— Papa, mon oncle Philippe vous demande au téléphone!

Ce devait être important; son frère n'avait pas d'appareil et il avait probablement dû aller au magasin général de son village. Charles, inquiet, hâta le pas et entra dans la cuisine un peu essoufflé.

— Ouais? cria-t-il dans l'émetteur.

La nouvelle s'abattit sur lui sans préparation. Il y eut un silence. Imelda vit les traits de son mari se durcir. Puis elle l'entendit articuler de sa voix sourde, celle des mauvais jours, celle à laquelle il se raccrochait devant les autres pour harnacher ses émotions:

— C'est arrivé quand?

— Ce matin, je pense bien, répondit son frère, très nerveux.

— Comment ça, tu penses bien? coupa-t-il. Ris-tu de moi?

Les deux frères échangèrent encore quelques phrases et Charles raccrocha d'un coup sec. Une colère nerveuse le faisait respirer bruyamment. Il posa une main sur le dossier d'une chaise. Imelda vit une veine tressauter sous la peau.

— C'est quoi, la nouvelle? s'impatienta-t-elle.

Il respira profondément.

— Le père est mort.

Il y eut un silence. Antoinette se mit à pleurer.

— Arrête donc, la gronda Gemma à voix basse. On le voyait jamais, notre grand-père Manseau.

— Oui, renifla la cadette, mais c'est notre grand-père quand même. Puis des grands-pères, on en a juste deux!

«Et un père, on n'en a rien qu'un...», réalisa Charles. Imelda demanda la suite.

— Il est mort comment?

Il laissa libre cours à son émotion qu'il travestit en colère.

362

— Comme un chien, maudit! Comme un chien, tout seul sur le bout de sa terre! En plus, cherche depuis combien d'heures il était là, parti à matin pour la journée!

Il tut le reste: son père était allé replanter ses clôtures, comme il s'était entêté à le faire tous les printemps.

— Soixante et onze ans! reprit-il avec un glissement dans la voix.

Ils se rendirent à la ferme paternelle dès le lendemain matin.

— Il est mort face contre terre, lui dit sa mère dès qu'il entra. La face dans cette terre-là qu'il n'a jamais voulue.

Elle semblait perdue dans cette pensée et Charles préféra feindre de ne pas s'en apercevoir. Il n'y avait plus de place à la ferme pour les héberger, car Philippe avait maintenant sept enfants. L'auto permit aux visiteurs de retourner à Saint-François-de-Hovey chaque soir, malgré la boue de la fin d'avril.

Charles se montra fidèle à lui-même pour ce cinquième enterrement. Il y avait eu celui de Mathilde, puis celui de sa belle-sœur Louise, ensuite celui d'Anthime Vanasse, celui de Maurice Boudrias, et maintenant c'était celui de son père. Il se tint droit, mais le poids de l'âge mûr semblait peser plus lourdement sur ses épaules. Aussi stoïque que les fois précédentes, il manifesta cependant une certaine joie à revoir sa sœur Hélène, toujours célibataire, arrivée de Boston par train la veille des funérailles. Il sembla content aussi de parler au téléphone à sa sœur Mélanie, qui venait de se fracturer un bras et qui ne pouvait faire ce long voyage. Mais elle pleurait beaucoup et Charles passa le récepteur à Imelda, qui tenta de consoler sa belle-sœur qu'elle connaissait si peu et qui attendait en vain de son frère aîné le soutien dont elle avait besoin.

Le lendemain des funérailles, Charles retourna travailler à la scierie, mais Imelda savait qu'il accusait mal le coup. «La peine, personne peut la vivre à notre place», songea-t-elle avec un flottement au cœur.

Quelques jours plus tard, en proie à une lassitude qu'il n'avait encore jamais ressentie, Charles monta se coucher d'un pas lourd. Il était fatigué de toujours devoir se montrer fort et solide. Ce soir-là, à bout de tout, il renonça à l'image qu'il s'était faite de lui, épuisé de lutter depuis si longtemps pour la maintenir. Il ne voulait plus être qu'un homme dans les bras d'une femme, un homme caressé par les mains amoureuses d'une femme. Il voulait qu'une bouche de femme l'embrasse avec passion, avec désir. Avec *désir*: tout tenait dans ce mot-là. Oui, ce soir, il aurait donné la moitié de son commerce pour qu'une femme lui ouvre les bras et le cœur en plus des jambes.

Il se tourna vers Imelda, trop angoissé pour supporter sa solitude. Il voulut la prendre sans rien dire, ne trouvant pas davantage de mots cette nuit que toutes les autres nuits. Il sentit le corps d'Imelda se raidir sous lui et reçut son dégoût en plein cœur. Ce rejet muet qui l'éclaboussait depuis tant d'années lui donna la nausée. «Je suis pas un écœurant! Je suis pas un ciboire de maudit écœurant!» Ce dégoût ressenti des centaines de fois, ce soir, il ne pouvait plus le supporter. Un cri de rage et de douleur se cristallisa en lui. Les mains qui auraient souhaité étreindre voulaient maintenant, de rage impuissante, secouer, faire mal à leur tour. Une telle violence s'empara de lui qu'il eut peur, peur de briser la femme entre ses doigts qui se crispaient pour endiguer sa colère.

Il se releva brusquement pour fuir ce lit qui le rendait trop vulnérable, qui faisait remonter en lui la détresse enfouie de l'homme abandonné, l'homme méprisé que des forces obscures menaçaient de briser.

Il s'habilla à la hâte, descendit l'escalier sans trop s'en rendre compte, hors de lui, se sauvant de lui-même. Il traversa la rue en courant et se retrouva en face de sa scierie. Elle lui apparut étouffante, jamais assez vaste pour assourdir les cris démesurés de colère et de douleur qu'il étouffait en lui depuis trop longtemps. Des cris qui lui faisaient si peur qu'il refusait de les laisser sortir, étant incapable de prévoir jusqu'où ils iraient. Il ne possédait que cette certitude effarante: s'il laissait sortir tous ces hurlements, il ne pourrait plus les contrôler. Alors, il les refusa et ils éclatèrent au-dedans de lui.

Il chancela sous la violence inexprimée et il chercha un appui de la main, mais ne trouva que le vide. À cent pas de la maison, à cent pas de la scierie, il n'y avait plus un seul arbre pour le soutenir. Il les avait tous coupés pour dégager la cour en prévision des arrivages de billots, des piles de bois scié, des cordées de traverses. Il ressentit sa solitude d'une façon aiguë. Une plainte étouffée sortit de sa gorge et ses yeux s'embuèrent. Il serra les dents encore plus. Il suffoquait, il manquait d'air, et il refusait de perdre son précieux contrôle qui le gardait encore debout depuis tant d'années. Mais ses jambes se dérobèrent sous lui et il tomba à genoux dans la boue glacée mêlée de sciure.

Quand il reprit conscience du temps, il eut peine à savoir où il était et depuis quand. Il se vit, presque à quatre pattes, se retenant des mains pour ne pas s'affaler de tout son long. Il frissonna, les genoux et les mains gelés, maculés de boue froide et de bran de scie. Il respirait difficilement, mais le corps vidé de sa grande bourrasque intérieure.

La nuit était sans lune. L'obscurité était vide de bruit. Charles reprit son souffle et se releva péniblement. Ses reins étaient douloureux, son dos raidi. Son âge se fit sentir, irréfutable. Il tituba quelque peu puis se raplomba. Il frissonna de nouveau dans l'air glacé de cette fin d'avril.

Il rentra épuisé, se lava abondamment les mains à l'eau froide de l'évier de la cuisine et monta à sa chambre. Ayant entendu du bruit, Marie-Louise s'était levée et l'attendait, maternelle, en haut de l'escalier.

— Êtes-vous malade, papa? chuchota-t-elle.

Il s'arrêta sur la marche, raffermit son regard et la toisa ensuite.

— Non, ma fille. Ton père est pas malade. Il a tous ses morceaux. Puis il est en pleine possession de ses moyens.

Elle recula pour le laisser passer et il entra dans sa chambre, refermant la porte derrière lui. Il se dévêtit et laissa tomber sur le sol ses pantalons boueux. «Elle les lavera.» Il se coucha et retrouva, non plus son désir d'être aimé ou du moins accueilli, mais, par dérision, une envie de prendre la femme qui portait son nom à lui. Il se tourna vers sa femme, qui feignait de dormir, et la pénétra, sans préparation, comme d'habitude. Il éjacula moins vite qu'il aurait voulu, sans véritable jouissance, et se roula ensuite de son côté du lit, s'endormant pesamment avec la rancune au cœur.

De son côté du lit, la femme essuya le sperme et resta longtemps les yeux ouverts dans la nuit. Elle pensa que la haine devait ressembler à cela: cette grande douleur de n'avoir été épousée que pour l'accouplement; cette grande peine de ne jamais avoir été aimée, et maintenant le désespoir de ne même plus attendre de l'être.

CHAPITRE 14

CHARLES se détourna de son assiette et éternua violemment. Dans le mouvement saccadé de sa tête, du bran de scie tomba de ses cheveux dans sa soupe. Léontine, la petite dernière de quatre ans, éclata de rire. D'une part, elle était la seule à avoir vu l'incident parce qu'elle était assise à l'ancienne place de Victor, au bout de la rangée, à la gauche du père. D'autre part, aucun de ses frères et sœurs ne se serait permis une telle spontanéité. Malgré les privilèges plus ou moins acceptés dont bénéficiait Léontine, la fratrie lui lança de sévères regards de réprobation. Le père aussi. Nullement impressionnée, la petite riait à pleines dents.

— Papa, vous faites de la soupe au bran de scie!

Et elle pouffa de rire de nouveau, comme si elle était la seule au monde à comprendre la drôlerie de la situation. Charles fronça les sourcils, glissa son ustensile dans sa soupe et, sans un mot, déposa sa cuillerée contenant du bran de scie dans l'assiette de la ricaneuse. Un instant stupéfaite, celle-ci joua le jeu. Elle avala une bonne cuillerée en feignant de s'en pourlécher les babines.

— Miam! C'est bon!

Les autres se penchèrent nerveusement au-dessus de leur assiette pour ne pas s'esclaffer devant cette insolence. Le père tourna lentement la tête vers la benjamine et lui décocha un regard nettement plus irrité qui n'eut pas plus d'effet que le précédent. Imelda se leva et voulut lui retirer son assiettée pour lui en servir une nouvelle. Il l'ignora.

— Si c'est assez bon pour mes enfants, c'est assez bon pour moi.

Il reprit une autre portion. Imelda, humiliée, regagna sa place. «C'est la petite dernière», s'étaient dit les parents à maintes reprises, séparément, et pour des motifs différents. Quelle qu'en fut la raison, Léontine subjuguait toujours son père dès qu'elle levait les yeux vers lui et il avait cessé de s'en défendre. Il finit son plat en silence, presque rassuré, une fois de plus, de cette complicité muette et presque palpable entre eux. Imelda, une fois de plus, se défendit d'une amertume confuse et ambivalente envers cette enfant qui réussissait sans le savoir là où elle avait échoué. Ce soir-là, quand Charles rentra souper derrrière Wilfrid et Henri, il se heurta quasiment à la petite qui l'attendait, juchée sur un tabouret près de la porte, un peigne à la main.

— Qu'est-ce que tu fais là? bougonna-t-il pour la forme.

— Vous avez pas eu l'air d'aimer ça, papa, la soupe au bran de scie.

Et, sans attendre, elle leva le peigne vers la tête de son père et descendit presque solennellement les dents de corne dans la tignasse grisonnante, lui effleurant à peine le cuir chevelu, en longs gestes précautionneux. Elle était si attentive qu'un petit bout de langue rose pointait entre ses dents. L'homme, un peu trop grand pour elle malgré le tabouret, baissa la tête devant l'enfant.

Le lendemain midi, Léontine le guetta par la fenêtre, près de la berçante. Quand elle le vit arriver, elle grimpa de nouveau sur le tabouret, le peigne à la main. Son père fut profondément ému de cette tendresse obstinée.

— Je vais m'asseoir un peu avant le dîner, dit-il à Imelda qui surveillait le manège du coin de l'œil.

Sitôt assis dans la berçante, il regarda Léontine. Elle comprit et traîna son tabouret derrière la chaise. Elle fut suffisamment haute, cette fois, pour le peigner à son aise. Elle inaugura alors un cérémonial qui allait se répéter jour après jour. Midi et soir, le père recevait ainsi, presque humblement, cette caresse de sa petite dernière qui jamais n'avait eu peur de lui, ignorant candidement tous les tabous qu'il avait installés par ses silences, ses mots acerbes et ses regards paralysants.

Il y avait par ailleurs dans l'air un vent de spontanéité et de fébrilité qui commençait à rejoindre tout le monde. Henri et Marie-Louise allaient parfois veiller chez des amis et ils en étaient revenus avec une danse qui horripilait leur père.

— C'est le charleston, papa, l'informa Henri. Tout le monde danse ça.

Le jeune homme plia ses longues jambes et s'exécuta, lançant ses bras et ses jambes à gauche et à droite et essayant en vain, tout en se moquant de sa maladresse, de croiser ses genoux sous un jeu de mains malhabile.

— Arrête donc! s'irrita son père. Des plans pour se déboîter des morceaux. Ta sœur en fait pas, elle, des folies de même!

Les deux aînés se jetèrent un regard de connivence et le frère ne révéla pas que la cadette dansait mieux que lui. Leur complicité leur permettait ainsi des sorties que leur père ne les aurait pas autorisés à faire individuellement. Comme ils étaient ainsi habitués à s'amuser aux mêmes soirées, il n'y eut rien d'étonnant à ce que l'amour leur fasse battre le cœur presque au même moment.

— Ouais, la petite Annette Beaudoin commence à te faire de l'effet, mon petit frère...

— Puis toi? la taquina son frère aîné en portant son regard sur sa petite sœur. Antoine Gendron, il te dit rien, peut-être?

À l'automne, Charles tomba des nues quand Imelda lui laissa entendre que les deux jeunes gens étaient en âge de se marier.

— Voyons donc! Ils sont bien trop jeunes! protesta-t-il en tournant violemment la manivelle pour faire démarrer l'auto.

Imelda soupira.

— On est en 1922, Charles. Henri a eu vingt-quatre ans cet été et Marie-Louise va en avoir vingt-trois en février prochain.

Le père faillit en échapper la manivelle. Il se redressa et regarda ses enfants qui le dépassaient, se rendant à la grand-messe à pied. L'auto étant trop petite pour y entasser toute la famille, seuls les parents l'utilisaient. La mère avait vu juste. Un soir, à la scierie, Henri parla à son père de son projet de faire sa grande demande aux parents d'Annette Beaudoin.

— Si je peux faire vivre une famille, comme de raison, ajouta-t-il simplement.

Il ne demanda rien; son père comprit. Jusqu'à maintenant, il l'avait logé, nourri, habillé, et lui avait donné de l'argent de poche. Il était temps de le traiter en homme. Il évalua mentalement ce que gagnaient ses employés, de l'apprenti jusqu'à Gervais, le plus expérimenté.

— C'est sûr que ça fait un bon bout de temps que tu travailles au moulin...

— Treize ans, précisa Henri qui cachait de son mieux l'anxiété qui le rongeait.

— T'as fait ton apprentissage comme il faut, dans le temps, rectifia son père, lui signifiant qu'il y était entré gamin.

Henri repeigna nerveusement ses cheveux blonds avec ses doigts. Il ne pouvait compter treize années d'expérience comme un ouvrier, il s'en doutait bien. Mais il connaissait le salaire de chacun des employés, car c'était lui qui tenait la comptabilité, et il s'était fait une idée de l'offre qu'il jugeait raisonnable. Son père le savait et il n'avait aucun désir de le flouer. Il souhaitait au contraire établir comme il se devait celui qui serait son héritier.

— C'est sûr qu'un employé, ça demande un salaire. Mais celui qui va hériter, celui-là...

Henri frémit. Il voulait se marier au printemps. Ce n'était pas dans vingt ou trente ans, au moment de son héritage, qu'il aurait besoin d'argent, mais maintenant, et dans les prochaines années pour élever sa famille.

— Laisse-moi un peu de temps, lui dit simplement son père. Je vais penser à quelque chose de correct.

Le père eut un autre sujet d'intense réflexion durant les fêtes. L'un de ses jeunes employés, Antoine Gendron, lui demanda la main de sa fille Marie-Louise. Il ne put trouver de raison valable de refuser et la joie de sa fille le blessa. «Elle a bien l'air pressée de nous planter là!» Il se surprit ensuite à essayer de prendre son futur gendre en défaut, même si celui-ci était ponctuel, travailleur, adroit de ses mains, et ne parlait pas sans raison. Charles réalisa qu'il perdait deux autres enfants, coup sur coup.

— Faudra faire une noce, déclara Imelda. C'est aux parents de la mariée que ça revient.

— Une noce? On s'est pas jeté le corps à la dépense, nous autres, dans le temps!

— Justement! reprocha Imelda. Marie-Louise va avoir une vraie noce, elle!

Estomaqué, Charles ne put s'opposer à la frénésie qui semblait avoir saisi sa femme, d'habitude si raisonnable. Elle qui ne demandait jamais rien pour elle-même, voilà qu'elle décidait de retapisser la cuisine et le salon, exigeait de faire réparer des planches du perron et même de faire planter quelques arbustes au printemps près de l'ancienne écurie, devenue la remise pour l'auto.

— C'est juste des sorbiers; Lucien va aller en chercher au bord de la rivière et ça coûtera rien, précisa-t-elle en devançant ses objections. La deuxième voisine a aussi quelques plants de lilas à donner. Depuis le temps qu'elle m'en offre, c'est au printemps qu'on va les prendre. En les plantant de bonne heure, ils seront peut-être fleuris pour les noces.

— Je vois pas de raison de se donner tout ce trouble-là pour quelques heures, puis pour jeter de la poudre aux yeux à des invités qu'on connaît pas, en plus.

— Les invités des Marcoux, à Sherbrooke, on les connaissait pas non plus, lui rappela Imelda en le dévisageant avec rancune. Mais c'est pas pour eux autres que je le fais. Disons que ça nous donne l'occasion de faire du changement ici-dedans.

Charles trouva le moyen de ne pas laisser deux mariages accaparer trop de temps et occasionner des frais inutiles.

— On va faire un mariage double.

L'idée surprit les quatre fiancés, leur déplut d'abord, puis les séduisit. La rareté de l'événement le rendrait encore plus mémorable.

— Ça va sauver de l'argent à tout le monde, décida Charles arbitrairement. À part de ça, on sait même pas quelle sorte de noce les Beaudoin feraient à Henri. C'est notre garçon, après tout.

«Puis Victor, lui, ça l'était pas, peut-être?» Sidérée, Imelda n'avait su que répondre. Charles dut deviner sa réflexion parce qu'il ramena la discussion sur Henri.

— Un mariage double, ça fera du barda rien qu'une fois.

— Oui, mais les parents d'Annette veulent fêter chez eux.

— Mais moi, je marie ma fille, puis c'est ici que ça va se fêter.

Les parents des deux jeunes fiancées se rencontrèrent à quelques reprises, les uns et les autres réclamant la noce chez eux.

— M. Manseau cédera pas, soupira le père d'Annette.

— Sa maison est plus grande, faut admettre ça, se résigna sa femme.

— Mais il va nous en faire payer la moitié, de ces deux mariages-là, même si c'est lui qui va décider des dépenses.

Cette question était secondaire pour Imelda et la fébrilité qui l'animait cachait ses pensées profondes au sujet de Marie-Louise. Quand Charles Manseau était venu faire sa grande demande chez son père, Gratien Lachapelle, un dimanche d'août 1905, cette enfant avait conquis son cœur instantanément. Ensuite, elle avait été sa complice dans cette maison devenue la sienne. Et maintenant un homme allait la prendre, de la même manière que Charles Manseau l'avait prise, la prenait et continuerait à la prendre, elle, Imelda Lachapelle. La colère qu'elle n'avait osé ressentir pour elle-même, elle la transforma en appréhension et elle se chagrina à l'avance pour la jeune femme si confiante en son Antoine, comme elle-même l'avait été pour Charles. «C'est de même depuis que le monde est monde, songea-t-elle avec amertume. Qu'est-ce que je peux changer là-dedans?» soupira-t-elle avec impuissance.

La mère chercha des occasions de mettre sa fille en garde contre ce qui l'attendait. La fille chercha des occasions d'apprendre de sa mère en quoi consistait l'acte conjugal. Dans l'effervescence de la redécoration, de la préparation des vêtements de noces et du repas de fête, les occasions ne se présentèrent pas, et les deux femmes eurent la surprise, le matin du mariage, de ne s'être rien dit.

Imelda ajusta le voile blanc qui descendait jusqu'à l'ourlet de la robe de satin blanc de la mariée, aux genoux. Elle regretta encore une fois cette mode étrange qui négligeait la taille pour cintrer les hanches d'un ruban ou d'une écharpe horizontale. Marie-Louise avait de belles jambes et les bas longs et fins les mettaient en valeur. «Dans le temps on montrait rien. Mais ça n'empêchait rien non plus.»

Dans la chambre des garçons, Henri nouait et renouait sa cravate pour la troisième fois.

— Ça va finir par avoir l'air d'une vraie guenille, grogna son père. Dans mon temps, on portait un nœud papillon: ça avait de la classe.

— Il me semble que vous le détachiez tout le temps, rappela Henri, préoccupé de centrer le nœud enfin réussi.

— Envoye! l'interrompit son père nerveusement. Ta sœur est en train de descendre.

Henri saisit son chapeau de feutre beige, en lissa le bord d'un mouvement rapide, tapota le nœud plat sur le côté. Ensuite, il prit ses gants qu'il tint aussi de sa main droite et, se pliant le coude, vint placer le chapeau bien droit à la taille.

— Un chapeau, c'est sur la tête que ça va! Le tenir avec des gants que tu mettras même pas non plus, c'est de l'argent jeté à l'eau.

Il critiquait, s'emportait pour des détails, incapable de prononcer les mots qui l'avaient mené dans la chambre de son fils. Henri refusa de laisser amoindrir sa joie.

— On se marie juste une fois, le père! lança-t-il d'un ton émoustillé.

«Ouais, c'est ça qu'on pense», ne put s'empêcher de songer Charles avec amertume. Et il descendit à son tour, boutonnant son costume neuf qui, d'une pointure plus large que le précédent, lui serrait moins la taille.

Après la cérémonie religieuse, le premier couple de mariés sortit sur le parvis au son du carillon offert par le conseil municipal, à la demande de M. Manseau, qui avait contribué personnellement à payer cet achat important pour la paroisse. Dans sa robe coupée aux genoux, sa fille lui sembla prête à courir, sans entraves. L'image de Mathilde lui traversa l'esprit. Il cligna des yeux comme pour mieux distinguer les traits d'un visage qu'il n'arrivait plus à se rappeler précisément, depuis plusieurs années déjà. D'ailleurs, Marie-Louise n'avait aucun trait physique de sa mère; c'était plutôt de sa vitalité qu'elle avait hérité et Charles ne s'en apercevait que ce matin.

Le second couple sortit à son tour. Charles observa son fils qui, grand et blond, lui ressemblait si peu. «C'est un Gingras.» Et cette distance créée par l'hérédité lui rendit Henri, une fois de plus, cher à son cœur. Il scruta sa bru Annette. Un soupir s'exhala de sa poitrine. La jeune femme était coquette, très coquette. «Ça doit manquer de sérieux, une fille qui rit trop.» Se détournant, il aperçut sa belle-sœur Georgette et constata que la cinquantaine l'alourdissait.

— On rajeunit pas, personne, commenta Imelda qui avait suivi son regard.

Charles examina sa femme un instant et s'avoua satisfait: elle portait mieux ses quelques kilogrammes supplémentaires que les autres femmes de son âge. Après le repas de noces, servi dès dix heures du matin, les mariés prirent le train pour Montréal.

— Ta mère sera toujours là, dit Imelda à Marie-Louise en l'embrassant. Tu t'en souviendras, ma petite fille?

— Mais voyons donc, maman! soupira la jeune femme. Je m'en vais pas à un enterrement, je m'en vais en voyage de noces!

La jeune épousée riait, insouciante, et rêvait de se faire embrasser très souvent dorénavant par Antoine, comme il l'avait fait parfois en la ramenant d'une soirée. Henri, pour sa part, rêvait d'étreindre Annette, qui était venue si souvent le rejoindre derrière la scierie, à la brunante, et qui lui avait tant de fois caressé langoureusement la nuque et les cheveux, en l'embrassant à la limite de ce qu'il pouvait supporter, certains soirs.

— Conduis-toi en homme, parvint à lui dire son père sur le quai de la gare.

Henri le regarda, incertain du sens de la remarque. «En tout cas, je ne me conduirai pas comme vous avec elle», pensa-t-il en jetant un regard furtif à sa belle-mère.

Les jeunesses des familles Beaudoin et Gendron leur firent la surprise de se rendre à la gare de Magog avant eux et de les y accueillir bruyamment et joyeusement. Amusés, les mariés furent néanmoins soulagés de repartir, car la journée était loin d'être achevée; à leur descente du train, à Montréal, ils prendraient un bateau de croisière jusqu'à Québec. Ils se proposaient de passer quelques jours dans la capitale et de revenir par train à Saint-François-de-Hovey.

— Une nuit de noces sur un bateau! avait grogné Charles. Si ç'a de l'allure!

«Dans un bateau ou ailleurs, ça t'aurait pas arrêter», pensa Imelda.

Antoine et Marie-Louise revinrent les premiers et furent reçus à souper chez les Manseau. Après le repas, l'attention d'Imelda, qui s'était beaucoup inquiétée pour sa fille ces derniers mois, fut attirée par un geste anodin. Dans le salon, Marie-Louise s'était penchée vers son mari, assis dans un fauteuil à l'écart des autres, et elle l'avait inopinément embrassé dans le cou. La tendresse et la volupté sous-jacentes à ce simple geste, effectué spontanément, déconcertèrent la mère, mais ce qui la bouleversa, ce fut le regard peiné de sa fille quand son mari la regarda sévèrement en se levant pour échapper à cette caresse. Imelda se détourna, le souffle court. Marie-Louise l'aperçut et dissimula son regard blessé, feignant l'indifférence à ce rejet de son mari.

Trois jours plus tard, Henri et Annette revinrent à leur tour avec une sorte d'insolence heureuse au fond des yeux. Les deux couples s'installèrent à deux rues l'un de l'autre. Les deux hommes continuèrent à travailler à la scierie. Charles fut de plus en plus fier du travail de son fils et de plus en plus sévère pour celui de son gendre. Imelda, perplexe, observait silencieusement sa fille et sa bru.

Un soir de novembre, Imelda, écrasée sous le corps haletant de Charles qui s'activait sur elle, sans elle comme d'habitude, n'eut plus qu'une pensée lasse: «Que ça finisse, que je dorme tranquille!»

— Aïe!

377

Un mouvement maladroit. Un de plus après tant d'années. «Il prend du poids et ça paraît», se plaignit-elle mentalement. Ses yeux étaient grands ouverts dans la pénombre, la pleine lune éclairant la chambre d'une lumière diffuse. Son regard lourd de lassitude se posa sur l'image vieillotte de la Sainte Famille accrochée au mur au pied du lit, de son côté. «Un cadeau de mariage, se rappela-t-elle, un cadeau de monsieur le curé de mon village.» À ce souvenir, elle fit une moue ironique. «Qu'est-ce que les curés connaissent là-dedans, la famille?»

Charles avait fini et il retomba pesamment à côté d'elle, faisant geindre les ressorts usés. Machinalement, Imelda s'essuya, se considérant encore salie après une relation conjugale, même après toutes ces années. «Son affaire est finie puis c'est encore moi qui reste prise avec ça, se redit-elle pour la millième fois. Au moins, à mon âge, j'ai moins peur de redevenir arrangée de même.» Son regard se porta de nouveau sur le tableau de la Sainte Famille et elle laissa tomber le bout de tissu poisseux à côté du lit.

L'homme ronflait déjà. Il avait commencé ces bruits dérangeants depuis quelques années, mais refusait de l'admettre. Malgré elle, Imelda admirait l'aisance de Charles à nier ce qu'il n'acceptait pas. «Il se complique pas la vie avec ça, lui!» Au fond, elle lui en voulait de se libérer de ce qui lui déplaisait, tout en le méprisant de repousser si aisément des éléments de la réalité, et elle interprétait cette attitude comme un manque de responsabilité. Imelda frôla le sommeil sans pouvoir y sombrer tout à fait à cause des ronflements sonores. Elle flotta entre deux eaux et ne put s'opposer assez fermement aux pensées qui s'infiltraient en elle. Elle bougea, se tourna, essayant de chasser l'intruse: une rancune sourde, bien ancrée au fond de son cœur, osait poindre, cette nuit, et

378

même commencer à se déployer sans pudeur. «Il est pas pire qu'un autre, les autres sont tous de même.»

Elle s'était souvent demandé s'il était plus heureux qu'elle. «Il en a l'air, en tout cas.» Que ce soient ses hommes à la scierie ou ses enfants à la maison, tous et chacun lui obéissaient au doigt et à l'œil. «Puis il a une femme qui l'a jamais refusé; qu'est-ce qu'il pourrait demander de plus?» En outre, le commerce prospérait tellement que Charles avait dû agrandir. Pourtant, elle n'aurait pu jurer sur l'Évangile que son mari était satisfait de son sort; de même, elle n'aurait pu affirmer non plus qu'il ne l'était pas. «On s'est jamais parlé de ces affaires-là. Ça se dit peut-être pas, au fond?»

Ces pensées inhabituelles continuaient à occuper son esprit. Ce n'était pas vraiment à l'égard de Charles qu'Imelda ressentait la rancœur qui cette nuit l'assaillait comme une bourrasque de fin d'hiver. Une pensée oscillait, se faufilait, s'entêtait, lui échappait, se diffusait comme la fine poudrerie d'hiver sur les crêtes durcies de neige, mais revenait toujours. Le regard de la femme se fixa obstinément sur l'image de la Sainte Famille et elle scruta ce portrait que la lune cernait maintenant d'une lueur insolente. Imelda regarda ces trois personnages comme si elle les voyait pour la première fois et sa pensée s'emballa, comme sur le point d'atteindre une destination imprécise qui l'attirait sans qu'elle puisse y résister.

Et tout à coup le portrait lui apparut dans toute sa trahison. «C'est ça, une famille?» s'affola-t-elle. «C'est un couple, eux autres? Eux autres qui ont jamais fait "ça"? Qui se sont jamais touchés? Ni dans la noirceur de la chambre ni en plein jour, nulle part, jamais?» Effrayée de l'audace de ses pensées qui tourbillonnaient sans son consentement, Imelda imagina la Vierge Marie après «la chose», comme elle tout à l'heure, et elle frémit à cette pensée sacrilège. «Mon doux Jésus, pardonnez-moi! Penser des affaires de même de votre mère et de son... son...» Le mot ne venait pas; elle ne pouvait pas dire «son mari» puisque Joseph n'avait jamais touché Marie. «Mais d'abord, d'abord...» La colère lui serra le cœur. «Mais si elle a jamais connu "ça", elle, comment elle peut être notre modèle à nous autres, les femmes, pour nous dire d'accepter ça à chaque fois que le mari en a envie, si elle sait même pas ce que c'est? Comment on peut la prendre pour modèle, nous autres, pour endurer ça une vie de temps?»

Imelda trembla devant tant de pensées sacrilèges. Elle eut ensuite les yeux brouillés de tristesse et de lassitude pour tant de gestes malhabiles accomplis sur elle, sans elle. Brusquement, sa tristesse enfin avouée éclata en douleur amère: «Pourquoi on nous a fait ça, à nous autres, les femmes, moi, ma mère, ma grand-mère, toutes les autres femmes de partout dans le monde?» Elle secoua la tête pour en chasser ces pensées lucides et insoutenables et son regard revint irrésistiblement à l'illustration au mur: une femme jamais touchée et intouchable qui souriait angéliquement à un homme resté chaste toute sa vie, qui n'avait jamais rien exigé d'elle, nuit après nuit, et qui, en plus de vivre avec cette femme-statue, avait élevé l'enfant d'un autre. «Ça n'a pas de bon sens! Ça n'a pas de bon sens!» se reprochait-elle, bouleversée.

Comme un orage d'été, brusque et violent, les larmes dévalèrent les joues d'Imelda. Elle pleurait sur elle pour avoir cru à une tromperie pareille, elle pleurait sur les femmes devenues objets au lit et servantes dans les maisons à la suite de cette longue tricherie perpétuée à travers les siècles. Imelda pleurait silencieusement et se sentait le cœur plein de compassion pour cette femme à qui on n'avait jamais demandé la permission non plus de l'afficher ainsi, de se servir d'elle pour cette tromperie avilissante. Et la femme eut de la compassion pour saint Joseph. «À voir comment Charles s'est excité pour ça, vos nuits ont dû être bien difficiles. Vous aussi, vous avez été trompé, saint Joseph, vous aussi. Puis, en plus, le monde ordinaire s'est moqué de vous bien des fois. Mais nous autres, les femmes, comprit-elle amèrement, c'est pas le monde ordinaire qui s'est moqué de nous... Et je pense pas que le bon Dieu avait voulu ça de même.»

Le sommeil la prit ainsi, en larmes presque silencieuses, le cerveau épuisé. Absorbée par sa détresse, elle ne s'était pas aperçu que Charles ne ronflait pas. Il ne dormait plus. Durant toutes leurs années de mariage, il ne l'avait jamais vue pleurer, et de l'entendre ainsi, dans le noir, après qu'il l'eut prise, suscita en lui un malaise auquel il ne s'attendait pas, qu'il refusait d'accepter et encore moins d'analyser. Il décida de faire semblant de dormir et sombra lui aussi dans le sommeil.

À quelques jours de là, trois des enfants s'acquittaient de leurs devoirs sur la grande table de la cuisine. Wilfrid, âgé de dix-sept ans, aidait son père à terminer un travail à la scierie, tandis que Gemma, âgée de seize ans, reprisait des chaussettes, et que la petite Léontine, âgée de cinq ans, était déjà couchée. Les trois autres achevaient leurs leçons et devoirs. Antoinette, âgée de quatorze ans, avait doublé sa première année d'école Modèle malgré toute son application. Cette humiliation était toutefois passée presque inaperçue. La réforme de l'enseignement venait d'allonger le primaire d'un an pour le porter à sept ans et l'avait nommé autrement, soit l'école Élémentaire. La jeune fille était bien décidée à se rattraper, à terminer avec brio son élémentaire et à commencer du bon pied l'école Complémentaire. Lucien, maintenant en cinquième année, écrivait ses devoirs à l'encre dans un cahier ligné et s'en enorgueillissait. Blandine, en deuxième année, était assise à un bout de la table et traçait ses mots en bâillant longuement à chaque ligne, tombant de sommeil.

Entre le bruissement des pages tournées par Antoinette et les petits claquements de la plume que Lucien égouttait sur le bord de l'encrier, le grincement du crayon sur la feuille de Blandine fit soudain lever les yeux à Imelda, en train de poser des boutons à une chemise. Elle regarda pensivement ses enfants et son regard se fixa sur l'encrier. À sa manière discrète, elle se leva et monta à la chambre, puis en redescendit avec l'image encadrée de la Sainte Famille, qu'elle déposa sur la table. Les enfants étonnés durent pousser leurs effets scolaires pour laisser de la place à l'image, aussi grande que tous leurs cahiers réunis.

Leur mère entreprit de nettoyer le cadre à fond. Elle le tourna, plia un peu les petits clous avec un couteau et retira le carton jauni. Puis elle enleva la vitre, alla la déposer à plat sur le comptoir et revint à la table. Lucien repoussa son encrier et continua son devoir, mais il était coincé et ne pouvait s'appliquer pour bien écrire. Imelda reprit l'encrier et le déposa près de l'image de la Sainte Famille, qu'elle épousseta avec de grands gestes décidés. Ce faisant, maladroitement, elle renversa l'encrier dessus.

— Maman! s'écria Antoinette. C'est tout taché!

Imelda fut longue à trouver un torchon et le liquide bleuâtre gâcha irrémédiablement l'image.

— Mon doux! Qu'est-ce que j'ai fait là! s'exclama la mère, faussement désolée.

Elle s'activa à tout enlever pour redonner la table aux enfants. Dans un creux du bois de la table, un peu d'encre s'était infiltrée, qu'elle ne réussit pas à détacher.

— J'ai les mains pleines de pouces, à soir, je crois bien.

Antoinette essaya de la consoler.

— Je vais demander une autre image aux sœurs; elles en ont peut-être une à donner.

— Laisse faire, protesta Imelda. C'est mon dégât, c'est à moi de le réparer.

— C'est pas de trouble, maman, je...

— Laisse faire! l'interrompit vivement sa mère en laissant transparaître une irritation qui surprit les enfants et qu'ils mirent sur le compte de son malaise.

Sur le mur de la chambre des parents, un rectangle clair rappelait maintenant l'absence de l'image encadrée sur laquelle la femme avait posé si souvent son regard pendant les ébats d'un mari exigeant, en une vingtaine d'années de vie conjugale. Le rectangle clair démontrait aussi à quel point le papier tenture à petites fleurs bleues était défraîchi. Charles y porta lui aussi un regard qui ne devenait observateur que parce qu'il y avait un changement à l'aspect habituel du mur.

— Le bleu, c'est la plus belle couleur pour une tapisserie, dit-il en bâillant.

— Va falloir que j'arrange ça, dit simplement l'épouse.

— J'ai pas d'argent à mettre pour une autre image, dit-il en se tournant vers elle.

— Je vais trouver quelque chose. Bonne nuit, Charles.

Elle ramena les couvertures sur son menton et tourna carrément le dos à son mari, qui fut si étonné de la fermeté du geste qu'il n'eut plus qu'à se tourner lui aussi et il se retrouva face à son mur.

Quelques jours plus tard, en montant se coucher, Charles ne remarqua pas tout de suite le changement. Quand il fut allongé, ses yeux cherchèrent machinalement le rectangle trop clair. Il avait disparu. Imelda avait retapissé toute la chambre, avec un papier d'un motif gris-vert sur fond pêche, presque corail. Il regarda attentivement les couleurs du mur, puis la place vide à côté de lui. À la cuisine, Imelda avait délibérément entrepris de tailler une petite robe pour Blandine. Charles grogna, se retourna d'un bord et de l'autre, puis finit par s'endormir tout seul en pensant à la dernière finesse de sa petite Léontine. Imelda monta se coucher quand, d'en bas, elle ne l'entendit plus se virailler depuis un long moment.

CHAPITRE 15

« POUR ELLE, il y a jamais rien de trop beau, bougonna Imelda. Un défilé en char allégorique, c'est pas la fin du monde. Les robes des autres auraient bien pu faire. Pas de danger: faut que je lui en couse une neuve.»

— C'est la dernière, Charles! Ce linge-là s'usera pas.

— Justement, c'est la dernière! Faut faire les choses comme il faut!

Elle soupira. Comme elle aimait coudre, elle se laissa finalement prendre au plaisir de ce travail. Léontine n'aurait pas la plus belle robe blanche de tout le défilé du 1er juillet 1926, Charles ayant quand même limité le choix du tissu, mais la robe était certainement plus luxueuse que la précédente, qui avait servi à Gemma, à Antoinette et à Blandine.

Charles avait consacré trois jours à faire préparer son char allégorique par ses enfants. Pour la circonstance, il avait fait reproduire une roue à godets comme celle qu'Anthime Vanasse avait à sa première scierie près de la chute.

— Personne connaît ça, papa, des moulins de même, avait protesté Henri.

Charles avait toisé son fils. «C'est pas parce qu'il est marié qu'il va venir me dire quoi faire.»

— C'est justement parce que le monde connaît pas ça qu'il faut en montrer. Oublie pas, mon garçon, que j'ai commencé dans les moulins à scie avec ça.

— Je pensais que c'était un moulin à turbine, s'étonna Wilfrid.

Charles fronça les sourcils; ce fils avait une compréhension surprenante des mécanismes. Quelqu'un avait dû parler de la vieille scierie d'Anthime Vanasse une fois ou deux, et le garçon s'en était souvenu, distinguant nettement la roue à godets de la turbine.

— Quelques années avant moi ou après moi, ça change pas grand-chose à l'affaire. Les moulins à scie, avant, ça fonctionnait de même.

Les fils n'insistèrent pas. Lucien fut mis à contribution lui aussi; à quatorze ans, il travaillait déjà comme engagé, et ses idées différentes de celles des autres les dépannaient souvent. Il ne savait pas toujours, malheureusement, évaluer ses trouvailles.

— On pourrait faire un petit feu dans un baril, suggéra-t-il naïvement. Ça rappellerait le feu du moulin!

Cet épisode malheureux survenu avant sa naissance, il se l'était fait raconter à plusieurs reprises et en était resté profondément marqué. Charles s'insurgea d'abord contre la proposition puis il hésita. Après tout, son char allégorique était destiné à montrer à tout le village à quel point il avait réussi. N'était-il pas normal qu'il rappelle aussi ses durs moments, qui n'en rehausseraient que davantage sa réussite ultérieure? Henri s'effraya.

— Vous y pensez pas, le père! Ça va tout salir.

— Je vais patenter un genre de tuyau pour la fumée, le rassura son frère, puis...

386

— Puis s'il vente? Si les chevaux partent à l'épouvante? Arrête donc tes folies, Lucien. As-tu pensé au monde qui va être là-dessus? C'est bien trop dangereux!

Charles trouva qu'Henri avait raison et que c'était dommage.

— Le feu, on joue pas avec ça, trancha-t-il. Votre mère accepterait jamais ça.

Henri secoua la tête. «Comme si elle avait déjà décidé quelque chose.» Le 1er juillet au matin, dès cinq heures, Charles Manseau et ses garçons terminèrent les derniers préparatifs. Lucien astiqua encore les attelages, faisant luire les anneaux et les attaches de métal, et le cuir graissé de la veille. Les trois autres chevaux, loués pour la circonstance, furent amenés à temps.

— Quatre chevaux de large? s'était inquiétée Imelda. Tu pourras jamais les conduire!

— Henri et Wilfrid vont s'en occuper. Un attelage de même, ça prend deux cochers.

Imelda fut rassurée que Charles ne soit pas juché sur la banquette derrière les chevaux. Depuis qu'il avait une automobile, il semblait avoir perdu la main avec les bêtes. Charles détourna la conversation en ordonnant:

— Que tout le monde soit prêt quand ce sera le temps!

Il ne mentionna pas Victor et Angèle et leurs deux enfants, Félix et Anne, qu'il attendait et qui n'étaient pas encore arrivés de Sherbrooke. Au début de l'après-midi, ses filles sortirent de la maison, fébriles, excitées. Même s'il suait déjà à grosses gouttes, Charles avait revêtu son plus beau costume, celui qu'il avait acquis trois ans auparavant pour les noces d'Henri et de Marie-Louise. «Faut ce qu'il faut. C'est pas en bras de chemise qu'on montre qu'on est prospère.» Imelda avait fait semblant de se laisser prendre dans l'engouement de la fête, alors qu'en fait

387

elle était gênée à la pensée de voir son mari se pavaner avec ostentation. Pour ne pas détonner, elle s'était cousu une toilette neuve, brun rouille. Les robes maintenant d'une coupe simple et sans jupe longue encombrante, ainsi que les coiffures courtes et faciles à entretenir, rendaient l'été plus agréable qu'autrefois; elle ne regretta que les grands chapeaux qui cachaient du soleil et voilaient son regard quand elle le préférait.

Henri et Wilfrid, les deux cochers, sautèrent les premiers. Les filles, attendant fébrilement de voir leur neveu et leur nièce de Sherbrooke, montèrent sur la plate-forme composée de deux longues charrettes de ferme solidement amarrées ensemble et que les décorations unifiaient. Tout habillées de blanc, Gemma, Antoinette, Blandine et Léontine éclataient de lumière devant la façade de la fausse maison qui servait à illustrer à quoi servait le bois de construction qui sortait de la scierie. Derrière un arbre moyen fraîchement abattu du matin, Lucien mimait l'abattage en forêt. À l'autre bout, une roue à godets reconstituée tournait grâce au mécanisme de Wilfrid et à un tonneau d'eau. Plus loin, Charles se tenait droit, fièrement appuyé sur une large courroie tendue horizontalement entre deux poulies près de la scie circulaire, transportée pour l'occasion en dehors du bâtiment. Elle étincelait au soleil, longuement astiquée par M. Gervais. Celui-ci, le plus vieil employé de la scierie, aurait tant voulu faire partie de ce char allégorique de la scierie où il travaillait depuis plus de vingt ans. Mais le patron avait été inflexible.

— Ce char-là, c'est le char des Manseau. Personne d'autre va mettre les pieds dessus.

Son gendre Antoine n'y avait pas eu accès non plus. Il s'en était trouvé soulagé, mais Marie-Louise en avait été blessée. Même Léontine s'était vu refuser la permission d'y amener sa camarade du banc de l'école.

— J'ai dit juste la famille! avait clamé son père d'une voix forte.

Par le char imposant consacré à sa scierie, M. Manseau montra à tous, villageois et visiteurs, qu'il était prospère et qu'il avait une famille dont il était fier. Il savoura de passer devant le conseil municipal et les commissaires d'école, les dominant d'un mètre, surtout le nouveau gérant de banque qui ne connaissait de lui que ses dernières années, celles de sa nouvelle prospérité. Il jeta des regards non équivoques sur le char allégorique du curé, le fils d'Eusèbe et Rosalba Gagnon, qui avait l'air pauvret à côté du sien. Et il avait délibérément choisi de suivre celui des Kingsey, de proportions nettement plus restreintes, pour en faire ressentir la petitesse. Pendant tout le défilé, il voulut prouver à tout le monde, une fois de plus, qu'il avait réussi, repoussant la pensée que personne ne pouvait vraiment mesurer l'ampleur de cette réussite puisque son père n'était plus là. Son ex-beau-frère Clophas Gingras avait, comme forgeron du village, un attelage de deux chevaux noirs aux crinières savamment tressées et aux longues queues tellement brossées qu'elles volaient au vent comme de longs cheveux. Même Charles en avait été impressionné. Sans l'avouer, évidemment. Clophas s'en était amusé. «C'est lui qui a le plus beau char, mais il est le seul à en douter encore.»

Tout s'était déroulé sans accrocs apparents, conformément en tout point aux ordres de M. Manseau. Victor était arrivé à temps avec sa famille. Du trottoir de bois, il avait vu passer son père sur son char allégorique, le corps droit, le visage fier et imperturbable. «Ça vous a donné quoi, papa, de faire le jars toute votre vie?» ne put-il s'empêcher de penser, le cœur soudain serré. Pour se défaire de cette émotion, il souleva son fils de cinq ans et le tint contre son cœur comme pour faire un écran entre lui et son père, et il adressa un sourire complice à Imelda, mal à l'aise d'être ainsi exhibée.

Même le temps fut coopératif, juste assez venteux pour qu'on apprécie la chaleur sans en souffrir. Pourtant, quand le défilé fut terminé et que les visiteurs furent allés féliciter le chef de famille, ils ne restèrent pas à souper, car Henri les avait invités chez lui.

— On a hâte de leur montrer nos jumelles, dit simplement le cadet. Elles ont deux mois déjà; c'est plus que le temps de les faire connaître à leur parenté de Sherbrooke.

Imelda était au courant et elle n'avait pas jugé bon d'en prévenir Charles, sachant que cela lui gâcherait sa journée.

— On est invités chez Henri nous autres aussi, dit Marie-Louise. Avec mon petit Bruno, ça aurait fait cinq petits tannants; ça vous aurait dérangés sans bon sens.

Déconcerté, leur père ne voulut pas laisser paraître son désappointement et encore moins quémander leur présence.

— C'est fin de votre part d'avoir pensé à ne pas déranger; c'est votre mère surtout qui se serait fatiguée à faire un gros souper pour tout le monde.

Cette déception s'ajoutait à une autre qui le dérangeait, confuse et inattendue. Malgré son attente, il n'était pas parvenu, de toute la journée, à ressentir la joie victorieuse, presque vengeresse, qu'il avait escomptée de son char allégorique. Et la raison de sa déception lui échappait.

Il ne dit rien de tout le souper, malgré la conversation animée de ses autres enfants, qui commentaient abondamment le défilé de chars. Au dessert, il fronça les sourcils devant son assiette où Imelda venait de déposer une pointe de tarte d'une couleur orangée qu'il trouva suspecte.

— Qu'est-ce que c'est que ça?

— De la tarte à la citrouille, répondit-elle simplement.

Il repoussa l'assiette sans y toucher.

— C'est pas la peine de te fatiguer à cuisiner ça: j'aime pas ça. Je te l'ai déjà dit.

Imelda ne sourcilla pas et lui tendit simplement une seconde assiette où se trouvait un autre dessert. Et elle piqua sa fourchette dans sa pointe de tarte à la citrouille sans un regard à son mari, qui lui manifesta en vain une contrariété qu'il croyait de bon aloi. Les enfants n'avaient pas osé goûter à ce mets nouveau et d'une couleur inhabituelle. En voyant leur mère s'en délecter visiblement, ils l'entamèrent eux aussi. Wilfrid, plus gourmand que les autres, s'y risqua le premier et trouva cela à son goût, mais il n'osa contredire son père.

— Vous en avez jamais fait, une tarte de même, maman? demanda Antoinette en se levant pour servir le thé à son père qui, indécis, ne touchait pas à son assiette.

La mère regarda sa fille de près de quinze ans, mesurant le temps qui passait. Les robes qui s'arrêtaient aux genoux lui allaient bien; elle avait les jambes longues et vives.

— Oui, une fois; l'année de mon mariage.

— Rien qu'une fois? Pourquoi vous en faites seulement aujourd'hui? demanda Blandine avec la curiosité de ses onze ans.

L'avant-dernière s'était difficilement remise de la naissance de Léontine, qui avait pris tant de place parmi la maisonnée. Mais elle s'était faite ensuite sa protectrice, ayant succombé elle aussi au charme de la benjamine, et elle y trouvait une valorisation indirecte. Imelda hésita à répondre puis elle s'y résolut en s'efforçant de paraître naturelle.

— Parce que c'est seulement aujourd'hui que je me suis souvenue que j'aimais ça.

Et elle prit une deuxième bouchée, la savourant simplement, sans feinte et sans provocation.

— Heureusement que vous en aviez fait des confitures, maman, déclara Antoinette qui était toujours fascinée par la prévoyance de sa mère. Sans ça, vous auriez dû attendre jusqu'au mois d'octobre, que les citrouilles soient prêtes à manger.

Si ce détail échappa aux enfants, Charles en fut contrarié. Ainsi donc, crut-il, Imelda avait préparé son coup. Cela lui sembla malhonnête. Ses pensées sans joie se doublèrent du constat d'une situation habituelle mais qu'il percevait aujourd'hui seulement dans toute sa signification: la tablée s'était remise à parler sans l'inclure, comme s'il était absent. En fait, leurs conversations ne l'intéressaient pas plus aujourd'hui que les mois ou les années précédentes. Mais ce qu'il comprenait ce soir, c'était que sa présence ne les intéressait pas davantage. Blessé, il trouva moyen de décocher un reproche à Wilfrid qui, malgré ses vingt ans, faisait les quatre volontés de son père à la scierie. Il compara Lucien à Henri, plus consciencieux à son dire, même si le cadet, à quatorze ans, travaillait autant qu'un homme. Ensuite, il reprocha à Gemma de ne pas aider suffisamment sa mère, et l'adolescente, qui faisait tout son possible pour remplacer Marie-Louise, en eut le cœur révolté. Dans le silence qui suivit, la jeune Blandine échappa sa cuillère et il fronça les sourcils comme si elle était trop bruyante à son goût. Les autres comprirent et cessèrent leur conversation.

Charles se sentit alors profondément seul à la fin de cette journée qui aurait dû marquer son triomphe. Il se leva brusquement de table et sortit en claquant la porte. Il alla d'instinct à la scierie, le seul endroit qu'il pouvait considérer comme un refuge dans sa vie. Il marcha vite et ne s'arrêta qu'une fois parvenu au milieu de sa cour à bois, parmi les douces odeurs des centaines de billots de pin, de sapin et d'épinette, des planches blondes et beiges, fraîchement sciées.

Dans la douce soirée de juillet, il regarda sa scierie que rosissait le soleil couchant. «Mon moulin.» Il promena son regard sur le clos de bois, les piles de madriers, les planches, les solives, les traverses de chemin de fer, tout ce bois bûché, ébranché, écorcé, scié, plané, empilé et qui séchait à l'air libre, chacune des rangées étant séparée de la supérieure par des travers pour l'aérer et l'empêcher de noircir.

Il resta là à humer l'odeur du bois humide et à regarder la scierie, longue bête domptée mais vorace qui ne se rassasiait pas de dévorer le bois à la journée longue. Il aurait dû, le regard rempli de ses réalisations d'homme, se rengorger, se sentir plein de contentement. «C'est ça que j'ai voulu toute ma vie, puis je l'ai eu.» Et cette constatation eut pour lui un tel relent d'échec qu'il ferma les yeux. Sa scierie ne le comblait plus. Il comprenait ce soir qu'elle ne le comblerait jamais complètement. «J'ai travaillé toute ma vie pour ça! réalisa-t-il soudain. Toute une vie!» Il marqua une pause. «Pour ça?»

Sa main rude tremblota en palpant une planche. Mais une planche, mille planches pouvaient-elles satisfaire un homme, le combler jusqu'au plus profond de son être? Près de lui se trouvait un carré de bois incomplet et monté jusqu'à un mètre. Il s'y laissa tomber et sentit ses forces l'abandonner, écrasé par un vide immense. Ses épaules se courbèrent et il revit le vieux Vanasse, là-bas, dans sa scierie du bord de la chute, venant d'apprendre que ses deux fils allaient s'installer loin de lui pour toujours.

Loin derrière lui, la porte moustiquaire de la cuisine claqua dans le soir sans vent. Des pas légers se firent entendre, crissant sur le gravier. Des pas mesurés, précautionneux, ponctués par des cliquetis métalliques. Intrigué, il fit l'effort de se retourner à demi. À contrejour dans le soleil couchant, la petite Léontine venait vers lui, ses deux tresses ballottant sur ses épaules. Le père plissa les yeux, curieux. Elle leva les siens et vit qu'il la regardait. Un tel sourire illumina son visage d'enfant que son père en frémit. Elle le rejoignit et lui dit simplement:

— Vous avez pas pris votre dessert, papa.

Elle tenait une assiette remplie d'une grosse pointe de tarte. Deux fourchettes s'y entrechoquaient. Il reprit sa voix bourrue.

— Deux fourchettes? Me prends-tu pour un monstre à deux bouches?

L'enfant éclata d'un rire qui effaça d'un coup, pour son père, tout ce qui l'entourait.

— Une pour vous, une pour moi, lui dit-elle comme à un petit enfant.

Elle grimpa à ses côtés, s'assit avec précaution sans déposer son assiette et divisa la pointe trop grosse en deux portions inégales. Bouleversé par l'émotion qui le désarmait, il essaya encore une fois de la repousser.

— Puis tu penses que je vais te laisser manger dans mon assiette?

Elle rit de sa cachotterie en retirant une seconde assiette placée sous la première.

— Les papas puis les petites filles, ça mange pas dans la même assiette, lui dit-elle simplement.

Elle le regardait en souriant, presque moqueuse, si paisiblement candide. Il cria presque, désemparé:

— T'as pas peur de moi, toi? T'as pas peur de moi comme les autres?

Et sa large main, rude de tant d'années de labeurs, désigna indistinctement la maison, la scierie, le village. L'enfant se mit à rire et prit une bouchée gourmande.

— Je le sais bien, moi, que vous parlez fort juste pour faire semblant.

Décontenancé, Charles radoucit le ton sans même s'en apercevoir.

— T'as pas peur? répéta-t-il, incrédule.

Elle haussa les épaules et rit de nouveau, épar-
pillant les sombres nuages qui étouffaient, un instant
auparavant, le cœur et la tête de M. Manseau. Il la
regarda déguster son dessert tout contre lui et le
poids écrasant qu'il portait depuis des années coula
de ses épaules, lui allégeant le cœur. «Inquiète-toi
pas, ma petite fille; un papa et une petite fille, ça
mange pas dans la même assiette.» Il voulut tout à
coup passer son bras autour des épaules frêles de la
petite, mais le geste, trop inhabituel, n'arrivait pas à
s'esquisser, comme si les désirs du cœur étaient séparés du corps qui aurait pu en témoigner. Elle continua à savourer son morceau de tarte, relevant simplement ses yeux moqueurs vers lui. Il la regarda
manger et rire; il l'écouta bavarder et il lui sembla
tout à coup, comme une évidence, que ce qu'il y avait
de plus important au monde se trouvait à ce moment
précis dans les yeux de cette enfant qui se riait de ses
colères d'homme et partageait avec lui une pointe de
tarte aux pommes.

De la cuisine, Imelda les regarda un long moment, puis elle se tourna vers la tablée qui riait et se
chamaillait librement, maintenant que le père était
sorti. Son regard s'attarda sur chacun des enfants.
«Mes enfants.» Les trois aînés étaient déjà établis et
elle les regretta, sincèrement. Mais cela lui fit chaud
au cœur de voir réunis ce soir autour d'elle les enfants auxquels elle avait elle-même donné le jour. Il
manquait Léontine, toutefois. Et le cœur lui fit mal.
Cette enfant était sa fille, mais son cœur se refusait à
elle, comme si elle se devait de redonner aux autres,
défavorisés, l'affection dont la petite n'avait peut-
être pas besoin, recevant à elle seule toute l'attention
du père.

Sa pensée retourna à cet homme, là-bas, qu'elle
avait aimé, honnêtement, sans jamais recevoir d'affection en retour. Il lui était arrivé de regretter sa
décision d'autrefois, en cet été 1905 où ce veuf lui
avait demandé de venir habiter sa maison. «Si j'avais

su...», s'était-elle dit parfois. Elle se redressa, moins fermement qu'autrefois, et releva la tête pour faire taire les regrets. «Mes enfants, même ceux qui sont plus là, ça, je le regretterai jamais.»

— Papa a pas l'air comme d'habitude, s'inquiéta Gemma.

Imelda revint à table et commença à desservir. «Faites-vous-en pas pour votre père, mes enfants; tous nous autres ensemble, on comptera jamais autant qu'elle.» Elle commença à laver la vaisselle et un sourire de dérision flotta sur ses lèvres. «C'est pour ça qu'il est venu me chercher, il y a vingt ans...»

Dehors, dans le clos de bois, un homme fatigué écoutait sa fillette qui, dans le soir tombant, exorcisait de sa petite voix rieuse la solitude oppressante dans laquelle il s'était enfermé lui-même depuis si longtemps.

Et il commença à penser que, peut-être, il lui restait encore une raison de se lever le matin.

Un homme comme tant d'autres

Tome 1
CHARLES

    L'histoire de Charles Manseau débute en 1890 alors que le héros, fils de cultivateur, quitte la maison paternelle. Dans le premier tome d'*Un homme comme tant d'autres*, le romancière Bernadette Renaud raconte la jeunesse de Charles, ses débuts de travailleur puis d'entrepreneur, et aussi la très belle histoire d'amour qui l'unit à Mathilde, sa première femme.

    Peuplé de personnages attachants qui évoluent dans un décor savoureux, celui de la fin du siècle dans les Cantons de l'Est, le premier volet d'*Un homme comme tant d'autres* livre un portrait unique de ce qui fut l'expérience de tant d'hommes de chez nous. Une histoire à suivre…

imprimerie gagné ltée

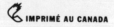

IMPRIMÉ AU CANADA